Microsoft® Windows xp

Ed Bott

Adapté de l'anglais par :
Xavier Guesnu

Titre U.S. : FASTER SMARTER WINDOWS XP
ISBN U.S. : 0 7356 1857 7

Édition et diffusion : Dunod
Distribution : Vivendi Universal Publishing Services
Mise en page : IID
Couverture : SAMOA
Adaptaté de l'angais par Xavier Guesnu
ISBN : 2 10 007197 1

Sommaire

Windows XP : nouveautés et mise à niveau

1

Microsoft Windows est utilisé quotidiennement par des millions de personnes et, sans doute, êtes-vous l'une d'entre elles. L'ordinateur personnel n'est plus réservé aux seuls initiés et constitue un outil désormais indispensable pour collecter des informations, développer une activité professionnelle ou échanger avec sa famille et ses amis. Pour celles et ceux qui maîtrisent déjà une version de Windows, la mise à niveau vers Windows XP constitue un jeu d'enfant.

Au premier abord, Windows XP s'apparente aux versions antérieures de Windows. Cependant, au fur et à mesure de son utilisation, sa profonde originalité vous paraîtra évidente. Les blocages ont été réduits de façon spectaculaire, tandis que la plupart des tâches quotidiennes s'avèrent beaucoup plus simples. Encore mieux, certaines actions, comme l'installation ou la connexion d'une caméra numérique, qui laissaient perplexes jusqu'aux techniciens les plus avertis, ont été totalement automatisées.

Nouveautés

Sous Windows XP, vous devez d'abord ouvrir une session, c'est-à-dire vous identifier à l'aide d'un nom d'utilisateur. Une fois connecté, vous accédez à votre propre espace de travail : un dossier contenant vos documents personnels, un Bureau (personnalisable à loisir) et un menu Démarrer où figurent vos raccourcis. L'ajout d'un mot de passe à votre compte empêche les autres utilisateurs de consulter vos fichiers et de manipuler, à plus ou moins bon escient, votre Bureau ou votre menu Démarrer. Sur un ordinateur familial, il est possible de créer un compte distinct pour chaque membre de la famille, sans craindre que vos enfants n'effacent malencontreusement votre comptabilité personnelle.

Les versions antérieures de Windows permettaient déjà de créer des comptes distincts et d'afficher une boîte de dialogue de connexion au démarrage. Cependant, comme il suffisait à l'utilisateur d'appuyer sur la touche ECHAP pour ignorer la boîte de dialogue, le mot de passe ne constituait en rien une protection. Sous Windows XP, chaque utilisateur doit obligatoirement s'identifier : autrement dit, si le système a été correctement configuré, vos fichiers sont protégés et toute personne ignorant votre mot de passe est incapable d'y accéder.

ASTUCE

Pour bénéficier d'une sécurité maximale, veillez à ce que le disque dur soit formaté avec le système de fichier NTFS et associez un mot de passe à votre compte.

De son côté, le menu Démarrer a été réorganisé : il facilite l'accès aux emplacements les plus utilisés, comme le Poste de travail ou le Panneau de configuration, ainsi que l'exécution de tâches telles que la recherche d'un fichier ou la consultation du Centre d'aide et de support. La barre des tâches regroupe automatiquement les boutons de même nature afin de ne pas encombrer votre espace de travail. Les icônes affichées dans la zone de notification (coin inférieur droit de l'écran) sont automatiquement masquées dès qu'elles ne sont plus nécessaires et libèrent ainsi de l'espace pour vos programmes. À intervalles réguliers, Windows propose également d'archiver les icônes du Bureau non utilisées récemment.

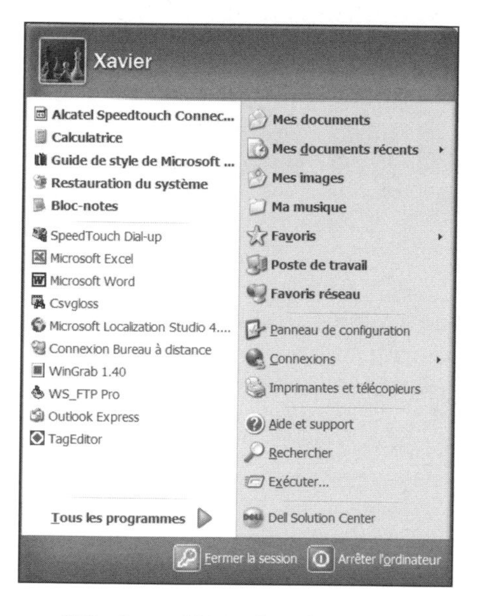

Windows XP inclut des programmes et utilitaires qui facilitent l'emploi d'un appareil photo numérique. De fait, si vous connectez celui-ci à un ordinateur exécutant Windows XP, l'Assistant Installation d'un scanneur et d'un appareil photo s'affiche et propose de télécharger automatiquement vos images. Une fois celles-ci transférées en toute sécurité dans le dossier Mes images, vous pouvez les afficher individuellement, les visualiser sous forme d'un diaporama ou les adresser par courrier électronique à votre famille et à vos amis.

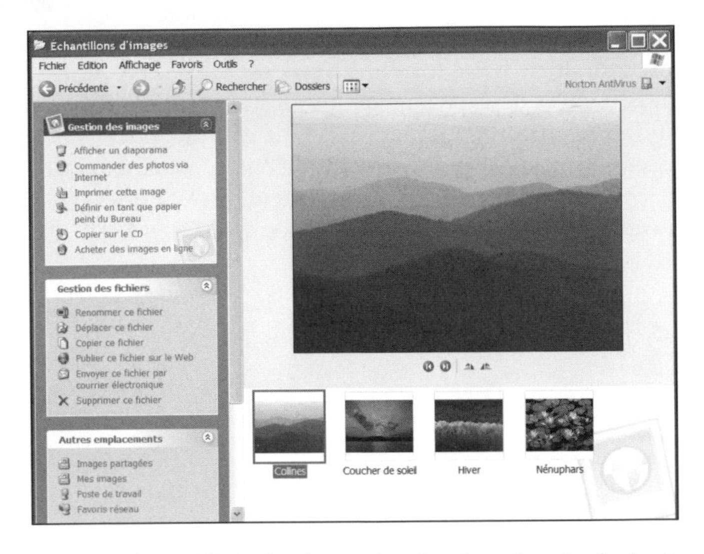

Windows XP inclut la version la plus récente du Lecteur Windows Media. Grâce à ce programme polyvalent, vous pouvez lire des CD ou des DVD (sous réserve de disposer du décodeur approprié), copier des œuvres musicales sur votre ordinateur ou les transférer vers un lecteur portable, et organiser harmonieusement votre discothèque. L'emploi conjoint d'un graveur CD-RW et de Windows XP permet même de graver ses propres CD.

Windows XP constitue un programme extrêmement puissant, aux fonctions innombrables. Si vous ignorez comment exécuter telle ou telle action, utilisez le nouveau Centre d'aide et de support de Windows XP. Vous pouvez parcourir l'index, consulter une rubrique ou rechercher un mot ou une expression spécifique. Les réponses fournies sont d'une lecture aisée et, dans de nombreux cas, proposent également des didacticiels, des utilitaires de dépannage et des procédures pas à pas vous aidant à accomplir une tâche ou à résoudre un problème.

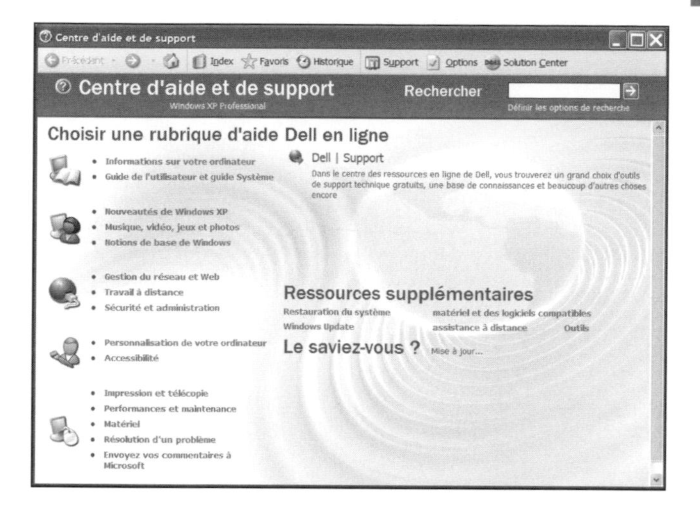

Windows XP est livré avec le navigateur Microsoft Internet Explorer 6, intégralement mis à jour. Cette version permet de retrouver très rapidement des informations sur Internet grâce à des outils simples d'utilisation et à une organisation rationnelle des raccourcis aux dossiers Web favoris. Elle inclut également des améliorations significatives en termes de sécurité ou de protection de la vie privée, et permet de contrôler efficacement les cookies.

Windows XP offre la possibilité de télécharger, créer ou ouvrir une incroyable diversité de fichiers : photos numériques, rapports professionnels, cartes de vœux, listes de CD personnalisées, etc. Ceux qui ont déjà géré des fichiers et des dossiers dans les versions précédentes de Windows en maîtrisent probablement les notions de base. Windows XP y ajoute quelques nouveaux outils très pratiques : par exemple, le volet des tâches, affiché sur la partie gauche de l'Explorateur Windows, facilite la recherche des dossiers les plus utilisés et l'exécution des tâches quotidiennes, comme renommer, déplacer ou copier un fichier.

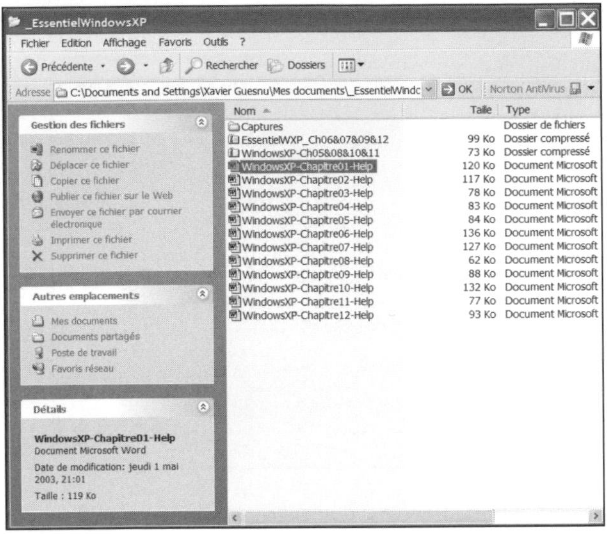

_EssentielWindowsXP

Fichier Edition Affichage Favoris Outils ?

Précédente · Rechercher · Dossiers

Adresse C:\Documents and Settings\Xavier Guesnu\Mes documents_EssentielWindc · OK · Norton AntiVirus

Gestion des fichiers

- Renommer ce fichier
- Déplacer ce fichier
- Copier ce fichier
- Publier ce fichier sur le Web
- Envoyer ce fichier par courrier électronique
- Imprimer ce fichier
- Supprimer ce fichier

Autres emplacements

- Mes documents
- Documents partagés
- Poste de travail
- Favoris réseau

Détails

WindowsXP-Chapitre01-Help
Document Microsoft Word
Date de modification: jeudi 1 mai 2003, 21:01
Taille : 119 Ko

Nom	Taille	Type
Captures		Dossier de fichiers
EssentielWXP_Ch06&07&09&12	99 Ko	Dossier compressé
WindowsXP-Ch05&08&10&11	73 Ko	Dossier compressé
WindowsXP-Chapitre01-Help	120 Ko	Document Microsoft
WindowsXP-Chapitre02-Help	117 Ko	Document Microsoft
WindowsXP-Chapitre03-Help	78 Ko	Document Microsoft
WindowsXP-Chapitre04-Help	83 Ko	Document Microsoft
WindowsXP-Chapitre05-Help	84 Ko	Document Microsoft
WindowsXP-Chapitre06-Help	136 Ko	Document Microsoft
WindowsXP-Chapitre07-Help	127 Ko	Document Microsoft
WindowsXP-Chapitre08-Help	62 Ko	Document Microsoft
WindowsXP-Chapitre09-Help	88 Ko	Document Microsoft
WindowsXP-Chapitre10-Help	132 Ko	Document Microsoft
WindowsXP-Chapitre11-Help	77 Ko	Document Microsoft
WindowsXP-Chapitre12-Help	93 Ko	Document Microsoft

Windows XP peut être configuré de telle façon que chaque personne possède son propre Bureau, son emplacement de stockage et ses raccourcis vers ses programmes favoris. Chaque utilisateur peut, en outre, personnaliser les polices, utiliser sa photo numérique favorite comme arrière-plan du Bureau, ajouter les sons de son choix, etc.

Windows XP Édition familiale et Windows XP Professionnel

Windows XP se décline en deux versions : Windows XP Édition familiale et Windows XP Professionnel.

Le noyau et la plupart des fonctionnalités élémentaires du système d'exploitation sont rigoureusement identiques dans les deux versions. Comme son nom le suggère, la version Windows XP Professionnel comporte quelques fonctions supplémentaires, destinées essentiellement à une utilisation dans un contexte professionnel. Si vous utilisez principalement votre ordinateur à domicile ou dans le cadre d'une petite entreprise, l'Édition familiale suffit amplement. La version de Windows XP installée sur votre ordinateur est mentionnée sur l'onglet Système du Panneau de configuration.

Identifier la version de Windows XP

1. Cliquez sur Démarrer, puis sur Panneau de configuration.
2. Si le Panneau de configuration est organisé en catégories (affichage par défaut dans Windows XP), sélectionnez Performances et maintenance, puis cliquez sur l'icône Système.

   – ou –

3. Dans le cas d'un affichage classique, double-cliquez sur l'icône Système.
4. Examinez l'onglet Général.

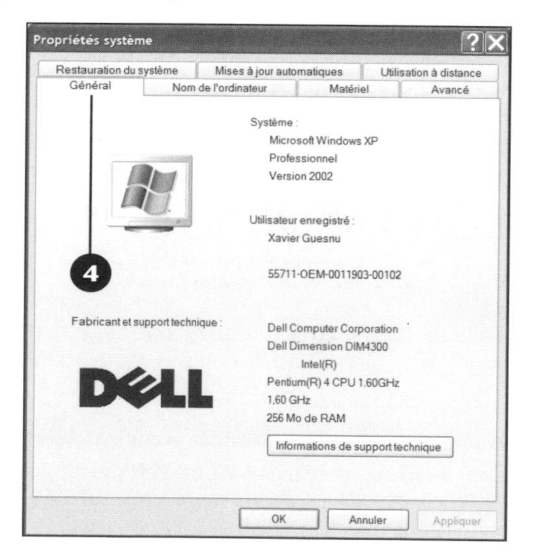

Mise à niveau d'une version antérieure

Si vous envisagez de mettre à niveau votre version Windows avec Windows XP, l'une des premières mesures consiste à vérifier si l'un des matériels ou logiciels installés risque d'entraîner un dysfonctionnement sous Windows XP. Mieux vaut être informé de l'existence potentielle d'une incompatibilité qu'y être confronté brutalement après la mise à niveau.

Si vous disposez du CD-ROM Windows XP, utilisez le Conseiller de sauvegarde pour vérifier la présence de problèmes éventuels de compatibilité. Ce programme constitue normalement la première étape du processus de mise à niveau vers Windows XP, mais il peut être utilisé indépendamment. Il fonctionne avec la plupart des versions de Windows (95, 98, Me et 2000).

Identifier la compatibilité avec Windows XP

1. Insérez le CD-ROM Windows XP dans le lecteur de CD-ROM de l'ordinateur.
2. Dans la page d'accueil de Microsoft Windows XP, cliquez sur Vérifier la compatibilité du système.
3. Sur la page suivante, cliquez sur Vérifier mon système automatiquement.
4. Suivez les instructions affichées à l'écran.
5. Si le Conseiller de sauvegarde vous demande l'autorisation de télécharger les fichiers d'installation mis à jour, cliquez sur Oui.

ASTUCE

Si la page d'accueil de Microsoft Windows XP ne s'affiche pas, ouvrez le Poste de travail et double-cliquez sur l'icône du lecteur de CD-ROM. Dans la fenêtre qui apparaît, double-cliquez sur l'icône Setup.

6. Quand le Conseiller de sauvegarde a terminé sa tâche, il génère un récapitulatif des différents conflits logiciels ou matériels détectés.

7. Cliquez sur Détails pour obtenir une présentation détaillée et connaître les solutions éventuellement proposées.

8. Vous pouvez également imprimer l'état pour le lire plus aisément et l'annoter au fur et à mesure de la résolution des problèmes.

Après avoir exécuté le Conseiller de sauvegarde, consultez le rapport généré. En règle générale, les problèmes détectés relèvent de l'une des trois catégories suivantes :

- Logiciels incompatibles avec Windows XP : si votre ordinateur fonctionne sous Windows 98 ou Windows Me, il est probable que votre anti-virus appartienne à cette catégorie. Vérifiez auprès de l'éditeur du logiciel s'il existe un correctif ou une nouvelle version. Il se peut que vous soyez obligé d'acquérir une mise à jour complète.
- Matériel pouvant nécessiter des fichiers supplémentaires : votre ancien modem fonctionnera avec Windows XP, sous réserve qu'au préalable, vous mettiez à jour les fichiers du pilote. À l'aide du rapport du Conseiller de sauvegarde, vérifiez auprès du fabricant de chaque périphérique concerné s'il propose un nouveau pilote, certifié compatible avec Windows XP. Si tel est le cas, téléchargez le nouveau pilote afin de l'installer après avoir achevé la mise à niveau.
- Matériel ne prenant pas en charge Windows XP : certains anciens périphériques ne fonctionnent pas avec Windows XP et aucune mise à jour du pilote n'est disponible. Si vous vous retrouvez dans ce cas, vous aurez à choisir entre le remplacement du périphérique par un nouveau périphérique fonctionnant sous Windows XP ou à renoncer à la mise à niveau vers Windows XP.

Après avoir résolu soigneusement chaque problème mentionné dans le rapport, vous pouvez remplacer en toute sécurité votre ancienne version par Windows XP.

Transfert des fichiers et des paramètres vers un nouvel ordinateur

Vous venez d'acquérir un nouvel ordinateur, équipé de Windows XP. Cependant, tous vos programmes et fichiers se trouvant encore sur l'ancien ordinateur, vous devez les transférer. Heureusement, Windows XP assure une grande partie du transfert.

Pour que vos programmes fonctionnent correctement, vous aurez besoin des CD-ROM ou des téléchargements correspondants, et de réinstaller chaque programme l'un après l'autre sur le nouvel ordinateur. Il est vivement recommandé d'effectuer cette tâche en premier. Une fois les programmes correctement installés, l'Assistant Transfert de fichiers et de paramètres permet de transférer les fichiers de données – lettres, images, courriers électroniques, carnet d'adresses, etc. Pendant cette phase, l'Assistant restaure également les paramètres personnalisés pour Windows, comme les couleurs du Bureau, les polices ou le papier peint, ainsi que ceux de nombreux programmes (Microsoft Office, Microsoft Works, Microsoft Outlook Express, Adobe Acrobat, RealPlayer, etc.).

L'Assistant Transfert de fichiers et de paramètres doit être exécuté à la fois sur l'ancien ordinateur et sur le nouveau. L'Assistant explore votre ancien système, rassemble tous les fichiers du dossier Mes documents et du Bureau. Il recherche également sur le disque dur tous les fichiers de données, quel que soit leur emplacement de stockage. Enfin, il analyse les paramètres personnalisés définis pour Windows et autres programmes. Une fois tous les fichiers et paramètres regroupés, il ne reste plus qu'à les transférer vers le nouvel ordinateur. Deux solutions sont possibles :

- Si vous avez configuré une connexion réseau entre l'ancien ordinateur et le nouveau, vous pouvez transférer directement tous les fichiers et paramètres. Réinstallez ensuite vos anciens programmes sur le nouvel ordinateur et vous êtes prêt à travailler.
- Si vous ne disposez pas d'un réseau, il suffit que vous ayez un lecteur Zip ou un graveur de CD-ROM, par exemple, pour y copier les fichiers et paramètres de l'ancien ordinateur et les transférer ensuite sur le nouvel ordinateur. Vous pouvez même utiliser un lecteur de disquettes, sous réserve que vos fichiers de données occupent un espace très réduit.

Préparez d'abord le nouvel ordinateur afin qu'il puisse recevoir les fichiers transférés. Installez les programmes, configurez le réseau et téléchargez les mises à jour requises.

Préparer le nouvel ordinateur

1. Sur le nouvel ordinateur, cliquez sur Démarrer et choisissez Tous les programmes.
2. Cliquez successivement sur Accessoires, Outils système et Assistant Transfert de fichiers et de paramètres.
3. Sur la page d'ouverture de l'Assistant, cliquez sur Suivant.
4. Sur la page De quel ordinateur s'agit-il ?, sélectionnez Nouvel ordinateur et cliquez sur Suivant.

Assistant Transfert de fichiers et de paramètres

De quel ordinateur s'agit-il ?

Est-ce votre nouvel ordinateur ou votre ancien ordinateur ?

Nouvel ordinateur

L'ordinateur vers lequel je veux transférer les fichiers et les paramètres.

Ancien ordinateur

L'ordinateur à partir duquel je veux transférer les fichiers et les paramètres.

4

Remarque : l'ancien ordinateur peut être équipé des systèmes d'exploitation suivants : Windows 95, Windows 98, Windows 98SE, Windows ME, Windows NT 4.0, Windows 2000 et Windows XP (32 bits)

< Précédent | Suivant > | Annuler

5 Sur la page Avez-vous un CD-ROM de Windows XP, indiquez de quelle façon vous exécuterez l'Assistant sur l'ancien ordinateur. Si vous possédez le CD-ROM Windows XP, sélectionnez l'option correspondante. Dans le cas contraire, choisissez de créer une disquette de l'Assistant (une disquette vierge et formatée est nécessaire).

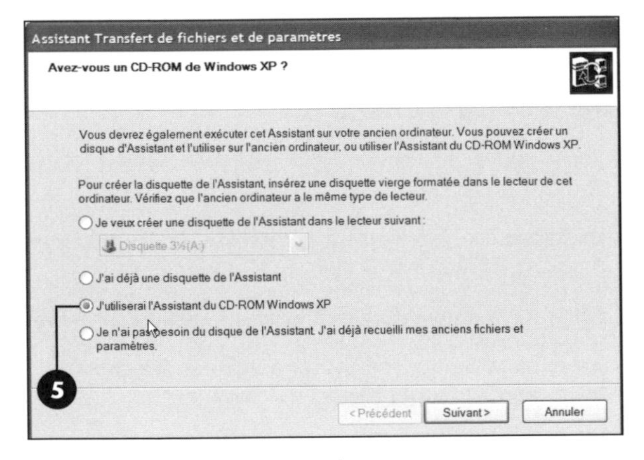

6 Cliquez sur Suivant.

Pour l'instant, vous en avez terminé avec le nouvel ordinateur. Laissez la boîte de dialogue ouverte et retournez à l'ancien ordinateur. Vous êtes maintenant prêt à rassembler les fichiers et paramètres de votre ancien ordinateur afin de les transférer.

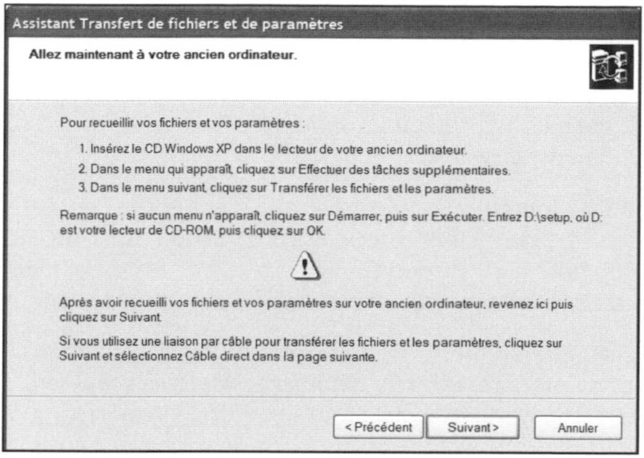

Assistant Transfert de fichiers et de paramètres

Allez maintenant à votre ancien ordinateur.

Pour recueillir vos fichiers et vos paramètres :

1. Insérez le CD Windows XP dans le lecteur de votre ancien ordinateur.
2. Dans le menu qui apparaît, cliquez sur Effectuer des tâches supplémentaires.
3. Dans le menu suivant, cliquez sur Transférer les fichiers et les paramètres.

Remarque : si aucun menu n'apparaît, cliquez sur Démarrer, puis sur Exécuter. Entrez D:\setup, où D: est votre lecteur de CD-ROM, puis cliquez sur OK.

Après avoir recueilli vos fichiers et vos paramètres sur votre ancien ordinateur, revenez ici puis cliquez sur Suivant.

Si vous utilisez une liaison par câble pour transférer les fichiers et les paramètres, cliquez sur Suivant et sélectionnez Câble direct dans la page suivante.

< Précédent | Suivant > | Annuler

Collecter les fichiers et les paramètres de l'ancien ordinateur

Sur l'ancien ordinateur, démarrez l'Assistant Transfert de fichiers et de paramètres.

1. Si vous utilisez une disquette de l'Assistant, insérez la disquette dans le lecteur, cliquez sur Démarrer, choisissez Exécuter, tapez a:\fastwiz et appuyez sur ENTRÉE.

   – ou –

2. Si vous utilisez le CD-ROM Windows XP, insérez le CD-ROM dans le lecteur. La page d'accueil de Windows XP doit s'afficher automatiquement. Si tel n'est pas le cas, ouvrez le Poste de travail, double-cliquez sur l'icône du lecteur de CD-ROM et double-cliquez sur l'icône Setup. Sur la page d'accueil, sélectionnez Effectuer des tâches supplémentaires.
3. Dans la page Que voulez-vous faire ?, cliquez sur Transférer des fichiers et des paramètres.
4. Sur la page d'ouverture de l'Assistant, cliquez sur Suivant.

5 Sur la page Sélectionnez une méthode de transfert, choisissez l'une des options disponibles :

- Câble direct : cette option fait référence à un type de câble permettant de connecter les ports série de deux ordinateurs. La plupart d'entre vous n'en possèdent pas et, qui plus est, ces câbles sont extrêmement lents. Option déconseillée.
- Réseau domestique ou petit réseau d'entreprise : si vous avez configuré votre réseau avant d'utiliser l'Assistant, cette option est disponible. Si tel n'est pas le cas, vérifiez votre connexion réseau ou choisissez une autre option.
- Lecteur de disquette ou autre lecteur amovible : cette option propose une liste déroulante contenant tous les lecteurs amovibles installés sur votre ordinateur. Ne sélectionnez le lecteur de disquettes que si vous avez un très petit nombre de fichiers à copier. Si vous choisissez cette option, assurez-vous que le même type de lecteur est disponible sur le nouvel ordinateur.
- Autre : sélectionnez cette option pour enregistrer les fichiers sur un emplacement de votre ordinateur, de votre réseau ou d'un disque dur amovible, tel qu'un lecteur USB. Entrez dans la zone de texte Dossier ou lecteur l'emplacement auquel les fichiers doivent être enregistrés.

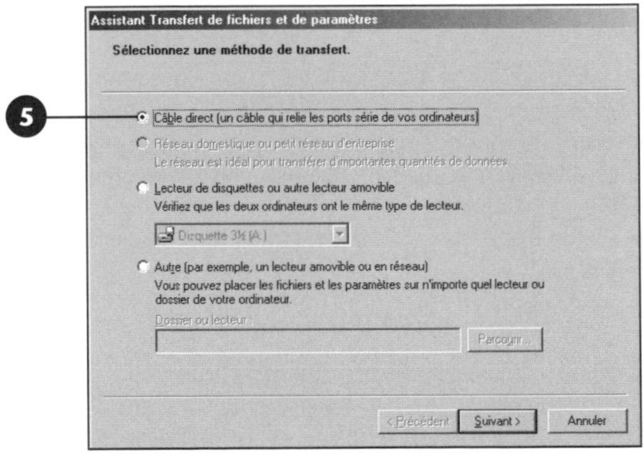

Assistant Transfert de fichiers et de paramètres
Sélectionnez une méthode de transfert.
5
Câble direct (un câble qui relie les ports série de vos ordinateurs)
Réseau domestique ou petit réseau d'entreprise
Le réseau est idéal pour transférer d'importantes quantités de données.
Lecteur de disquettes ou autre lecteur amovible
Vérifiez que les deux ordinateurs ont le même type de lecteur.
Disquette 3½ (A:)
Autre (par exemple, un lecteur amovible ou en réseau)
Vous pouvez placer les fichiers et les paramètres sur n'importe quel lecteur ou dossier de votre ordinateur.
Dossier ou lecteur :
Parcourir...
< Précédent Suivant > Annuler

6 Sur la page Que voulez-vous transférer ?, sélectionnez l'une des trois options : Uniquement les paramètres, Uniquement les fichiers, ou Les fichiers et les paramètres.

– ou –

7 Si vous préférez choisir les éléments dans la liste des fichiers et des paramètres disponibles, activez la case Me laisser choisir les fichiers et les paramètres lorsque je cliquerai sur Suivant.

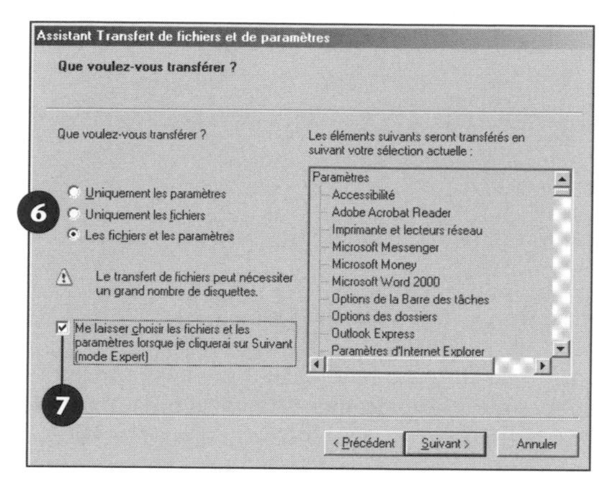

ASTUCE

L'option Uniquement les paramètres inclut les comptes de messagerie, les messages électroniques et le carnet d'adresses, sous réserve que vous ayez choisi l'option réseau ou lecteur amovible. Si vos dossiers Outlook Express comportent une quantité impressionnante de messages, cette option peut nécessiter un espace important ; l'Assistant ne transfère pas les messages électroniques, dans le cas de l'option Uniquement les paramètres, si vous avez choisi d'enregistrer vos fichiers et paramètres sur une disquette. En revanche, si vous choisissez un lecteur Zip, l'Assistant sait alors qu'il dispose d'un espace de stockage suffisant et vos messages électroniques sont transférés.

8 Cliquez sur Suivant. Si vous choisissez l'option de personnalisation de la liste des paramètres, une boîte de dialogue s'affiche. Ajoutez ou supprimez les éléments de votre choix.

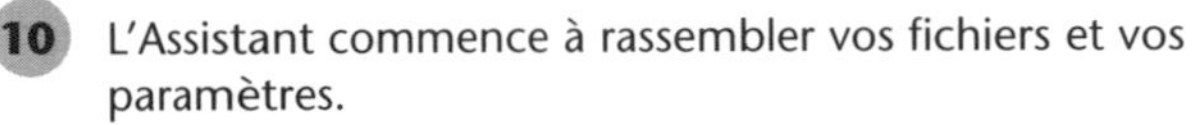

9 Cliquez sur Suivant.

10 L'Assistant commence à rassembler vos fichiers et vos paramètres.

11 Quand l'opération est achevée, cliquez sur Terminer. Vous n'aurez plus à revenir sur votre ancien ordinateur.

Si vous avez choisi d'effectuer le transfert sur le réseau, Windows exécute automatiquement les différentes actions nécessaires. Si vous avez enregistré vos fichiers et paramètres sur une disquette, revenez à votre nouvel ordinateur.

Terminer le transfert sur le nouvel ordinateur

1 Cliquez sur Suivant.

2 Indiquez à Windows l'emplacement des fichiers et cliquez sur Suivant.

3 L'Assistant se charge alors de la suite des opérations.

4 Une fois le transfert achevé, cliquez sur Terminer, déconnectez-vous et reconnectez-vous à nouveau.

Tous les fichiers et paramètres de l'ancien ordinateur sont désormais prêts à être utilisés sur le nouvel ordinateur.

ASTUCE

Ne vous empressez surtout pas de supprimer les fichiers transférés de votre ancien ordinateur. Il se peut fort bien que l'Assistant ait oublié un ou deux fichiers. Utilisez votre nouvel ordinateur pendant quelque temps afin de vous assurer que vous disposez bien de tous les fichiers souhaités. Si tel est le cas, vous pouvez alors supprimer en toute sécurité les fichiers de l'ancien ordinateur.

Dernières mises à jour de Windows

Quand vous avez fini de mettre votre ordinateur à niveau avec Windows XP, il vous reste à installer les mises à jour du système d'exploitation, régulièrement proposées par Microsoft. Elles corrigent les bogues éventuels et résolvent les différents problèmes de sécurité rencontrés. Si vous voulez éviter les arrêts inopinés, il est essentiel que vous mainteniez constamment à jour votre version de Windows XP. Pour contrôler manuellement les mises à jour, vous devez avoir ouvert une session en tant que membre du groupe Administrateurs et être connecté à Internet.

Vérifier manuellement les mises à jour

1. Cliquez sur Démarrer, puis sur Aide et support.
2. Dans la fenêtre Centre d'aide et de support, cliquez sur Windows Update.
3. Dans la fenêtre Windows Update, cliquez sur le lien Rechercher des mises à jour.
4. Windows Update se connecte au serveur de Microsoft et compare les mises à jour disponibles avec celles déjà installées sur votre ordinateur. Le volet gauche de la fenêtre contient la liste personnalisée des mises à jour.
5. Cliquez sur une catégorie pour visualiser les informations détaillées de chaque groupe de mises à jour. Toutes les mises à jour critiques sont sélectionnées automatiquement. Les autres mises à jour sont facultatives.

6. Cliquez sur les boutons Ajouter et Supprimer pour personnaliser la liste des mises à jour à installer.

7. Une fois que vous avez fixé votre choix sur les mises à jour à télécharger, cliquez sur Examiner les mises à jour et les installer. Cette étape permet d'afficher toutes les mises à jour sélectionnées, accompagnées de leur description. Si la liste vous convient, cliquez sur Installer maintenant.

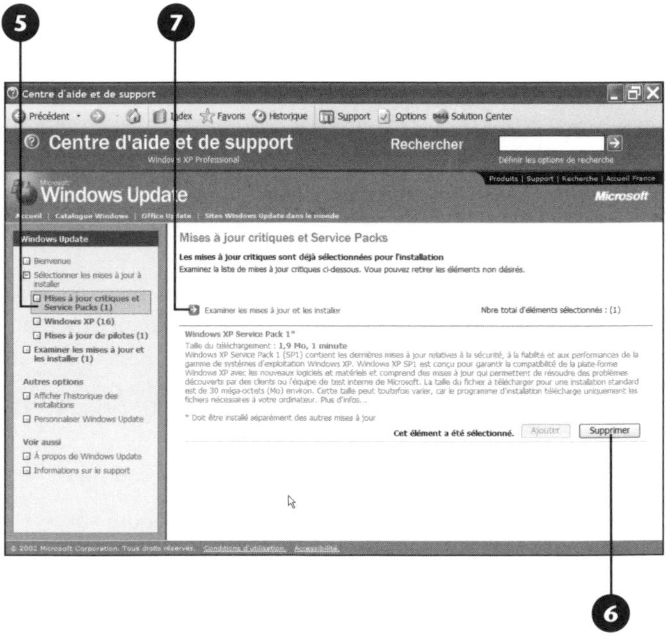

8. Selon le nombre de mises à jour sélectionnées et la vitesse de votre connexion Internet, l'installation peut prendre un certain temps. Cliquez sur Oui si vous êtes invité à installer un logiciel provenant de Microsoft.

Les mises à jour critiques désignent les mises à jour corrigeant un problème sérieux de Windows, susceptible d'entraîner une perte des données ou l'intrusion non détectée d'un virus ou d'un pirate. Les mises à jour recommandées résolvent des problèmes d'une gravité moindre et ne concernent, bien souvent, que les utilisateurs d'un matériel ou d'un logiciel particulier. Les Service Packs regroupent en un seul package plusieurs mises à jour.

Si vous êtes d'un naturel distrait, ne vous reposez pas sur les mises à jour manuelles de Windows XP. Vous risquez fort de laisser s'écouler plusieurs semaines, voire plusieurs mois, sans installer la moindre mise à jour. Autrement dit, il est préférable de confier à Windows la vérification automatique des mises à jour.

Vérifier automatiquement les mises à jour

1. Cliquez sur Démarrer et ouvrez le Panneau de configuration.
2. Dans la catégorie Performances et maintenance, cliquez sur l'icône Système.
3. Dans la boîte de dialogue Propriétés système, sélectionnez l'onglet Mises à jour automatiques.
4. Vérifiez que la case à cocher Maintenir mon ordinateur à jour est bien activée. Puis, sélectionnez l'une des options suivantes :
   - Me prévenir avant de télécharger des mises à jour... : cette option contrôle l'existence de mises à jour sur les serveurs de Windows Update et affiche un message d'alerte dans la zone de notification de la barre de tâches quand une nouvelle mise à jour est disponible. Aucun logiciel n'est téléchargé ou installé.
   - Télécharger automatiquement les mises à jour... : cette option, la plus couramment utilisée, est similaire à la précédente, si ce n'est qu'elle télécharge automatiquement les mises à jour disponibles. Quand le message d'alerte apparaît, vous pouvez décider de procéder à leur installation ou d'effectuer celle-ci ultérieurement.

- Télécharger automatiquement les mises à jour, et les installer en fonction de la planification que je spécifie. Par défaut, cette option vérifie l'existence de nouvelles mises à jour chaque matin à 3 heures et, le cas échéant, les télécharge et les installe automatiquement. Vous pouvez changer l'heure ou modifier la fréquence d'installation des mises à jour et décider qu'elle n'aura lieu qu'une fois par semaine, le vendredi par exemple. Bien que cette option constitue la solution la plus sûre pour maintenir votre ordinateur à jour, elle présente un problème. Si une mise à jour nécessite le redémarrage de votre ordinateur, Windows effectuera celui-ci automatiquement et vous perdrez toutes les données non enregistrées dans les fichiers ouverts. Ne retenez cette option que si vous êtes certain que tous vos fichiers sont bel et bien fermés avant que la mise à jour n'ait lieu.

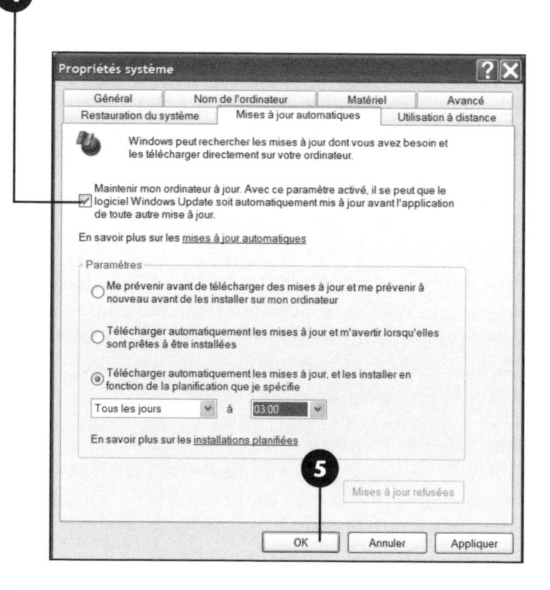

 Cliquez sur OK.

Activation de Windows

Lors de la mise à niveau de votre ordinateur vers Windows XP, l'une des dernières étapes de l'installation consiste à activer votre exemplaire de Windows. Bien que vous puissiez différer cette activation pendant 30 jours, aucun délai supplémentaire ne vous sera accordé et Windows XP cessera de fonctionner en affichant un message indiquant que cette copie de Windows doit être activée auprès de Microsoft avant de pouvoir ouvrir une session.

L'activation est destinée à lutter contre le piratage en permettant de s'assurer que chaque exemplaire de Windows XP est bel et bien installé sur un seul ordinateur. Si vous achetez votre version de Windows XP en magasin, vous pourrez l'installer sur votre propre ordinateur et l'activer sans le moindre problème. Si, ensuite, vous essayez d'installer le logiciel sur un autre ordinateur, ou le prêtez à un proche pour qu'il l'installe, les serveurs de Microsoft refuseront d'activer le second exemplaire via Internet. Le même problème se présentera si vous désinstallez Windows XP de votre ancien ordinateur pour l'installer sur un nouvel ordinateur, car les serveurs considèrent alors qu'il s'agit d'une deuxième copie non autorisée. Toutefois, vous pouvez appeler la hotline du Centre d'activation, expliquer votre cas et activer ainsi votre copie par téléphone.

Pour la plupart des utilisateurs, l'activation du produit ne pose aucun problème. Si vous avez acheté un ordinateur déjà équipé de Windows XP, le fabricant se sera probablement chargé de l'étape d'activation du produit.

Si vous achetez une version au détail et l'installez sur votre ordinateur, connectez-vous à Internet et tapez le code alphanumérique de 25 caractères apposé au dos du coffret. Si le code entré est correct, l'activation du produit sera automatique.

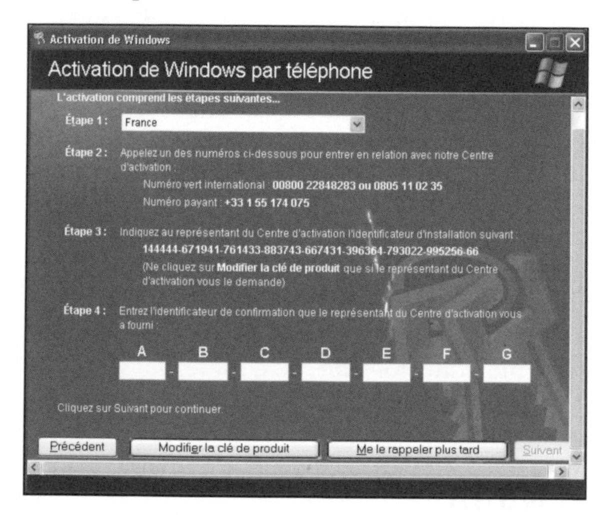

Utilisation de Windows XP

2

Windows XP a été conçu comme système d'exploitation sécurisé. Le nom unique d'utilisateur et le mot de passe garantissent que vos fichiers personnels et courriers électroniques sont stockés en un lieu sûr, à l'abri des regards indiscrets. De même, vous pouvez personnaliser votre Bureau ou définir des préférences spécifiques, sans incidence pour les autres utilisateurs. Chaque fois que vous vous connectez à votre espace de travail, vous êtes assuré que personne n'a accédé à vos données ou modifié vos paramètres sans votre autorisation.

Mise en route

La mise sous tension de l'ordinateur déclenche une série relativement complexe d'événements. Tout d'abord, l'ordinateur est soumis à un ensemble de contrôles POST (*Power On Self Test*) vérifiant que les équipements requis sont présents : mémoire RAM, disque de stockage, carte vidéo, souris, clavier, etc.

Si les contrôles POST n'ont détecté aucune anomalie, l'ordinateur passe le relais à Windows, qui charge alors le système d'exploitation, les pilotes et différents services. Durant cette deuxième phase, le logo Windows apparaît, ainsi qu'une barre d'avancement.

Troisième et dernière phase, Windows bascule en mode graphique et affiche l'arrière-plan standard de couleur bleue, ainsi que l'écran de Bienvenue, sur lequel figure votre nom de compte.

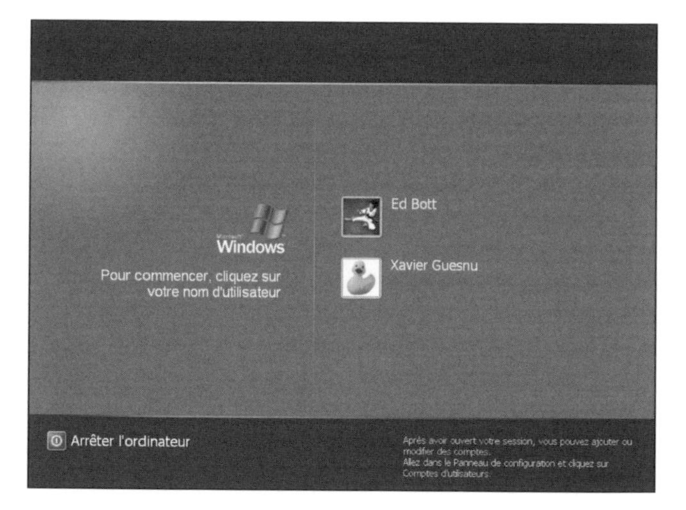

Votre compte se compose de trois éléments distincts :

- Le *nom d'utilisateur* correspond au nom associé par Windows à votre compte. Il peut inclure des espaces ou des signes de ponctuation. Windows n'établit pas de distinction entre lettres minuscules et lettres majuscules.

- Le *nom complet* correspond au nom affiché sur l'écran d'accueil et en haut du menu Démarrer. Généralement, il est identique au nom d'utilisateur. Vous pouvez, toutefois, le modifier à tout instant en sélectionnant la catégorie Comptes d'utilisateurs du Panneau de configuration.
- Le *mot de passe* demeure facultatif pour les comptes d'utilisateurs. Lorsque vous créez un nouveau compte, Windows laisse le mot de passe en blanc. Il est vivement conseillé de créer un mot de passe facile à mémoriser et difficile à deviner, surtout si vous partagez l'ordinateur avec d'autres personnes ou que vous êtes relié en réseau.

Créer un mot de passe

1. Cliquez sur Démarrer, puis sur Panneau de configuration.
2. Sélectionnez la catégorie Comptes d'utilisateurs.
3. En bas de la fenêtre Comptes d'utilisateurs, cliquez sur l'icône de votre compte.
4. Sur la page Que voulez-vous modifier dans votre compte ?, cliquez sur Créer un mot de passe.
5. Entrez votre mot de passe dans les deux zones supérieures (la seconde saisie a pour but de vérifier qu'un mot de passe erroné n'a pas été tapé malencontreusement dans la première zone).
6. Cliquez sur Créer un mot de passe.

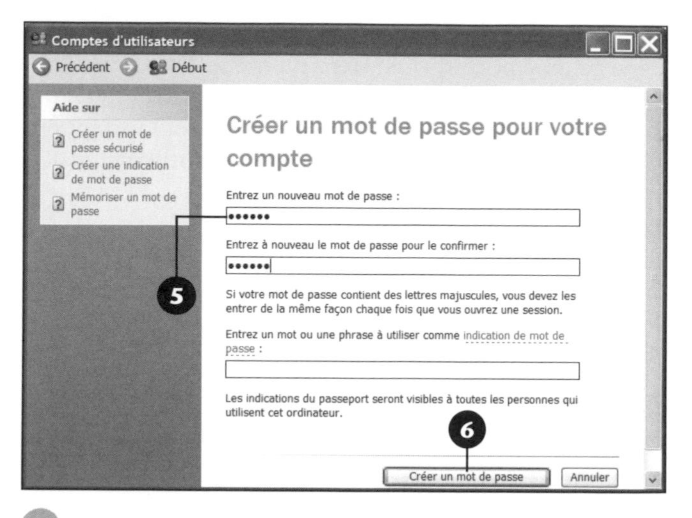

7. Fermez tous les programmes en cours d'exécution, cliquez sur Démarrer et sélectionnez Fermer la session.

8. Lorsque vous revenez sur l'écran d'accueil, cliquez sur votre nom d'utilisateur et entrez le mot de passe précédemment créé.

Si vous disposez déjà d'un mot de passe mais que vous souhaitez le modifier, la procédure est très similaire.

Modifier le mot de passe

1. Cliquez sur Démarrer, puis sur Panneau de configuration.

2. Sélectionnez la catégorie Comptes d'utilisateurs.

3. En bas de la fenêtre Comptes d'utilisateurs, cliquez sur l'icône de votre compte.

4. Sur la page Que voulez-vous modifier dans votre compte ?, cliquez sur Changer mon mot de passe.

5. Suivez les instructions affichées. À titre de sécurité, vous devez saisir votre mot de passe en cours avant d'entrer le nouveau.

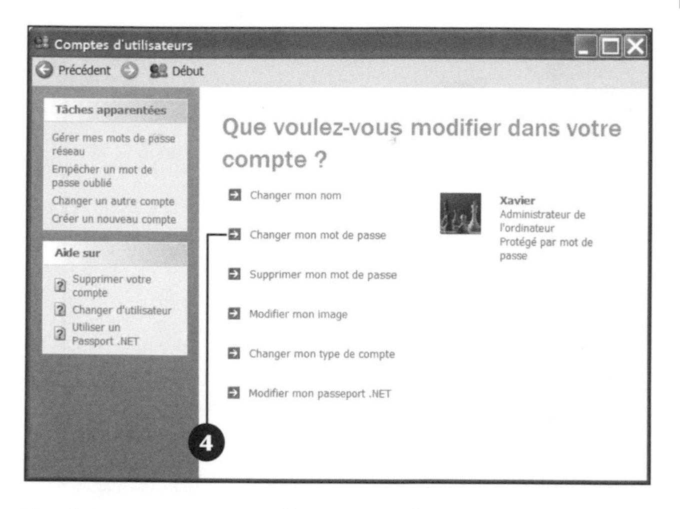

Une fois que vous avez créé ou modifié votre mot de passe, veillez bien à créer une disquette de réinitialisation du mot de passe.

Créer une disquette de réinitialisation du mot de passe

1. Insérez une disquette vierge dans le lecteur de disquettes.
2. Cliquez sur Démarrer, ouvrez le Panneau de configuration et double-cliquez sur la catégorie Comptes d'utilisateurs.
3. Cliquez sur l'icône de votre compte.
4. Dans le volet des tâches affiché à gauche de la fenêtre, sous Tâches apparentées, cliquez sur Empêcher un mot de passe oublié. L'Assistant Mot de passe perdu s'affiche.
5. Cliquez deux fois sur Suivant.
6. Entrez votre mot de passe actuel et cliquez sur Suivant.
7. Quand la barre d'avancement indique que l'opération est achevée, cliquez sur Suivant, puis sur Terminer.
8. Intitulez la disquette « Disquette de réinitialisation du mot de passe » et conservez-la en lieu sûr.

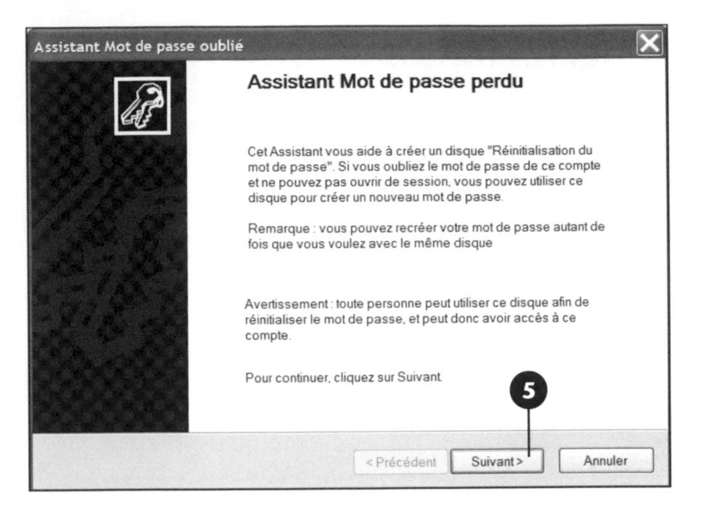

Si jamais vous oubliez votre mot de passe, utilisez cette disquette pour accéder à vos fichiers.

Utiliser la disquette de réinitialisation

1. Sur l'écran d'accueil, cliquez sur le nom de votre compte.
2. Saisissez un mot de passe erroné.
3. Cliquez sur le lien Utiliser votre disque de réinitialisation de mot de passe.
4. Suivez ensuite les instructions affichées à l'écran.

La disquette de réinitialisation de mot de passe n'est conçue que pour être utilisée avec votre compte. Toute personne en possession de votre disquette peut réinitialiser votre mot de passe, accéder à votre compte et afficher des informations sensibles, voire vous dérober des fichiers. Aussi est-il très important de stocker la disquette en un lieu fermé à clé et connu de vous seul.

Changement rapide d'utilisateur

Si vous partagez l'ordinateur avec d'autres membres de votre famille, vous connaissez le désagrément rencontré lorsque vous voulez vérifier votre messagerie mais qu'une tierce personne utilise l'ordinateur. Dans les versions antérieures de Windows, cette dernière devait fermer tous les programmes ouverts afin que vous puissiez vous connecter. À votre tour, une fois que vous aviez terminé, vous deviez fermer votre session et laisser l'autre personne se connecter à nouveau et rouvrir ses programmes. Windows XP permet d'ignorer ces différentes étapes, grâce à une nouvelle fonctionnalité intitulée « Changement rapide d'utilisateur ».

Comme son nom l'indique, cette fonctionnalité permet à plusieurs utilisateurs d'ouvrir chacun une session sur le même ordinateur et de passer d'un compte à l'autre, les programmes continuant de s'exécuter en arrière-plan. De cette façon, un utilisateur peut accéder à son compte, vérifier son courrier électronique ou consulter une page Web et, une fois qu'il a terminé, laisser l'autre utilisateur reprendre son travail en quelques secondes seulement. De fait, il est désormais possible de télécharger un fichier ou de recevoir du courrier électronique en arrière-plan, pendant qu'autre utilisateur travaille sur l'ordinateur.

Changer rapidement d'utilisateur

1. Cliquez sur Démarrer.
2. Cliquez sur Fermer la session.
3. La boîte de dialogue Fermeture de session Windows s'affiche.
4. Cliquez sur Changer d'utilisateur. Cette action affiche de nouveau l'écran d'accueil.

ASTUCE

Verrouillez l'ordinateur chaque fois que vous vous éloignez de votre bureau. Pour cela, il suffit de maintenir la touche du logo Windows enfoncée et d'appuyer sur la touche L. L'écran d'accueil recouvre aussitôt votre travail en cours (les programmes continuent, bien sûr, de s'exécuter en arrière-plan et sont à nouveau présents quand vous vous reconnectez).

Disques, lecteurs, fichiers et dossiers

Windows XP propose de nombreuses options en matière de stockage. Les fichiers peuvent être enregistrés sur un disque dur, une disquette ou un disque ZIP avant d'être transférés sur un autre ordinateur. Si vous possédez un lecteur CD-R ou CD-RW, vous pouvez copier jusqu'à 700 Mo de données sur un CD-ROM qui pourra alors être lu sur un ordinateur équipé d'un lecteur de CD-ROM.

Quand vous recherchez des données, le Poste de travail constitue le point de départ le plus logique, même s'il n'est pas le plus rapide. Le lien vers ce dossier se trouve dans le menu Démarrer.

La fenêtre Poste de travail est organisée par défaut en groupes, chacun correspondant à un type particulier de stockage des données. Quand le volet des tâches apparaît sur le côté gauche de la fenêtre Poste de travail, il fournit aussi bien des liens vers les commandes les plus courantes que des informations sur l'objet sélectionné. Pour passer du volet des tâches à l'affichage Dossiers, cliquez sur l'icône Dossiers de la barre d'outils du Poste de travail.

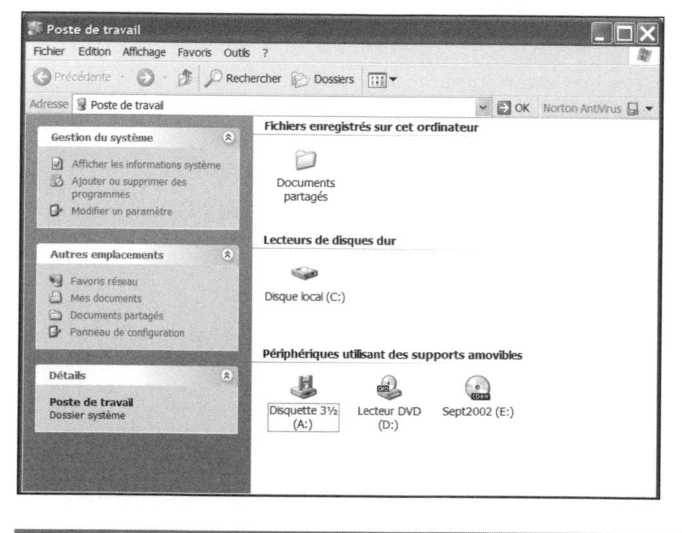

ASTUCE

Lorsque vous manipulez des objets dans le Poste de travail, pensez à utiliser le bouton droit de la souris. Lorsque vous cliquez avec ce bouton sur l'icône d'un lecteur ou d'un autre objet, un menu contextuel s'affiche et propose un accès direct à certaines fonctions, comme la recherche de données, l'exploration d'un lecteur dans une nouvelle fenêtre, le formatage d'une disquette ou l'écriture de fichiers sur un CD-ROM.

La plupart des ordinateurs sont fournis avec un disque dur déjà partitionné et formaté. Si vous ajoutez un deuxième (voire un troisième ou un quatrième) disque à votre système, vous devez le préparer correctement avant de pouvoir y stocker des données. De même, quelle que soit son ancienneté, il importe de savoir vérifier la présence éventuelle d'erreurs sur le disque et, le cas échéant, les corriger.

Pour utiliser, sous Windows XP, les disques durs et les partitions, vous recourez à l'utilitaire Gestion des disques.

À l'aide de cet outil, vous pouvez préparer un nouveau disque dur à son utilisation sous Windows XP, créer des partitions et les formater au moyen des systèmes de fichiers FAT32 ou NTFS.

Ouvrir l'utilitaire Gestion des disques

1. Cliquez sur Démarrer.
2. Ouvrez le Panneau de configuration, puis sélectionnez la catégorie Performances et maintenance.
3. Cliquez sur Outils d'administration.
4. Double-cliquez sur Gestion de l'ordinateur pour accéder à la console Gestion des disques.
5. Dans le volet gauche, le nœud Stockage est développé par défaut ; sélectionnez le nœud Gestion des disques.

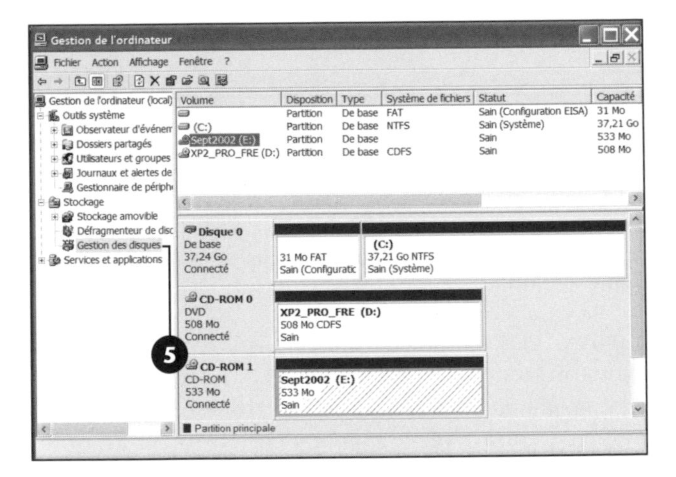

La fenêtre Gestion des disques se compose de deux parties. Dans la partie supérieure figurent les différents volumes, chacun possédant en principe sa propre lettre. La partie inférieure, quant à elle, contient une entrée pour chaque disque dur et lecteur amovible de votre ordinateur.

À partir de la fenêtre Gestion des disques, il est possible d'obtenir des informations sur un disque ou un lecteur en examinant l'entrée correspondante. La liste Volume en haut de la fenêtre contient, par exemple, une mine d'informations utiles. Vous pouvez aussi cliquer avec le bouton droit sur l'une des entrées affichées et sélectionner Propriétés.

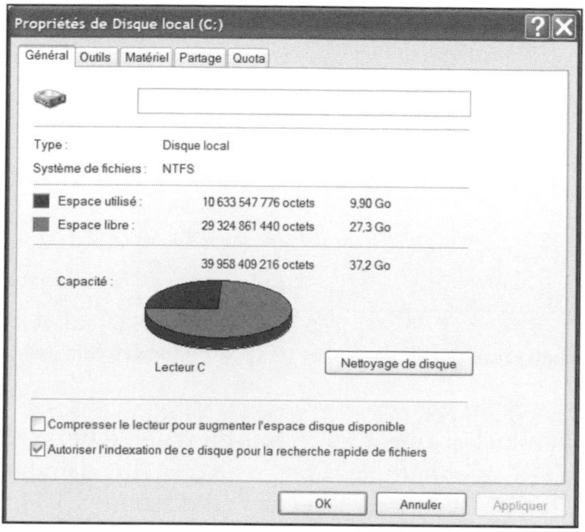

Comme tout dispositif mécanique, les disques durs présentent parfois des problèmes. Ceux-ci peuvent être graves et provoquer un arrêt fatal du disque, ou mineurs (fichier corrompu ou index légèrement embrouillé). La meilleure solution consiste à vérifier régulièrement le disque afin d'y détecter d'éventuelles erreurs.

Vérifier les erreurs

1. Cliquez avec le bouton droit sur l'icône du disque, dans la fenêtre Poste de travail ou la console Gestion des disques.
2. Sélectionnez Propriétés.
3. La boîte de dialogue Propriétés de Disque local s'affiche.
4. Dans le cadre Vérification des erreurs de l'onglet Outils, cliquez sur Vérifier maintenant.

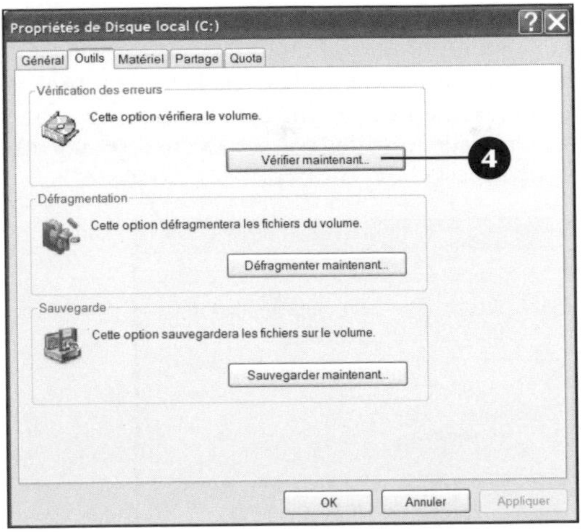

5 La boîte de dialogue Vérification du disque comporte deux options :

- Réparer automatiquement les erreurs du système de fichiers. Cette option vérifie la présence d'erreurs dans la liste des fichiers stockés sur le lecteur sélectionné. Si vous ne l'activez pas, l'utilitaire Vérification du disque signale toutes les erreurs détectées, mais ne les corrige pas.

- Rechercher et tenter une récupération des secteurs défectueux. Cette option effectue un contrôle exhaustif de la totalité du disque et répare les données stockées dans les secteurs défectueux du disque. Même si son exécution nécessite un certain temps, cette vérification n'en constitue pas moins une mesure de protection indispensable.

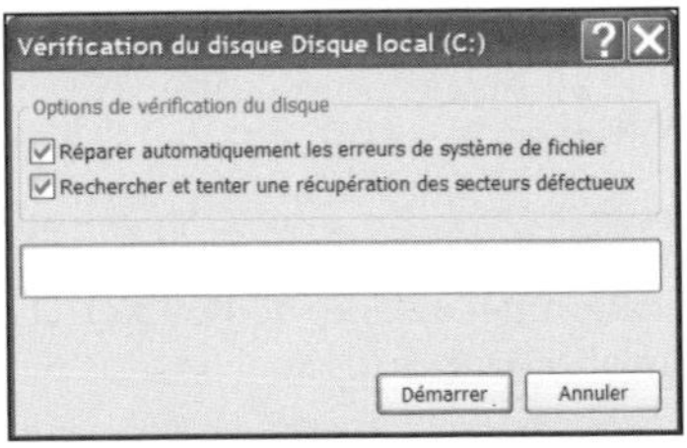

Windows réserve toujours les lettres A et B aux lecteurs de disquettes, et la lettre C à votre premier disque dur, celui contenant les fichiers système Windows. Ensuite, Windows attribue les lettres sur la base premier entré, premier servi. Vous pouvez modifier les lettres de lecteurs, à l'exception des lettres A, B et C, à l'aide de l'utilitaire Gestion des disques.

Modifier une lettre de lecteur

1. Ouvrez la console Gestion des disques.
2. Cliquez avec le bouton droit sur l'entrée du lecteur et choisissez Modifier la lettre de lecteur et les chemins d'accès.
3. Cliquez sur Modifier et sélectionnez une lettre dans la liste déroulante des lettres de lecteur disponibles.
4. Cliquez sur OK.

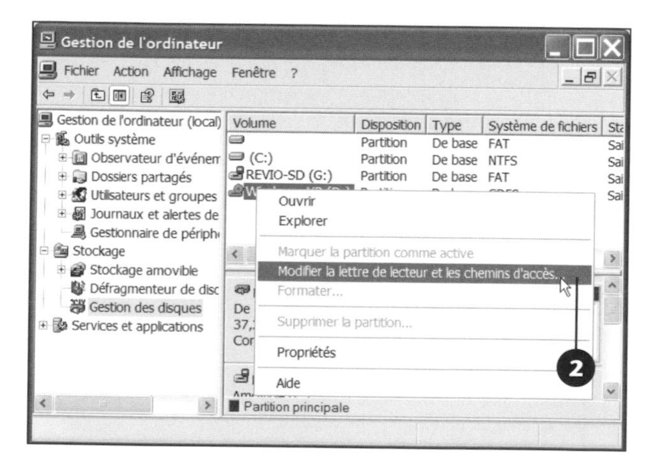

Alors que la configuration d'un disque dur constitue un événement relativement rare, il vous arrivera fréquemment de devoir formater des disques amovibles. Bien que les nouvelles disquettes soient généralement vendues formatées, vous pouvez recourir au formatage pour effacer rapidement leur contenu avant d'y copier de nouveaux fichiers.

Formater une disquette

1. Insérez la disquette dans le lecteur approprié.
2. Ouvrez le Poste de travail.
3. Cliquez avec le bouton droit sur l'icône du lecteur.
4. Dans le menu contextuel, sélectionnez Formater.
5. Une boîte de dialogue s'affiche. Notez plus particulièrement les options suivantes :
   - Nom de volume (11 caractères maximum) : ce nom apparaît sur la fenêtre Poste de travail.
   - Formatage rapide : sélectionnez cette option si le disque a déjà été formaté et que vous voulez simplement effacer son contenu.
   - Créer une disquette de démarrage MS-DOS : sélectionnez cette option pour créer une disquette d'amorçage.
6. Cliquez sur Démarrer.

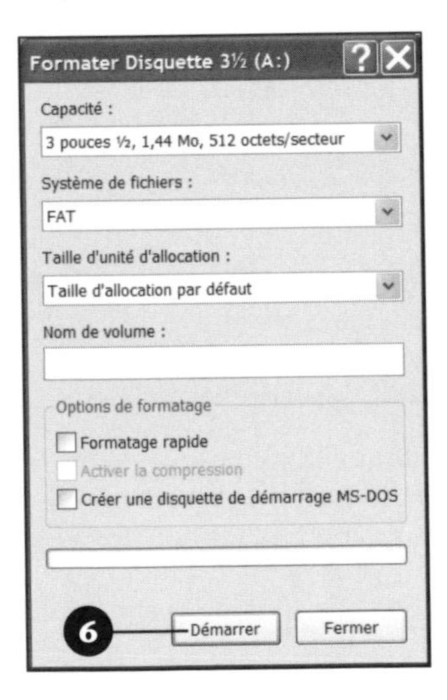

ASTUCE

Il est vivement conseillé de créer une disquette de démarrage MS-DOS en cas d'arrêt fatal du disque dur et de la conserver à portée de main. Cependant, quand vous démarrez le système à l'aide d'une telle disquette, vous ne pourrez pas lire les informations sur un disque dur formaté avec le système de fichiers NTFS.

Aujourd'hui, presque tous les ordinateurs sont vendus avec un lecteur de CD-ROM. Celui-ci constitue désormais la solution standard pour installer de nouveaux logiciels, Windows XP y compris. En outre, pratiquement tous les lecteurs de CD-ROM se comportent comme d'excellents lecteurs de CD audio. Un nombre croissant de ces lecteurs peut également lire des DVD.

Quand vous insérez un CD-ROM ou un DVD dans un lecteur compatible, Windows XP analyse les fichiers présents et utilise une fonctionnalité intitulée Exécution automatique pour déterminer l'action à entreprendre. Par défaut, cette fonction vous demande quelle action Windows doit exécuter. Vous avez, par exemple, le choix entre copier les images sur l'ordinateur, les imprimer ou les afficher sous forme de diaporama. Windows vous demande également si vous désirez que l'action sélectionnée soit exécutée chaque fois que ce type de support est détecté.

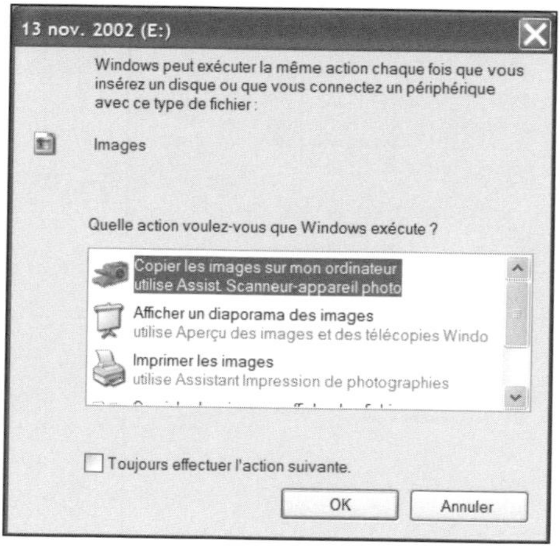

13 nov. 2002 (E:)

Windows peut exécuter la même action chaque fois que vous insérez un disque ou que vous connectez un périphérique avec ce type de fichier :

Images

Quelle action voulez-vous que Windows exécute ?

Copier les images sur mon ordinateur
utilise Assist. Scanneur-appareil photo

Afficher un diaporama des images
utilise Aperçu des images et des télécopies Windo

Imprimer les images
utilise Assistant Impression de photographies

Toujours effectuer l'action suivante.

OK Annuler

Si vous possédez un lecteur CD-R ou CD-RW compatible avec Windows XP, vous pouvez utiliser le logiciel intégré à Windows pour graver vos propres CD. Vous pouvez copier des fichiers et des dossiers à partir de l'Explorateur Windows, lire des CD réinscriptibles créés à l'aide de logiciels tiers ou effacer des CD réinscriptibles. Avant de commencer, vérifiez que l'écriture de CD est activée sur le lecteur.

Activer l'écriture de CD

1. Cliquez avec le bouton droit sur l'icône du lecteur.
2. Sélectionnez Propriétés.
3. Dans l'onglet Enregistrement, vérifiez que la case à cocher Activer l'écriture de CD sur ce lecteur est activée.
4. Cliquez sur OK.

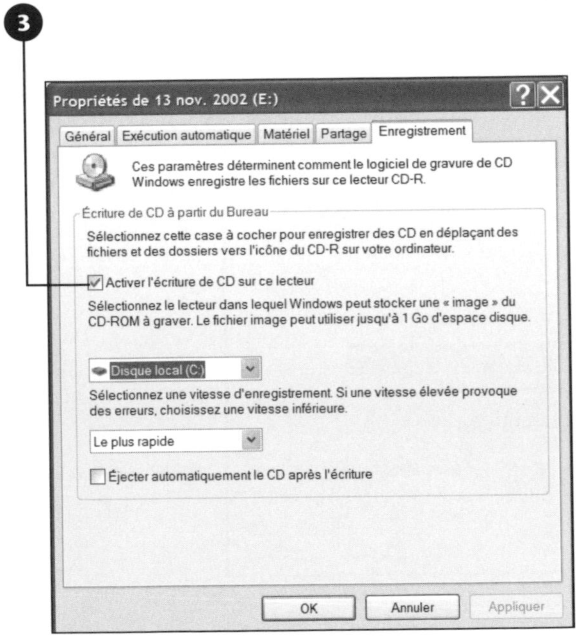

ASTUCE

Si vous préférez utiliser un logiciel de gravure tiers, désactivez la case à cocher Activer l'écriture de CD sur ce lecteur. De cette façon, vous supprimez le risque que l'écriture intégrée de CD n'entre en conflit avec votre logiciel de gravure.

Une fois que vous avez activé l'écriture de CD, la copie de fichiers n'est plus qu'un jeu d'enfant. Sélectionnez d'abord les fichiers à copier. Depuis l'Explorateur Windows, vous pouvez faire glisser directement des fichiers ou des dossiers vers l'icône du lecteur de CD de la fenêtre Poste de travail ou du volet Dossiers. Procédez de la même façon au fur et à mesure que vous copiez des fichiers situés dans d'autres dossiers. Vous pouvez ajouter des fichiers, à tout moment et ce sur une période quelconque (plusieurs heures, jours ou semaines). Windows conserve la trace de vos sélections dans un dossier spécifique.

ASTUCE

Pour copier plus rapidement des fichiers sur le CD sans les faire glisser, sélectionnez un ou plusieurs fichiers ou dossiers, cliquez avec le bouton droit et, dans le menu contextuel, choisissez Envoyer vers, puis sélectionnez l'option correspondant à votre lecteur de CD-R ou CD-RW.

Enfin, une fois que tous les fichiers à copier ont été rassemblés, il ne vous reste plus qu'à les graver.

Graver des fichiers sur CD

1. Ouvrez le Poste de travail.
2. Double-cliquez sur l'icône du lecteur de CD-R ou CD-RW.
3. Une fenêtre s'affiche, contenant tous les fichiers en attente d'être écrits sur le CD.
4. Cliquez sur Graver ces fichiers sur le CD-ROM, en haut du volet des tâches affiché à gauche.

5 L’Assistant Graver un CD s’affiche. Dans la zone Nom du CD, tapez le nom (16 caractères au plus) du nouveau CD.

6 Cliquez sur Suivant. La suite du processus de copie s’effectue automatiquement.

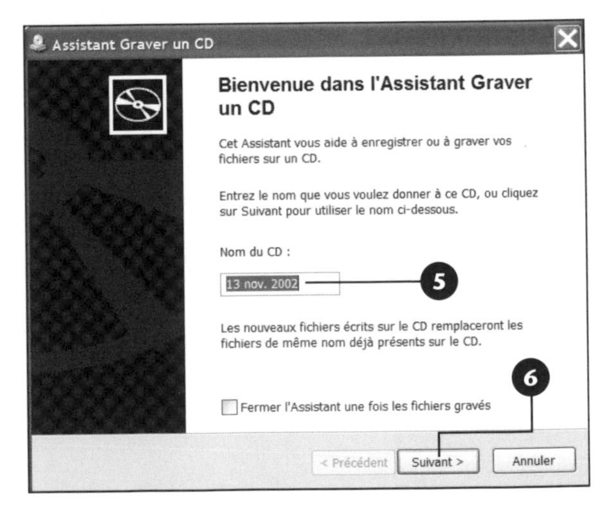

Modification des paramètres dans le Panneau de configuration

Pour modifier l'un des innombrables paramètres de Windows, vous devez au préalable ouvrir le Panneau de configuration. Cette fenêtre propose plusieurs options. En dépit de la technicité de certaines d'entre elles, la plupart sont simples à utiliser et ne présentent aucun risque.

Pour visualiser les options disponibles sur votre ordinateur, cliquez sur Démarrer, puis sur Panneau de configuration. Si vous avez utilisé le Panneau de configuration dans les précédentes versions de Windows, il se peut que sa nouvelle présentation vous déroute de prime abord. Les icônes sont organisées par catégorie au lieu d'être affichées par ordre alphabétique. Certes, le Panneau de configuration gagne en clarté mais, en contrepartie, vous devez savoir à quelle catégorie appartient l'icône que vous recherchez. En cas de choix erroné, cliquez simplement sur Précédent.

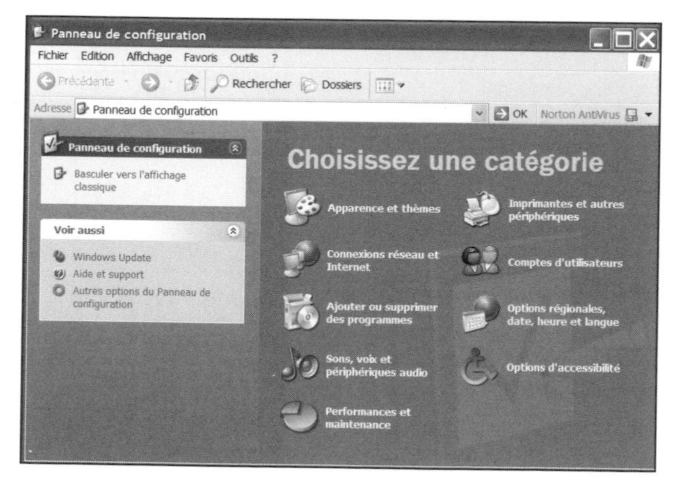

Si vous préférez conserver l'affichage traditionnel du Panneau de configuration, cliquez sur Basculer vers l'affichage classique, dans le volet des tâches à gauche de la fenêtre. Notez que le lien en haut du volet des tâches a été modifié. Cliquez sur Basculer vers l'affichage des catégories pour revenir à la fenêtre initiale.

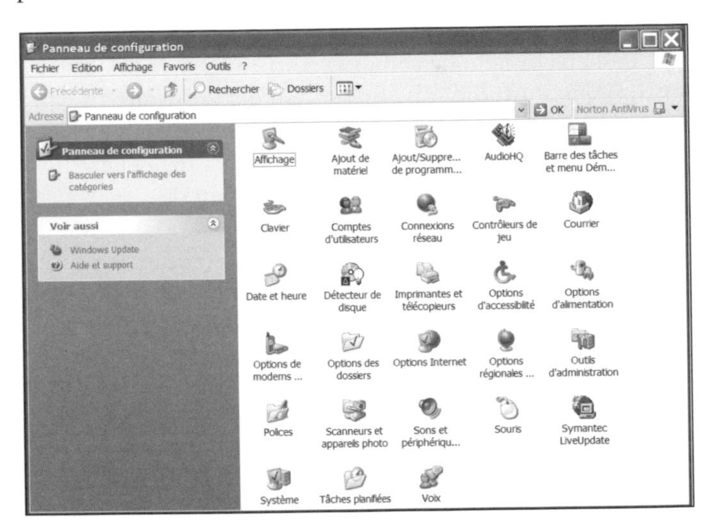

Optimisation des performances

Il y a fort à parier que votre ordinateur ne fonctionne pas aussi rapidement que vous le souhaitez. Si vous désirez améliorer sa vitesse, essayez quelques-unes des solutions proposées ci-après. L'application de ces conseils permettra, à tout le moins, de réduire le risque d'arrêts fatals et d'accroître la fiabilité de l'ordinateur.

Chaque fois que vous enregistrez un fichier sur votre disque dur, Windows le scinde en plusieurs morceaux, qu'il stocke aux emplacements disponibles. Quand, par la suite, vous voulez utiliser le fichier, Windows extrait les parties éparses du fichier et les rassemble à la volée. Dans le cas d'un disque récemment formaté, chaque fichier dispose de son propre espace de stockage, tous les *clusters* étant alignés les uns à côté des autres. L'extraction du fichier est alors aussi rapide qu'efficace. Cependant, ce bel ordonnancement risque de disparaître au fil du temps. Pour supprimer les problèmes liés aux fichiers fragmentés, vous devez les réorganiser physiquement sur le disque.

Défragmenter le disque

1. Cliquez sur Démarrer, puis sur Tous les programmes.
2. Dans le menu Accessoires, sélectionnez Outils système, puis Défragmenteur de disque.
3. La partie supérieure de la fenêtre Défragmenteur de disque répertorie les disques durs disponibles.
4. Sélectionnez un lecteur dans la partie supérieure de la fenêtre Défragmenteur de disque et cliquez sur Analyser. Le programme analyse tous les fichiers du disque sélectionné, détermine ceux qui sont fragmentés et affiche les résultats sous la liste des volumes à l'aide de codes de couleur.

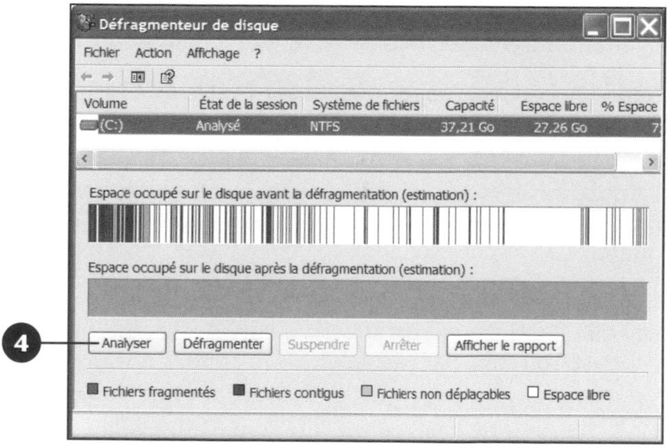

5. Une fois l'analyse terminée (le processus ne nécessite que quelques secondes), Windows affiche une boîte de dialogue.

6. Cliquez sur Défragmenter. La défragmentation peut prendre plusieurs minutes, mais elle s'effectue automatiquement et ne nécessite aucune intervention de votre part.

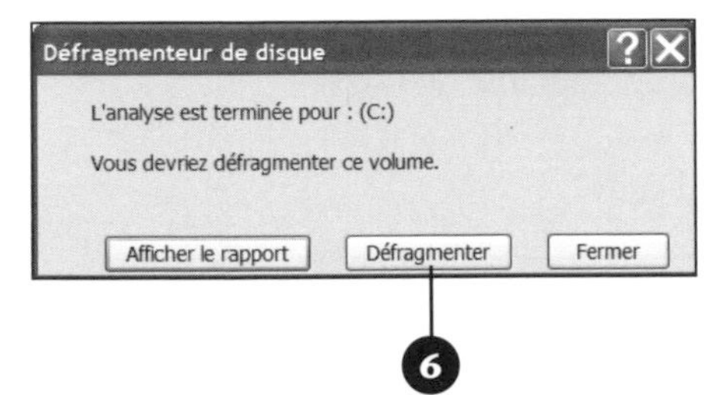

Le manque d'espace disque suffisant constitue l'une des principales causes de ralentissement d'un système. Au fil du temps, votre disque dur se retrouve encombré de fichiers inutiles, comme les fichiers temporaires, et la Corbeille elle-même déborde de fichiers supprimés. Pour libérer de l'espace, utilisez l'Assistant Nettoyage de disque.

Ouvrir l'Assistant Nettoyage de disque

1. Cliquez sur Démarrer, puis sur Tous les Programmes.

2. Dans le menu Accessoires, cliquez sur Outils système.

3. Sélectionnez Nettoyage de disque.

4. L'Assistant Nettoyage de disque analyse votre disque dur et propose différentes options permettant de libérer de l'espace disque.

5. Dans l'onglet Nettoyage de disque, activez les cases à cocher de votre choix pour supprimer les éléments correspondants (vider la Corbeille, par exemple).

6. Cliquez sur OK.

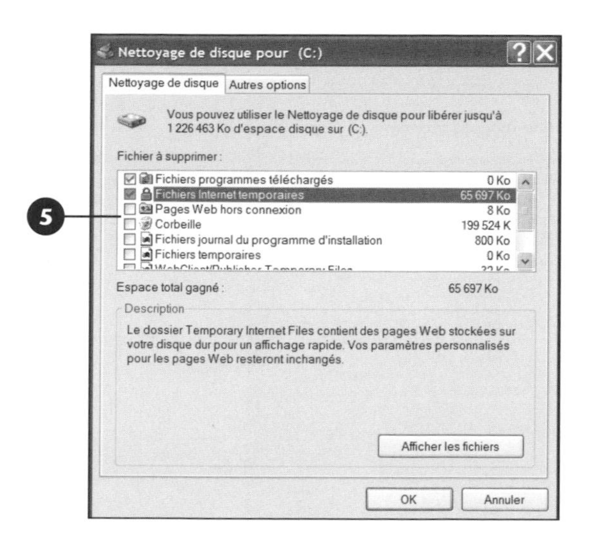

Si votre ordinateur est ancien, avec peu de mémoire et mal adapté à une mise à niveau matérielle, vous devrez effectuer quelques tâches supplémentaires pour obtenir des performances acceptables.

Optimiser les performances

1. Cliquez sur Démarrer, puis sur Panneau de configuration.
2. Sélectionnez Performances et maintenance, puis choisissez l'option Système.
3. Sur l'onglet Avancé, dans le cadre Performances, cliquez sur Paramètres.
4. La boîte de dialogue Options de performances s'affiche. Elle comporte 16 options avancées, dont certaines sont quelque peu absconses.
5. Bien que vous puissiez cliquer sur Paramètres personnalisés et définir individuellement chacune des options, il s'agit là d'une solution hasardeuse. Si vous avez accédé à cette boîte de dialogue en raison des faibles performances de votre environnement, cliquez sur Ajuster afin d'obtenir les meilleures performances, puis sur OK.

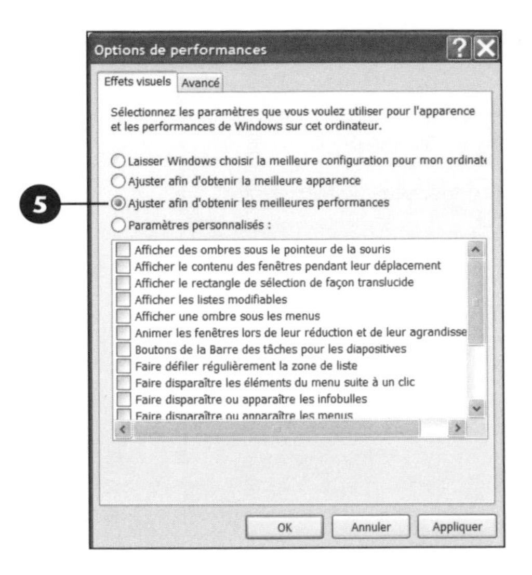

Après quelques instants, vous serez en présence d'un Bureau plus simple, similaire à l'ancienne interface Windows, et votre ordinateur devrait se comporter de façon plus alerte.

Aide et support

Les fonctionnalités de Windows XP sont si nombreuses qu'il est peu probable que vous parveniez à les couvrir en totalité. Il vous arrivera même d'avoir besoin d'éclaircissements ou de réponses à propos de telle ou telle fonction. Adressez-vous alors au Centre d'aide et de support, qui vous proposera des instructions, des vues d'ensemble, des dépanneurs, des didacticiels et des documents de référence sur chaque facette de Windows XP. Tous les éventails de réponses sont passés en revue, depuis le niveau de simple débutant jusqu'à celui d'expert confirmé.

Le Centre d'aide et de support fonctionne comme un livre en ligne. Il est divisé en sections et chapitres, avec un sommaire et un index : tous ces éléments se présentent sous

forme de liens hypertextes sur lesquels vous cliquez pour passer d'un concept à un autre.

Ouvrir le Centre d'aide et de support

1. Cliquez sur Démarrer et sélectionnez Aide et support.
2. La page d'accueil du Centre d'aide et de support s'affiche. Différents solutions permettent d'accéder aux informations recherchées :
   - Par rubrique : la colonne de gauche Choisir une rubrique d'aide propose différents liens vers des rubriques d'aide d'ordre général.
   - Par mot clé : cliquez sur Index pour afficher l'ensemble des mots clés de l'aide. Tapez un mot clé dans la zone de texte Entrez le mot clé à rechercher, puis cliquez sur Afficher.
   - Par critère de recherche : cliquez dans la zone de texte Rechercher affichée en haut de la fenêtre Centre d'aide et de support et tapez un mot (ou une expression) à rechercher. Puis cliquez sur la flèche située à droite de la zone de texte.

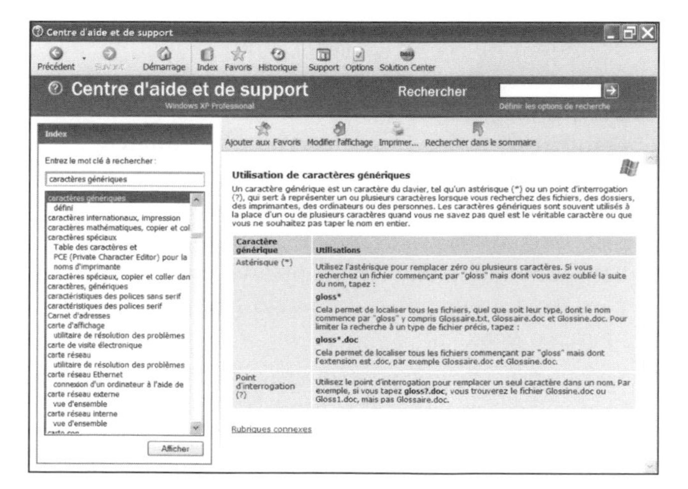

Arrêt du système

Pour arrêter votre ordinateur, cliquez sur Démarrer, puis sur Arrêter l'ordinateur.

Deux minutes pour démarrer. Deux minutes pour arrêter. Une minute pour démarrer les programmes et rechercher les fichiers en début de journée, et une autre après le déjeuner. À ce rythme, vous perdez environ 10 minutes par jour, soit près d'une heure par semaine et environ 50 heures par an. Pour gagner un peu de temps, au lieu d'éteindre complètement l'ordinateur, utilisez plutôt l'une des options de mise en veille.

- L'option Mise en veille place l'ordinateur en mode d'économie d'énergie. Tous les programmes en cours d'exécution demeurent dans la mémoire de l'ordinateur. Quand vous revenez à l'ordinateur, votre travail reprend à l'endroit même où vous l'aviez laissé et seules quelques secondes suffisent pour que l'ordinateur reprenne son activité normale. Utilisez de préférence cette option lorsque vous ne vous éloignez de votre ordinateur que pendant une heure ou deux.
- Si vous prévoyez de vous absenter pendant plusieurs heures, pensez à utiliser le mode Veille prolongée. Cette fonction enregistre tout le contenu de la mémoire de votre ordinateur dans un fichier du

disque, puis arrête l'ordinateur. Quand vous retournez à l'ordinateur, Windows recharge en mémoire le contenu du fichier de mise en veille prolongée et vous reprenez votre travail à l'endroit même où vous l'aviez interrompu.

Activer la mise en veille prolongée

1. Cliquez sur Démarrer et choisissez Panneau de configuration.
2. Ouvrez la catégorie Performances et maintenance, puis cliquez sur Options d'alimentation. Si vous utilisez l'affichage classique du Panneau de configuration, double-cliquez simplement sur Options d'alimentation.

3. Dans l'onglet Mise en veille prolongée, activez la case à cocher Activer la mise en veille prolongée.

4. Cliquez sur OK.

Propriétés de Options d'alimentation
Modes de gestion de l'alimentation | Avancé | Mise en veille prolongée | Onduleur
Lorsque l'ordinateur passe en veille prolongée, il stocke les informations en mémoire sur le disque dur puis s'arrête. Lorsque l'ordinateur sort de veille prolongée il retrouve son état précédent.
Mise en veille prolongée
3 — Activer la mise en veille prolongée.
Espace disque pour la mise en veille prolongée
Espace disque disponible : 27 951 Mo
Espace nécessaire pour la mise en veille : 256 Mo
OK | Annuler | Appliquer

Comment informer Windows que vous souhaitez passer en veille prolongée ? De fait, l'option est masquée par le bouton Mettre en veille de la boîte de dialogue Arrêter l'ordinateur.

Passer en veille prolongée

1. Cliquez sur Démarrer, puis sur Arrêter l'ordinateur.
2. Quand la boîte de dialogue Arrêter l'ordinateur apparaît, appuyez sur la touche MAJ.

3. Tout en maintenant la touche enfoncée, cliquez sur Veille prolongée.
4. Pour quitter l'état de veille prolongée, appuyez sur le bouton de mise sous tension.

Lorsque l'ordinateur se trouve en veille prolongée, ne modifiez aucun matériel. À la reprise de son activité, l'ordinateur s'attend à retrouver les mêmes périphériques que ceux qui lui étaient associés avant la veille. L'ajout ou la suppression d'un matériel ne peut s'effectuer qu'avant la mise en veille prolongée ou qu'après la reprise d'activité.

Installation et désinstallation de programmes

3

À peine installé, Microsoft Windows permet déjà de se distraire, grâce au jeu du Solitaire, ou d'écouter des CD avec le Lecteur Windows Media. Cependant, tôt ou tard, vous devrez vous atteler à des tâches plus productives. Vous aurez, alors, à choisir parmi une multitude de programmes fonctionnant sous Windows et conçus par Microsoft ou d'autres éditeurs. Quand vous saurez installer l'un d'entre eux, il ne vous restera qu'à reproduire la procédure d'installation pour chaque nouveau programme.

Installation d'un programme

Les logiciels fonctionnant sous Windows se présentent généralement sous la forme d'un CD-ROM. Quand vous insérez celui-ci dans le lecteur approprié, l'Assistant Installation démarre automatiquement. Suivez les instructions affichées, complétez les informations requises et, avant même que vous ne le réalisiez, le programme est prêt à être utilisé !

Si vous téléchargez le programme depuis Internet, vous devrez probablement exécuter une ou deux étapes supplémentaires avant de l'installer. Les programmes téléchargés se présentent généralement sous forme de fichiers compressés (extension .zip) : extrayez les fichiers, puis cliquez sur l'icône Setup (ou Install) pour démarrer l'installation.

Avant de commencer l'installation, prenez quelques précautions élémentaires :

- Vérifiez les mises à jour. Cette vérification s'impose dans le cas d'un logiciel acheté en coffret : il se peut que celui-ci soit en rayon depuis plusieurs mois et qu'un *patch* (ou *correctif*) ou une *mise à jour* ait été proposé depuis. Recherchez l'adresse Web de l'éditeur sur le coffret ou dans le guide d'installation. Une fois sur le site, suivez le lien approprié (Support ou Téléchargements, par exemple) et téléchargez l'élément nécessaire.
- Créez d'abord un point de restauration. Si le programme installé se révèle, par la suite, incompatible avec un élément quelconque de votre ordinateur, vous pourrez ainsi le désinstaller et, grâce à la commande Restauration du système, rétablir l'ordinateur à son état antérieur.

Installation manuelle

Si l'installation ne démarre pas automatiquement quand vous insérez le CD-ROM, lancez-la manuellement en utilisant la procédure suivante :

1. Cliquez sur Démarrer, puis ouvrez le Panneau de configuration.
2. Double-cliquez sur Ajouter ou supprimer des programmes.
3. Dans le volet gauche de la boîte de dialogue Ajouter ou supprimer des programmes, cliquez sur Ajouter de nouveaux programmes.

3

Ajouter ou supprimer des programmes

Modifier ou supprimer des programmes

Ajouter de nouveaux programmes

Ajouter ou supprimer des composants Windows

Programmes actuellement installés : Trier par : Nom

hp deskjet 3820 series	Taille	1,22Mo
hp deskjet 3820 series (Supprimer uniquement)	Taille	1,22Mo
Internet Explorer Q813489		
Ipswitch WS_FTP Pro Uninstall	Taille	5,99Mo
LiveReg (Symantec Corporation)	Taille	2,91Mo
LiveUpdate 1.80 (Symantec Corporation)	Taille	4,80Mo
Logitech Desktop Messenger	Taille	1,37Mo
Logitech MouseWare 9.42 .1	Taille	2,49Mo
Microsoft .NET Framework (French) v1.0.3705	Taille	1 783,00Mo
Microsoft .NET Framework Hotfix Q322294 (French)	Taille	1 783,00Mo
Microsoft IEAK 6	Taille	4,78Mo
Microsoft Internet Explorer 6 SP1	Taille	13,17Mo

Fermer

4 Cliquez sur CD-ROM ou disquette.

5 Suivez les instructions affichées à l'écran.

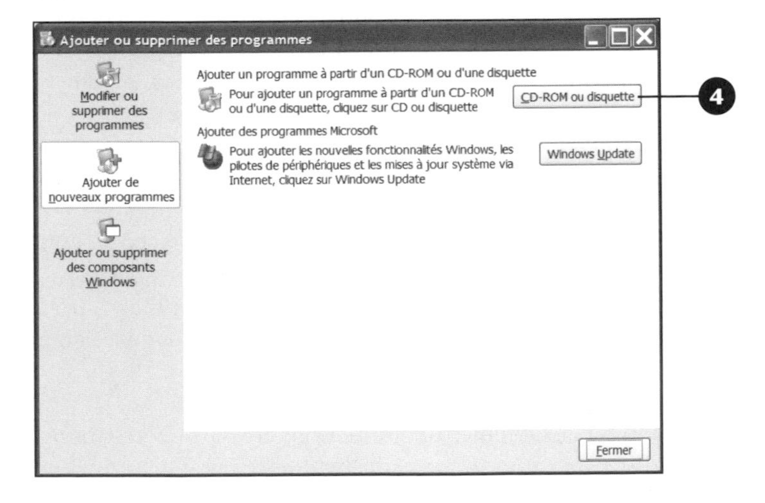

Vous devez exécuter le programme Setup pour être certain que les moindres détails de l'installation sont correctement pris en compte. En effet, ce programme copie les fichiers du programme à l'emplacement approprié du disque dur, en les répartissant à travers différents répertoires. Il enregistre également dans le Registre Windows les paramètres nécessaires au fonctionnement du programme et crée les raccourcis permettant son démarrage.

Les programmes d'installation obéissent globalement aux mêmes principes. Un Assistant vous guide durant l'installation et vous invite à fournir des informations ou à sélectionner une option. Lors de l'exécution du programme d'installation, vous pouvez choisir l'emplacement sur lequel Windows doit copier les fichiers du programme. Acceptez toujours celui proposé par défaut (généralement, un sous-dossier du dossier Program Files).

Création de raccourcis

Pour démarrer un programme, une première solution consiste à double-cliquer sur l'icône de son fichier exécutable. Par exemple, pour démarrer Microsoft Word, ouvrez le Poste de travail et double-cliquez successivement sur l'icône du lecteur C, le dossier Program Files, le dossier Microsoft Office et le dossier Office10. Recherchez ensuite Winword.exe, en faisant défiler l'écran vers le bas, et double-cliquez dessus.

Heureusement, il existe une solution plus rapide et plus élégante que la précédente pour accéder à un fichier exécutable : les *raccourcis*. Double-cliquer sur le raccourci ou sur le fichier exécutable est strictement équivalent. Vous pouvez également déplacer le raccourci en le déposant, par exemple, sur le bouton Démarrer (pour qu'il apparaisse en haut du menu du même nom) ou en le copiant à l'emplacement de votre choix. Le raccourci copié fonctionnera exactement comme celui créé avec l'Assistant. Pour distinguer un raccourci du fichier exécutable auquel il est associé, il suffit de noter la flèche située dans le coin inférieur gauche de l'icône du raccourci.

Un même programme peut comporter autant de raccourcis que vous le souhaitez et ceux-ci peuvent figurer aux emplacements de votre choix sans la moindre incidence pour le fichier exécutable lui-même (le fichier cible). Quand vous installez une nouvelle application, un ou plusieurs raccourcis sont traditionnellement ajoutés au menu Tous les programmes, voire sur le Bureau, en haut du menu Démarrer et dans la barre d'outils Lancement rapide (à droite du bouton Démarrer).

Créer un raccourci

Si un programme ne possède pas de raccourci, utilisez l'Assistant Création d'un raccourci :

Cliquez avec le bouton droit de la souris sur un emplacement vide du Bureau. Dans le menu contextuel, sélectionnez Nouveau, puis Raccourci.

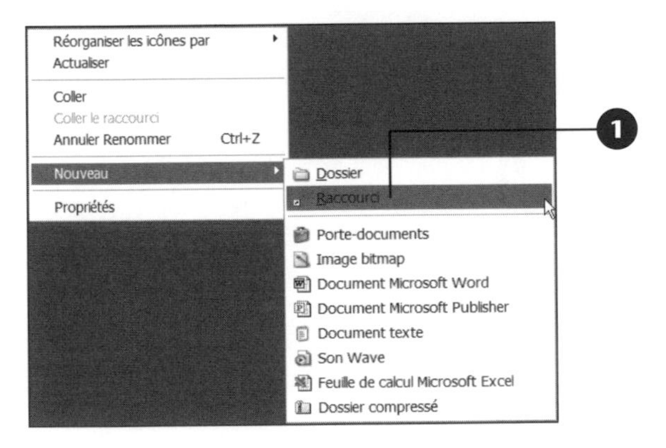

2 Dans l'Assistant Création d'un raccourci, cliquez sur Parcourir et recherchez le fichier auquel vous désirez associer un raccourci.

3 Cliquez sur OK pour accepter le nom de fichier affiché dans la zone d'emplacement.

4. Cliquez sur Suivant.

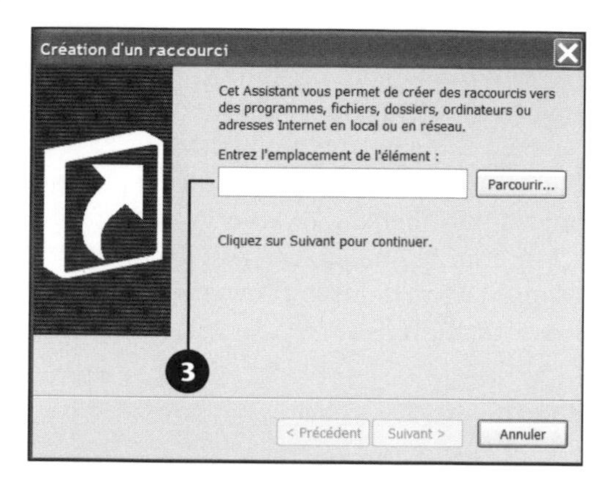

5. Dans la zone de texte Entrez un nom pour ce raccourci, tapez l'intitulé qui doit apparaître sous l'icône de raccourci.

6. Cliquez sur Terminer.

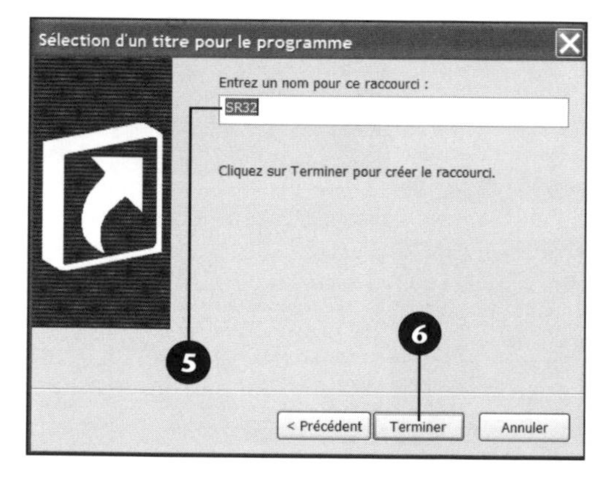

Pour connaître le contenu d'un raccourci, cliquez avec le bouton droit sur son icône et sélectionnez Propriétés. L'onglet Raccourci de la boîte de dialogue Propriétés contient des informations sur le fichier cible ainsi que des zones destinées à simplifier l'utilisation du raccourci.

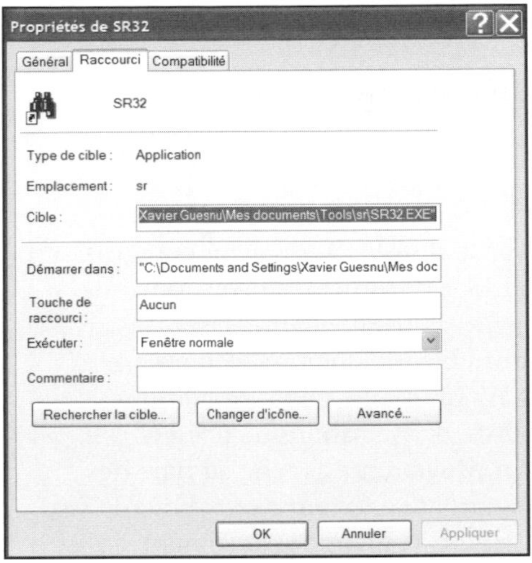

La zone supérieure de l'onglet Raccourci indique le type du fichier vers lequel pointe le raccourci. La zone Emplacement affiche le nom du dossier du fichier cible et la zone Cible le chemin d'accès complet du fichier cible.

Si vous souhaitez que le programme démarre automatiquement quand vous appuyez sur une combinaison particulière de touches, cliquez dans la zone de texte Touche de raccourci et appuyez sur la combinaison qui lancera le programme (ou basculera vers celui-ci, s'il est déjà ouvert). Vous devez utiliser une lettre ou un nombre associé à au moins deux des trois touches suivantes : CTRL, ALT et MAJ. Par exemple, pour simplifier le démarrage de la Calculatrice, choisissez la combinaison CTRL+ALT+C. Cette solution ne fonctionne que pour les raccourcis présents sur le Bureau, le menu Démarrer ou le menu Tous les programmes.

ASTUCE

Si l'Explorateur Windows est ouvert et que le fichier exécutable du programme apparaît, vous pouvez créer directement le raccourci sans passer par l'Assistant. Pointez sur l'icône du fichier, maintenez le bouton droit de la souris enfoncé et faites glisser l'icône vers le Bureau (ou un autre emplacement). Quand vous relâchez le bouton de la souris, un menu s'affiche. Sélectionnez Créer les raccourcis ici. Si le nom proposé ne convient pas, rebaptisez le raccourci.

Ouverture de fichiers avec un programme déterminé

Il existe une autre solution pour démarrer un programme que celle consistant à cliquer sur son raccourci dans le menu Démarrer ou sur le Bureau. Après avoir enregistré un fichier dans le dossier Mes documents, il vous suffit de double-cliquer sur l'icône correspondante. Quand vous double-cliquez sur un fichier de données, comme un document Microsoft Word ou une photo numérique, Windows explore sa liste d'associations de fichiers. S'il trouve dans la liste un programme assigné au type de fichiers, Windows démarre le programme (ou bascule vers celui-ci, s'il est déjà ouvert) et charge le document ou la photo.

La plupart du temps, ce processus se déroule automatiquement. Quand vous installez un nouveau programme, la routine d'installation enregistre les associations entre les types de fichiers et les programmes. Ainsi, lorsque vous installez Microsoft Office, Windows est informé qu'il doit ouvrir Microsoft Word chaque fois que vous double-cliquez sur un fichier dont le nom possède l'extension .doc.

Cependant, il arrive que vous vouliez ouvrir un fichier avec un autre programme que celui assigné par Windows. La procédure à suivre varie selon que vous utilisez cette solution de manière exceptionnelle ou que vous souhaitez modifier de façon permanente l'association par défaut et ouvrir le type de fichiers avec un autre programme.

Commençons par le premier cas de figure. Imaginons que vous ayez pris des photos avec votre appareil numérique et que vous les ayez enregistrées dans le dossier Mes images. Les images sont stockées en tant que fichiers

JPEG (extension .jpg). En principe, quand vous double-cliquez sur l'un de ces fichiers, Windows ouvre le programme Aperçu des images et des télécopies Windows, qui permet de visualiser une image et d'en imprimer un exemplaire. Cette fois, cependant, vous voulez ouvrir une photo avec votre programme de retouche d'images.

Modifier provisoirement le programme associé à un type de fichiers

1. Cliquez avec le bouton droit sur l'icône du fichier et sélectionnez Ouvrir avec.
2. Si plusieurs programmes sont associés au type de fichiers, une liste s'affiche. Si le programme que vous souhaitez utiliser y figure, sélectionnez-le. Dans le cas contraire, cliquez sur Choisir le programme. Si un seul programme est associé au type de fichiers sélectionné, la liste n'apparaît pas et vous pouvez passer directement à l'étape suivante.

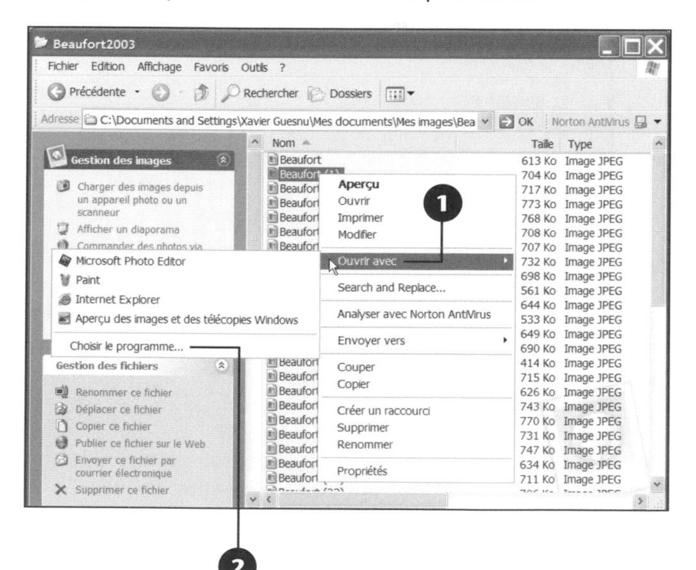

3 Dans la boîte de dialogue Ouvrir avec, Windows affiche deux listes : la liste Programmes recommandés, qui contient les programmes déjà associés au type de fichiers sélectionné, et la liste Autres programmes. Vous avez le choix entre deux options :

- Si le nom du programme à utiliser figure dans la liste Autres programmes, sélectionnez-le et cliquez sur OK.
- S'il n'y figure pas, cliquez sur Parcourir, recherchez le fichier exécutable du programme, sélectionnez-le et cliquez sur Ouvrir. Puis, dans la boîte de dialogue, cliquez sur Ouvrir avec.

Ouvrir avec
Choisissez le programme à utiliser pour ouvrir ce fichier :
Fichier : Beaufort.JPG
Programmes
Programmes recommandés :
Aperçu des images et des télécopies Windows
Internet Explorer
Microsoft Photo Editor
Paint
Autres programmes :
Acrobat Reader 5.0
Adobe Acrobat 5.0
Application MFC WORDPAD
Bloc-notes
Connexion Bureau à distance
Creative PlayCenter 2
Localization Studio Entry Point Program
Toujours utiliser le programme sélectionné pour ouvrir ce type de fichie
Parcourir...
Si le programme que vous désirez n'est pas dans la liste ou sur votre ordinateur, vous pouvez rechercher le programme approprié sur le Web.
OK Annuler

 Cliquez sur OK.

La prochaine fois où vous cliquerez avec le bouton droit sur un fichier du même type, Windows aura mémorisé votre choix et inclus le programme dans le menu Ouvrir avec. Si vous voulez changer le programme à exécuter quand vous double-cliquez sur une icône de fichier, la procédure est très simple.

Modifier définitivement le programme associé à un type de fichiers

1. Cliquez avec le bouton droit sur l'icône du fichier et sélectionnez Ouvrir avec.
2. Dans la boîte de dialogue Ouvrir avec, après avoir sélectionné le programme à utiliser, activez la case à cocher située en bas de l'écran, Toujours utiliser le programme sélectionné pour ouvrir ce type de fichiers.
3. Cliquez sur OK.
4. Double-cliquez sur l'icône du fichier et le nouveau programme sélectionné démarre.

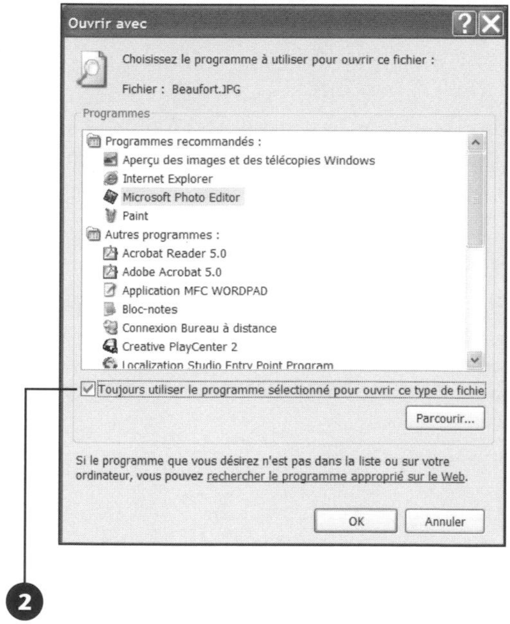

Modification des programmes démarrant automatiquement

Il est probable que vous utilisiez certains programmes quotidiennement, et d'autres de façon plus irrégulière. Pour les premiers, il peut être très pratique de les démarrer automatiquement chaque fois que vous vous connectez à votre ordinateur. À cette fin, il suffit d'ajouter un raccourci au groupe Démarrage du menu Tous les programmes. De même, si ce groupe contient un programme que vous n'utilisez pas, retirez-le afin de réduire le temps de connexion et de libérer de la mémoire.

En réalité, Windows possède deux groupes Démarrage. L'un n'appartient qu'à vous seul : les raccourcis que vous y ajoutez ne s'exécutent que lorsque vous vous connectez à Windows. L'autre réside dans le dossier All Users et, comme vous l'imaginez, inclut les raccourcis s'exécutant chaque fois qu'un utilisateur se connecte à l'ordinateur.

Ajouter un raccourci au dossier Démarrage

1. Cliquez avec le bouton droit sur le bouton Démarrer et, dans le menu contextuel, choisissez Ouvrir. Pour ajouter un raccourci au dossier Démarrage de chaque utilisateur se connectant à l'ordinateur, choisissez à la place Ouvrir Tous les utilisateurs.

Ouvrir
Explorer
Rechercher...

Search and Replace...

Analyser avec Norton AntiVirus
Propriétés

Ouvrir Tous les utilisateurs — 1
Explorer Tous les utilisateurs

2. Double-cliquez sur le dossier Programmes, puis sur le dossier Démarrage.
3. Faites glisser le raccourci vers le dossier pour que le programme correspondant démarre automatiquement quand vous ouvrez une session, ou utilisez l'Assistant Création d'un raccourci pour ajouter un nouveau raccourci.

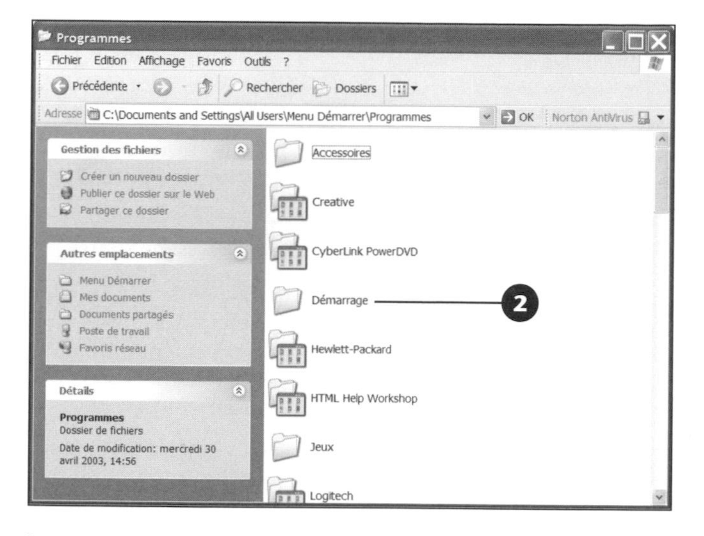

Pour supprimer un raccourci du dossier Démarrage, vous utilisez la même procédure, à ceci près que cette fois vous supprimerez le raccourci au lieu de l'ajouter. Une autre solution, encore plus simple, consiste à supprimer directement le raccourci dans le menu Démarrage :

Supprimer un raccourci du dossier Démarrage

1. Cliquez sur Démarrer et choisissez Tous les programmes.
2. Cliquez sur Démarrage pour afficher la liste de tous les programmes démarrant automatiquement sur votre ordinateur.

3. Cliquez avec le bouton droit sur l'icône du raccourci à supprimer et, dans le menu contextuel, sélectionnez Supprimer.

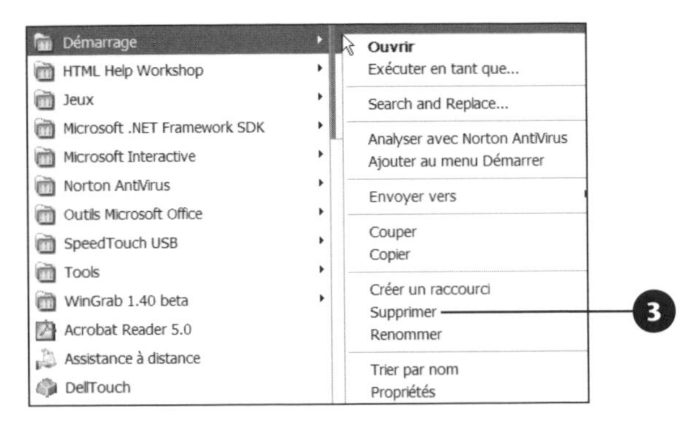

L'utilisation du menu Démarrer constitue la solution la plus simple pour charger un programme dès que l'ordinateur est allumé. Toutefois, Windows propose bien d'autres emplacements, dont certains se trouvent dans le Registre Windows lui-même, zone où, généralement, seuls les experts osent s'aventurer...

Si un programme démarre automatiquement alors qu'il ne figure pas dans le dossier Démarrage, vous pouvez en connaître la raison avec l'Utilitaire de configuration système, ainsi que le supprimer.

Supprimer le démarrage automatique d'un programme

1. Cliquez sur Démarrer.
2. Choisissez Exécuter.
3. Dans la boîte de dialogue Exécuter, tapez msconfig et appuyez sur ENTRÉE.
4. Quand l'Utilitaire de configuration système apparaît, cliquez sur l'onglet Démarrage.
5. Désactivez la case à cocher située en regard du programme concerné.

6 Cliquez sur OK.

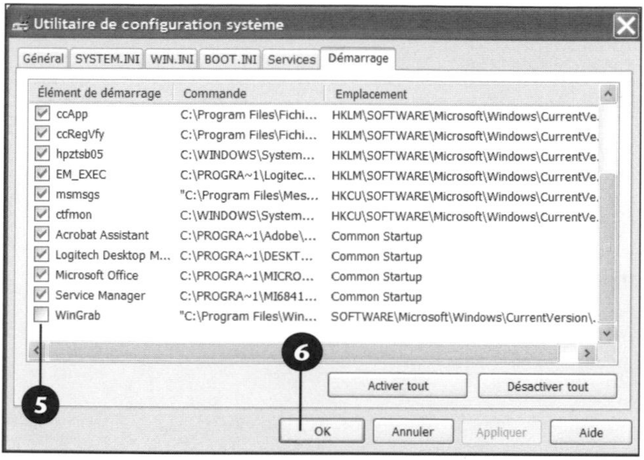

Pour retirer un programme de la liste, une autre solution consiste à rechercher l'option qui permet de ne pas le démarrer automatiquement : par exemple, si vous utilisez Norton Antivirus 2002, ouvrez sa boîte de dialogue Options et désactivez la case à cocher Lancer Auto-Protect au démarrage de Windows.

Désinstallation d'un programme

Pour supprimer un programme, il ne suffit pas de supprimer les raccourcis correspondants du menu Démarrer et du Bureau. Ces actions n'affectent ni les paramètres ni les fichiers du programme, qui continuent d'encombrer inutilement l'ordinateur. Et quoi que vous fassiez, ne vous contentez pas d'aller dans le dossier Program Files et de supprimer les fichiers ou les dossiers qui, selon vous, composent le programme ! Vous ne feriez qu'engendrer une situation qui deviendra vite inextricable.

La meilleure solution pour désinstaller un programme consiste à laisser Windows agir à votre place. Si vous avez installé une application à l'aide de la routine dédiée, il y a fort à parier que son auteur ait également conçu une routine de désinstallation. Les programmes les plus élaborés ajoutent un raccourci Désinstaller au menu Tous les programmes, et ce dans le même dossier que celui de ses autres raccourcis. Si aucun raccourci de désinstallation n'est proposé, utilisez la procédure suivante.

Désinstaller manuellement un programme

1. Cliquez sur Démarrer.
2. Ouvrez le Panneau de configuration.
3. Double-cliquez sur Ajouter ou supprimer des programmes.

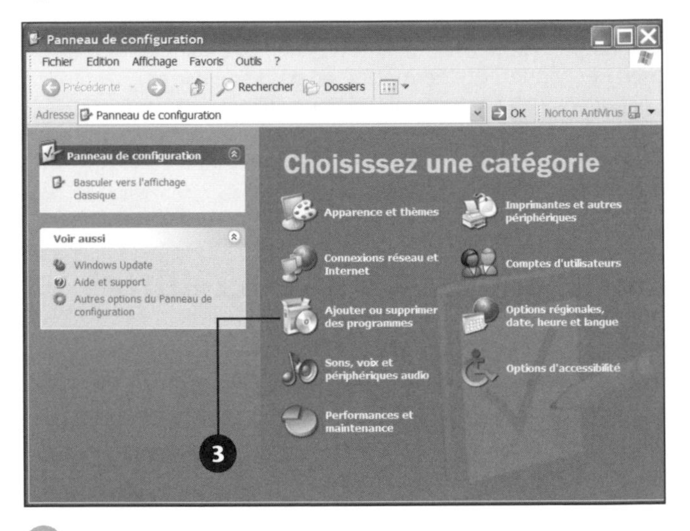

4. Dans le volet gauche de la boîte de dialogue Ajouter ou supprimer des programmes, cliquez sur l'icône Modifier ou supprimer des programmes. La liste de tous les programmes installés sur votre ordinateur s'affiche.

5. La boîte de dialogue fournit des informations sur chaque programme : sa taille, sa fréquence d'utilisation et sa dernière date d'utilisation, par exemple.

6. Pour supprimer un programme, cliquez sur le bouton Modifier/Supprimer situé à droite du programme et suivez les instructions affichées à l'écran.

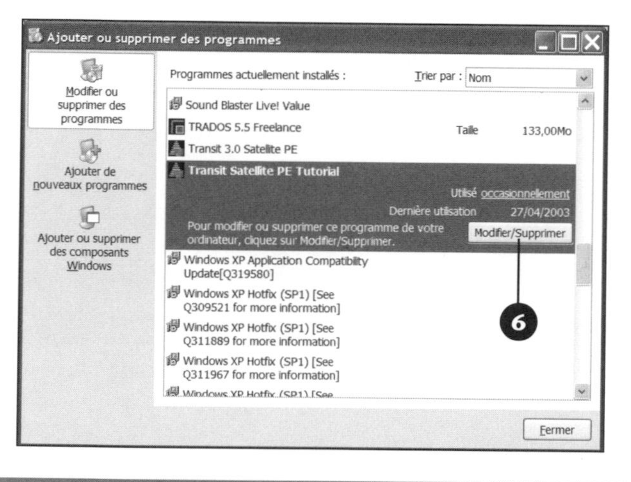

ASTUCE

Avant de supprimer un programme, créez un point de restauration du système. En cas de problème pendant la désinstallation, vous pourrez rétablir l'ordinateur à son état antérieur en utilisant l'option Restaurer mon ordinateur à une heure antérieure.

ASTUCE

Si vous avez déjà supprimé certains fichiers et que, lors de la désinstallation, un message d'erreur s'affiche, la meilleure solution consiste à réinstaller le programme. La désinstallation devrait ensuite se dérouler correctement.

Installation d'un matériel

4

Avec Windows XP, il suffit de brancher un périphérique récent pour transformer votre PC en station de montage vidéo, en laboratoire de développement photographique ou en atelier de publication. Aucune connaissance technique préalable n'est nécessaire. La majorité des périphériques que vous connectez à votre ordinateur recourent aujourd'hui à une fonctionnalité de Windows, intitulée *Plug and Play*. Elle permet à tout un chacun d'installer un périphérique et de le faire fonctionner en quelques secondes. En cas de problème, quelques clics permettent d'accéder aux outils de dépannage.

Configuration sans peine

Sous Windows XP, la configuration d'un nouveau matériel n'exige ni installation ni boîte de dialogue complexes. De fait, nombre de périphériques se configurent automatiquement dès que vous les connectez. Les autres peuvent être opérationnels en quelques minutes, après que vous avez téléchargé et installé correctement les pilotes appropriés, à savoir les logiciels expliquant à Windows comment communiquer avec le périphérique.

Les différents matériels obéissent à une multitude de formes et de tailles. Certains, comme le disque dur ou la carte vidéo, sont indispensables au bon fonctionnement de votre ordinateur. Vous pouvez les remplacer par des équipements plus récents et plus perfectionnés, mais en aucun cas en faire l'économie. D'autres périphériques, comme les cartes réseau, ne sont pas à proprement parler indispensables, mais font plutôt figure de mises à niveau de l'environnement de travail. En règle générale, l'installation de ce type de périphériques nécessite que vous retiriez le couvercle de votre ordinateur et que vous insériez le nouveau périphérique dans un emplacement PCI *(Peripheral Component Interconnect)*. Dans tous les cas de figure, l'installation ne s'effectue qu'une seule fois et le périphérique demeure disponible en permanence.

De plus en plus fréquemment, les périphériques sont conçus pour être connectés quand vous en avez l'utilité et déconnectés lorsqu'ils ne sont plus nécessaires. Ils se branchent généralement sur les ports USB *(Universal Serial Bus)* de l'ordinateur. Parmi ces périphériques, citons notamment les appareils photo numériques, les scanneurs et les organisateurs de poche. Ce type d'équipement est souvent désigné par l'expression *« connectable à chaud »*. Lorsque vous connectez pour la première fois un périphérique, Windows XP tente de l'identifier et de rechercher un pilote compatible. Si le pilote ne se trouve pas dans Windows, vous devrez le fournir à la première installation du matériel.

La fonctionnalité *Plug and Play* détecte qu'un nouveau périphérique a été connecté, l'identifie, recherche un pilote compatible et configure les paramètres requis. Si, pour un périphérique donné, Windows contient un pilote intégré, la configuration se déroule automatiquement et ne nécessite aucune intervention de votre part. Au bout de quelques secondes, un second message apparaît dans la zone de notification, indiquant que l'installation est terminée. Si Windows ne trouve pas le pilote approprié, il lance l'Assistant Mise à jour du matériel et vous demande de préciser à quel endroit se trouve le pilote requis.

Il peut arriver que, si vous vous précipitez pour brancher votre nouveau matériel et vérifier son fonctionnement, votre hâte vous joue un mauvais tour et vous laisse en présence d'un périphérique incapable de fonctionner correctement. Aussi prenez votre temps et, après avoir vérifié que vous êtes bien connecté en tant qu'administrateur, préparez l'installation du nouveau périphérique.

Préparer l'installation d'un nouveau périphérique

1. Recherchez le pilote approprié. Idéalement, il doit s'agir d'un pilote signé numériquement et certifié compatible avec Windows XP. Enregistrez les fichiers téléchargés dans un emplacement aisément accessible, comme le Bureau ou le dossier Mes documents. Si nécessaire, décompressez les fichiers dans leur propre dossier.

2. Si les fichiers du pilote contiennent leur propre programme d'installation, exécutez-le. Au cours de cette étape, les fichiers sont copiés sur votre disque dur et la base de données des pilotes est mise à jour afin que Windows puisse, par la suite, retrouver les fichiers du pilote. Si les fichiers ne comportent pas de programme d'installation, passez à l'étape suivante.

3. Branchez le nouveau périphérique. S'il s'agit d'un matériel interne se connectant à un emplacement PCI, veillez au préalable à arrêter l'ordinateur et à débrancher le cordon d'alimentation avant d'effectuer l'installation. Si le périphérique doit être connecté à un port USB ou FireWire, il n'est pas nécessaire d'arrêter l'ordinateur.

4. Quand l'Assistant Mise à jour de matériel s'affiche, sélectionnez l'une des deux options proposées

5. Choisissez Installer le logiciel automatiquement si vous avez exécuté un programme Setup pour installer le pilote ou si celui-ci se trouve sur un CD-ROM ou une disquette. Insérez le support et cliquez sur Suivant.

6 Sinon, choisissez Installer à partir d'une liste ou d'un emplacement spécifié si vous avez téléchargé les fichiers du pilote et n'avez pas exécuté de programme Setup. Puis, cliquez sur Suivant.

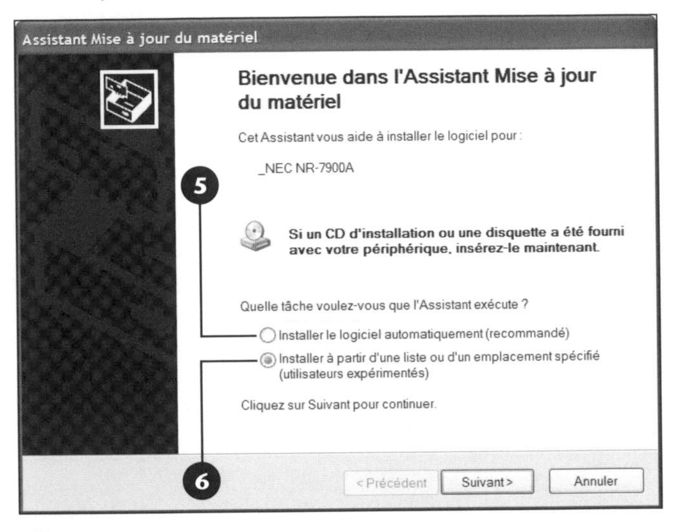

7 Suivez les instructions de l'Assistant.

8 La solution la plus simple consiste à laisser Windows rechercher automatiquement le meilleur pilote. Cependant, si vous pensez savoir quel pilote convient le mieux à votre périphérique, il est préférable d'activer l'option permettant de choisir soi-même le pilote à installer.

9 Si le pilote est numériquement signé, il doit s'installer automatiquement. Dans le cas contraire, un message s'affiche à l'écran. Sous réserve que vous soyez certain que le pilote est compatible avec Windows XP et qu'il n'existe pas de pilote signé numériquement, poursuivez l'installation. Windows crée automatiquement un point de restauration, afin que vous puissiez annuler la modification au cas où le pilote serait source de problèmes.

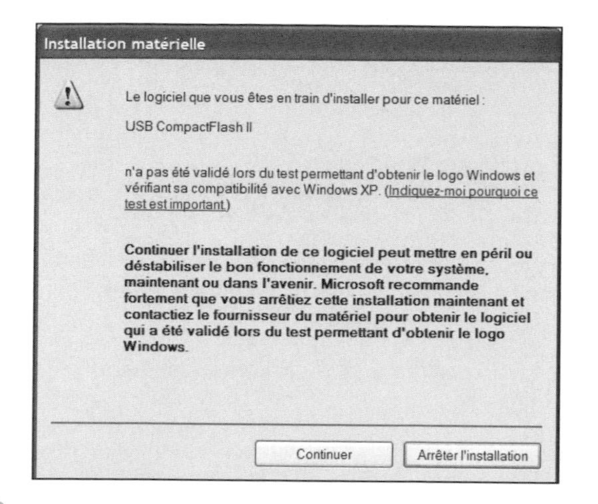
Installation matérielle
Le logiciel que vous êtes en train d'installer pour ce matériel :
USB CompactFlash II
n'a pas été validé lors du test permettant d'obtenir le logo Windows et vérifiant sa compatibilité avec Windows XP. (Indiquez-moi pourquoi ce test est important.)
Continuer l'installation de ce logiciel peut mettre en péril ou déstabiliser le bon fonctionnement de votre système, maintenant ou dans l'avenir. Microsoft recommande fortement que vous arrêtiez cette installation maintenant et contactiez le fournisseur du matériel pour obtenir le logiciel qui a été validé lors du test permettant d'obtenir le logo Windows.
Continuer
Arrêter l'installation

10 S'il existe deux ou plusieurs pilotes compatibles avec votre périphérique, il se peut que l'Assistant vous invite à sélectionner le plus approprié. En cas de doute, annulez l'installation et procédez aux recherches nécessaires.

ASTUCE

Si le nouveau périphérique est accompagné d'un CD-ROM ou d'une disquette, ne partez pas du principe que le pilote fourni est le plus récent ou le meilleur. Avant d'installer le pilote, vérifiez sur le site Web du fabricant qu'il n'en existe pas de plus récent.

Comment savoir si vous disposez du meilleur pilote disponible pour un matériel donné ? Avec un peu de chance, Windows Update vous préviendra, lorsque vous recherchez manuellement des mises à jour, qu'un nouveau pilote est disponible. Si vous connaissez l'adresse du site Web du fabricant du périphérique, vous pouvez également y rechercher la présence d'un nouveau pilote. Vous aurez peut-être à utiliser le Gestionnaire de périphériques pour déterminer le numéro de version du pilote actuel et le comparer à celui de la version disponible en téléchargement.

Windows Catalog, ressource constamment mise à jour et accessible à partir du Centre d'aide et de support, propose une liste bien plus exhaustive.

Accéder au catalogue Windows

1. Cliquez sur Démarrer, puis sur Aide et support.
2. Dans la fenêtre Centre d'aide et de support, sélectionnez le lien relatif à la recherche des matériels et logiciels compatibles avec Windows XP.
3. La page d'accueil (en anglais) affiche les différents produits concernés.
4. Pour accéder au périphérique qui vous intéresse, entrez une partie de son nom dans la zone de texte Search for.

   – ou –

5. Cliquez sur l'onglet Hardware et explorez la liste des périphériques compatibles.

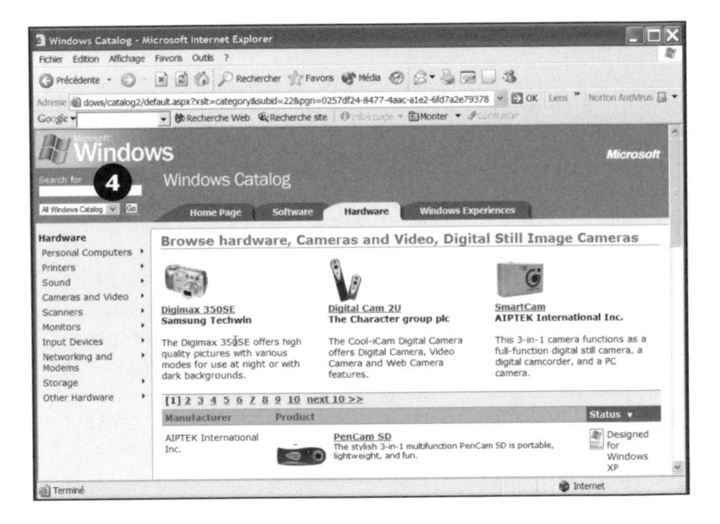

Gestionnaire de périphériques

Quand vous regardez votre ordinateur, vous remarquez essentiellement l'unité centrale, le moniteur, le clavier, la souris et quelques périphériques annexes. Cependant, pour Windows XP, votre ordinateur se compose de bien d'autres éléments (une centaine de périphériques, de fait) et le système d'exploitation est totalement prêt à vous offrir son aide chaque fois que vous souhaitez procéder à leur inventaire. Vous pourrez ainsi visualiser des informations détaillées sur chaque matériel installé.

Afficher l'ensemble des matériels installés

1. Cliquez sur Démarrer et ouvrez le Panneau de configuration.
2. Double-cliquez sur l'icône Système (ou, si le Panneau de configuration est organisé en catégories, cliquez sur Performances et maintenance, puis sur Système).
3. Sélectionnez l'onglet Matériel, puis cliquez sur Gestionnaire de périphériques.
4. Cliquez sur le signe + situé à gauche de chaque catégorie pour afficher les périphériques correspondants.

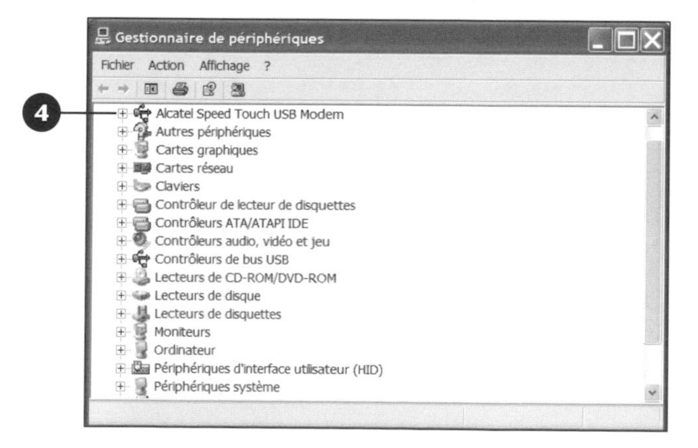

Les informations proposées par le Gestionnaire de périphériques peuvent se révéler très utiles.

Afficher les informations techniques d'un périphérique

1. Cliquez avec le bouton droit sur l'entrée de périphérique concernée.
2. Dans le menu contextuel, sélectionnez Propriétés.
3. Cliquez, par exemple, sur l'onglet Pilote, pour connaître la provenance du pilote, sa date de diffusion et son numéro de version.
4. Muni de ces informations, vérifiez sur le site Web du fabricant qu'il n'existe pas de pilote plus récent.

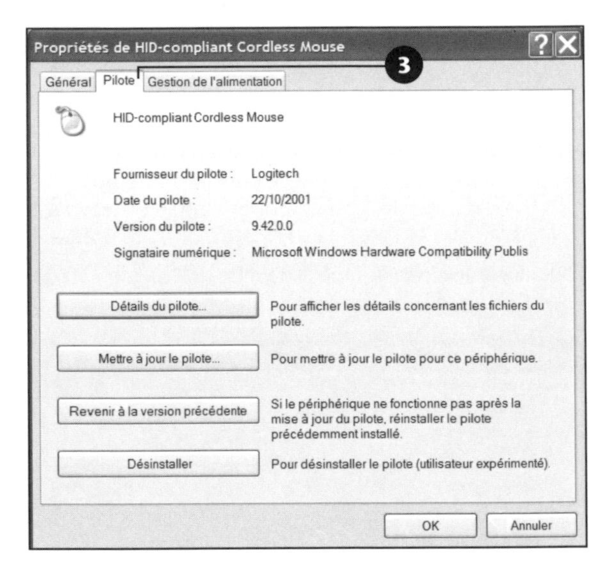

Lorsqu'un périphérique ne fonctionne pas correctement, le Gestionnaire de périphériques le signale en modifiant l'aspect de la petite icône située à gauche du nom de périphérique. Une croix de couleur rouge signifie que le périphérique a été désactivé. Un point d'interrogation de couleur jaune indique un périphérique inconnu. Un point d'exclamation, également de couleur jaune, signale que le périphérique présente un problème particulier, tel qu'un conflit avec un autre périphérique installé. Vous pouvez solliciter l'aide de Windows pour analyser un problème et le corriger en cliquant sur le bouton Résoudre les problèmes (onglet Général de la boîte de dialogue Propriétés du périphérique concerné).

ASTUCE

Il arrive que Windows vous avertisse que deux périphériques présentent un conflit de ressources. Cette situation se produit généralement quand l'un des deux périphériques (ou les deux) est ancien et ne prend pas intégralement en charge la fonctionnalité Plug and Play. Pour obtenir des explications sur la signification de chaque ressource, reportez-vous au Centre d'aide et de support. Pour résoudre le problème, cliquez sur le bouton Résoudre les problèmes, dans la boîte de dialogue Propriétés du périphérique signalant le conflit.

Si vous utilisez votre ordinateur depuis plusieurs mois, il se peut que vous ayez collecté une quantité importante de matériels et de pilotes sans même vous en apercevoir. Lorsque votre ordinateur présentera un problème, vous souhaiterez sans doute savoir quels sont les périphériques installés. Le Gestionnaire de périphériques permet même de générer un état imprimé.

Imprimer la liste des périphériques installés

1. Cliquez sur Démarrer, cliquez avec le bouton droit sur Poste de travail et sélectionnez Propriétés.
2. Dans la boîte de dialogue Propriétés système, cliquez sur Matériel, puis sur Gestionnaire de périphériques.
3. Dans la fenêtre Gestionnaire de périphériques, cliquez sur l'icône de l'ordinateur, située en haut de la liste des périphériques.
4. Dans le menu Action, cliquez sur Imprimer.

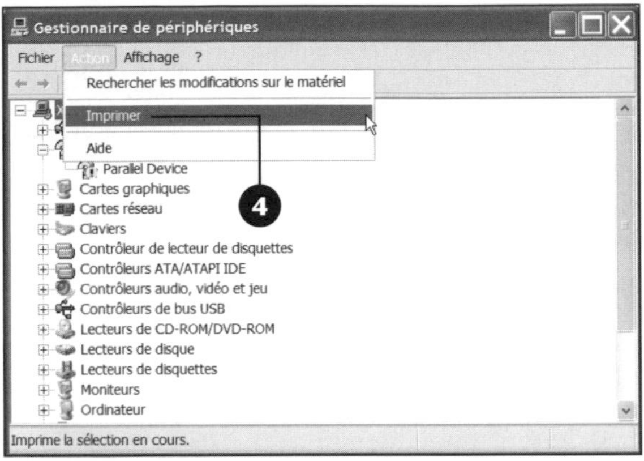

Gestionnaire de périphériques

Fichier Action Affichage ?

Rechercher les modifications sur le matériel

Imprimer

Aide

Parallel Device

Cartes graphiques

Cartes réseau

Claviers

Contrôleur de lecteur de disquettes

Contrôleurs ATA/ATAPI IDE

Contrôleurs audio, vidéo et jeu

Contrôleurs de bus USB

Lecteurs de CD-ROM/DVD-ROM

Lecteurs de disque

Lecteurs de disquettes

Moniteurs

Ordinateur

Imprime la sélection en cours.

4

5 Dans la boîte de dialogue Imprimer, sélectionnez l'imprimante. Dans le cadre Type de rapport, activez l'option Tous les périphériques et le résumé système.

6 Cliquez sur Imprimer.

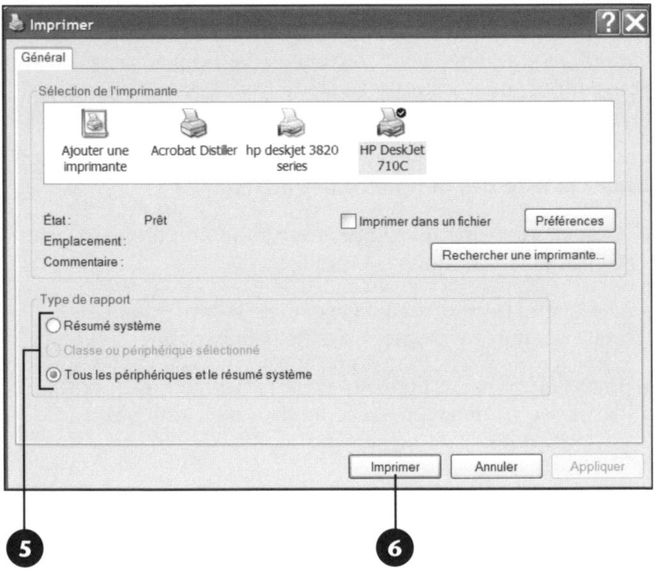

Imprimer

Général

Sélection de l'imprimante

Ajouter une imprimante | Acrobat Distiller | hp deskjet 3820 series | HP DeskJet 710C

État : Prêt

Emplacement :

Commentaire :

Imprimer dans un fichier

Préférences

Rechercher une imprimante...

Type de rapport

Résumé système

Classe ou périphérique sélectionné

Tous les périphériques et le résumé système

Imprimer | Annuler | Appliquer

5

6

7. Conservez le rapport en lieu sûr, avec le CD-ROM Windows XP et l'ID du produit. Écrivez sur le rapport la date à laquelle il a été établi. Dans le cas de pilotes téléchargés, notez le numéro de version et le site de téléchargement.

Mise à jour d'un pilote de périphérique

Assez régulièrement, le fabricant d'un périphérique propose une nouvelle version du pilote. Il vous appartient alors de décider de mettre à jour ou non votre pilote. Pour vous déterminer en connaissance de cause, lisez au préalable la description du fabricant afin d'identifier les nouvelles fonctionnalités.

Les plus chanceux découvriront l'existence d'un nouveau pilote lorsqu'ils vérifieront les mises à jour de Windows. Auquel cas, le pilote peut être téléchargé de la même façon qu'un patch Windows et être installé automatiquement. Si le fabricant a choisi de ne pas diffuser son nouveau pilote par l'intermédiaire de Windows Update, vous devrez probablement l'installer vous-même. À cette fin, Windows XP propose un Assistant.

Installer la mise à jour d'un pilote

1. Téléchargez le nouveau pilote à partir du site Web du fabricant et enregistrez-le dans un emplacement facilement accessible, comme le Bureau ou le dossier Mes documents. Si nécessaire, décompressez les fichiers du pilote dans leur propre dossier.

2. Cliquez sur Démarrer, puis cliquez avec le bouton droit sur l'icône Poste de travail et sélectionnez Propriétés. Dans la boîte de dialogue Propriétés système, cliquez sur l'onglet Matériel, puis sur Gestionnaire de périphériques.

3. Dans la fenêtre Gestionnaire de périphériques, cliquez sur le signe + situé à gauche de la catégorie contenant le périphérique pour lequel vous voulez mettre à jour le pilote. Puis, cliquez avec le bouton droit sur le nom du périphérique concerné et sélectionnez Mettre à jour le pilote.

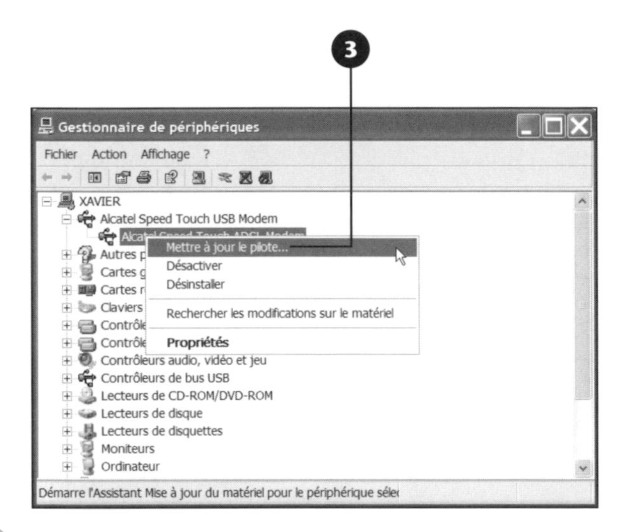

4. Dans l'Assistant Mise à jour du matériel, activez l'option Installer à partir d'une liste ou d'un emplacement spécifié. Cliquez sur Suivant.

5. Sélectionnez Ne pas rechercher. Je vais choisir le pilote à installer. Puis, cliquez sur Suivant.

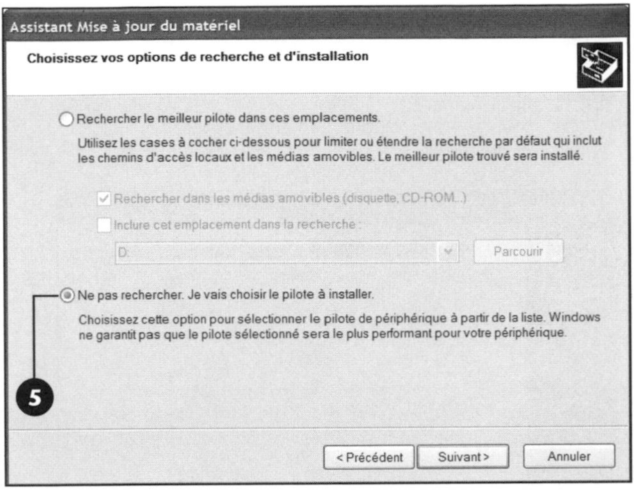

Assistant Mise à jour du matériel

Choisissez vos options de recherche et d'installation

Rechercher le meilleur pilote dans ces emplacements.

Utilisez les cases à cocher ci-dessous pour limiter ou étendre la recherche par défaut qui inclut les chemins d'accès locaux et les médias amovibles. Le meilleur pilote trouvé sera installé.

Rechercher dans les médias amovibles (disquette, CD-ROM...)

Inclure cet emplacement dans la recherche :

D:

Parcourir

Ne pas rechercher. Je vais choisir le pilote à installer.

Choisissez cette option pour sélectionner le pilote de périphérique à partir de la liste. Windows ne garantit pas que le pilote sélectionné sera le plus performant pour votre périphérique.

5

< Précédent | Suivant > | Annuler

6 Si le pilote approprié ne figure pas dans la liste des pilotes compatibles, cliquez sur Disque fourni, puis sur Parcourir pour sélectionner l'emplacement où vous avez stocké les fichiers du pilote au cours de la première étape.

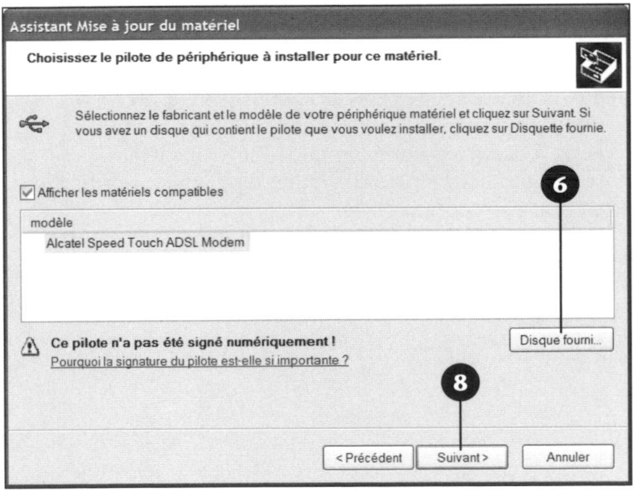

Assistant Mise à jour du matériel

Choisissez le pilote de périphérique à installer pour ce matériel.

Sélectionnez le fabricant et le modèle de votre périphérique matériel et cliquez sur Suivant. Si vous avez un disque qui contient le pilote que vous voulez installer, cliquez sur Disquette fournie.

6

Afficher les matériels compatibles

modèle

Alcatel Speed Touch ADSL Modem

Ce pilote n'a pas été signé numériquement !

Pourquoi la signature du pilote est-elle si importante ?

Disque fourni...

8

< Précédent | Suivant > | Annuler

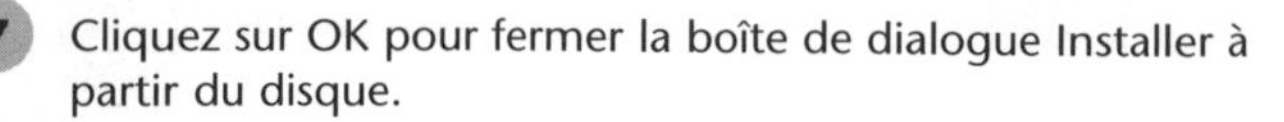

7. Cliquez sur OK pour fermer la boîte de dialogue Installer à partir du disque.

8. Cliquez sur Suivant.
9. Cliquez sur Terminer.

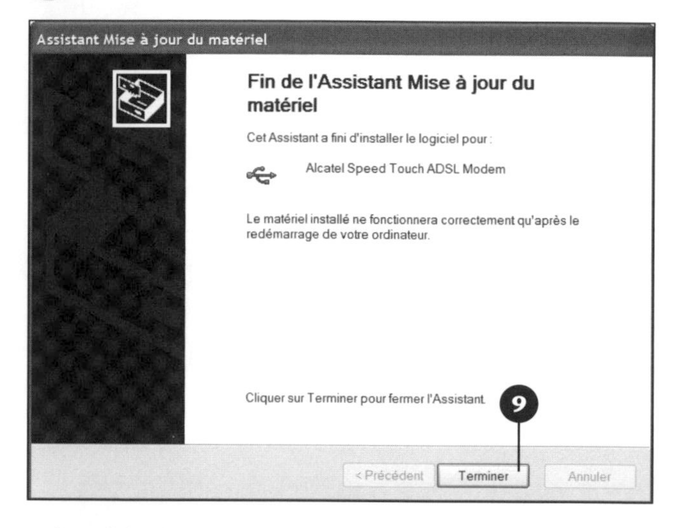

La liste des pilotes compatibles inclut des informations importantes, indiquant si le pilote que vous vous apprêtez à installer est signé numériquement. Notez la petite coche de couleur verte à gauche du nom de pilote ainsi que le libellé associé : elles vous permettent de vérifier rapidement que le pilote peut être installé en toute sécurité.

Que faire lorsque, après avoir branché un nouveau matériel, il ne fonctionne pas correctement ? Tout d'abord, retirez le périphérique et reconnectez-le. S'il ne fonctionne toujours pas, vous avez le choix entre quatre solutions.

Annuler les modifications à l'aide de la restauration

1. Cliquez sur Démarrer.
2. Pointez successivement sur Tous les programmes, Accessoires et Outils système.
3. Cliquez sur Restauration du système.
4. Dans la boîte de dialogue Restauration du système, choisissez l'option Restaurer mon ordinateur à une heure antérieure.
5. Suivez les instructions affichées.

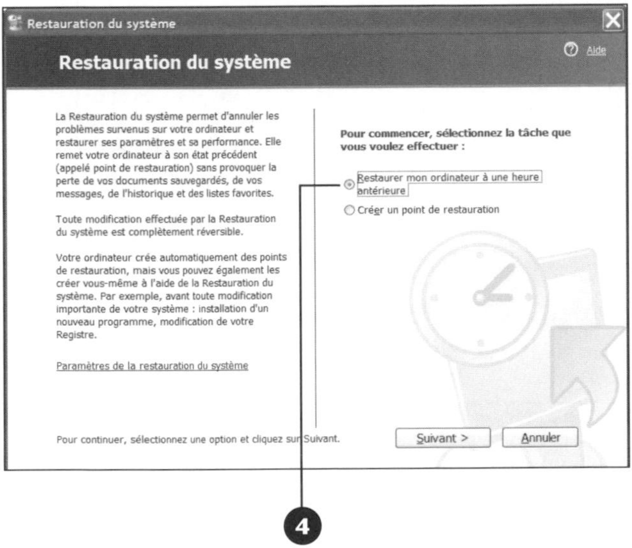

Restauration du système

Restauration du système

Aide

La Restauration du système permet d'annuler les problèmes survenus sur votre ordinateur et restaurer ses paramètres et sa performance. Elle remet votre ordinateur à son état précédent (appelé point de restauration) sans provoquer la perte de vos documents sauvegardés, de vos messages, de l'historique et des listes favorites.

Toute modification effectuée par la Restauration du système est complètement réversible.

Votre ordinateur crée automatiquement des points de restauration, mais vous pouvez également les créer vous-même à l'aide de la Restauration du système. Par exemple, avant toute modification importante de votre système : installation d'un nouveau programme, modification de votre Registre.

Paramètres de la restauration du système

Pour commencer, sélectionnez la tâche que vous voulez effectuer :

Restaurer mon ordinateur à une heure antérieure

Créer un point de restauration

Pour continuer, sélectionnez une option et cliquez sur Suivant.

Suivant >

Annuler

4

Rétablir la version antérieure du pilote

1. Dans le Gestionnaire de périphériques, cliquez avec le bouton droit sur le périphérique en question.
2. Choisissez Propriétés et sélectionnez l'onglet Pilote.
3. Cliquez sur Revenir à la version précédente.

Propriétés de Alcatel Speed Touch ADSL Modem

Général | Pilote

Alcatel Speed Touch ADSL Modem

Fournisseur du pilote : Alcatel

Date du pilote : 03/10/2001

Version du pilote : 140.3.0.1800

Signataire numérique : Non signé numériquement

Détails du pilote... — Pour afficher les détails concernant les fichiers du pilote.

Mettre à jour le pilote... — Pour mettre à jour le pilote pour ce périphérique.

Revenir à la version précédente — Si le périphérique ne fonctionne pas après la mise à jour du pilote, réinstaller le pilote précédemment installé.

Désinstaller — Pour désinstaller le pilote (utilisateur expérimenté).

OK | Annuler

3

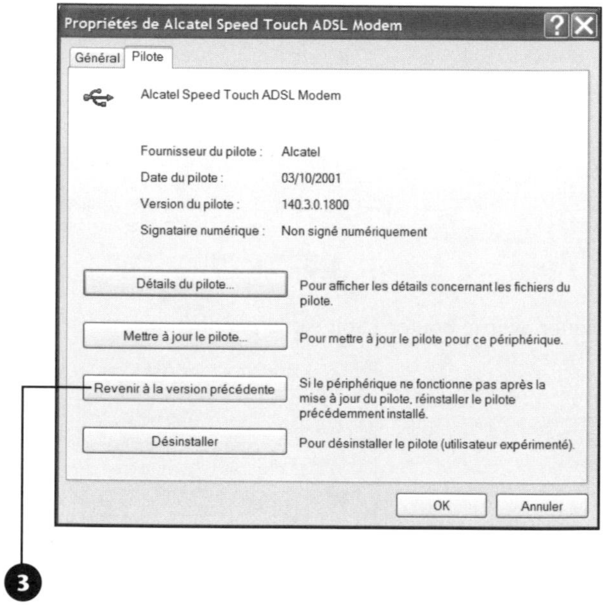

Désactiver le pilote

1. Dans le Gestionnaire de périphériques, cliquez avec le bouton droit sur le périphérique.
2. Dans le menu contextuel, sélectionnez Désactiver.
3. Une fois le problème résolu, répétez les mêmes étapes en sélectionnant, cette fois, Activer.

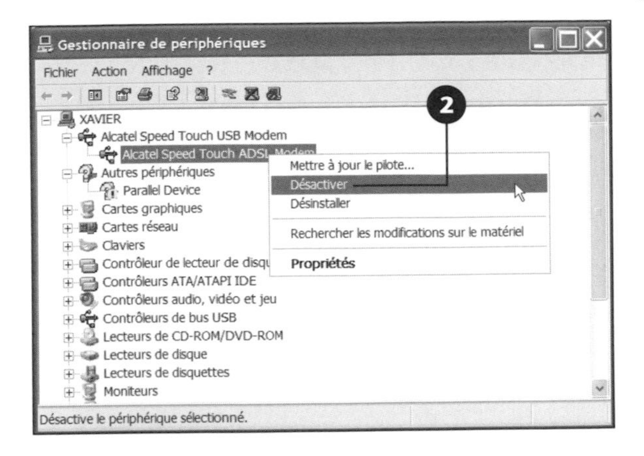

Désinstaller le périphérique

1. Ouvrez le Gestionnaire de périphériques.
2. Cliquez avec le bouton droit sur le périphérique.
3. Dans le menu contextuel, sélectionnez Désinstaller.

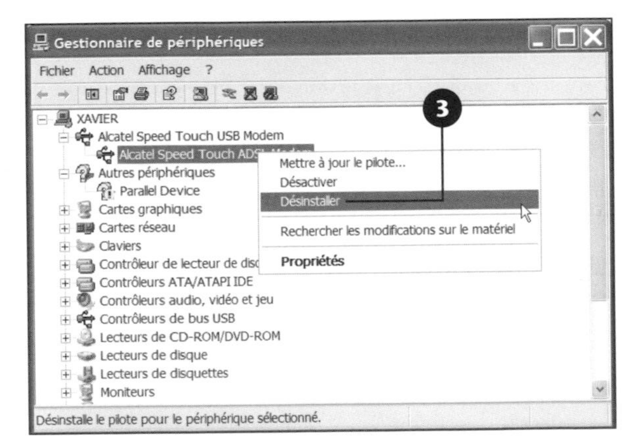

Cette option est utile quand vous n'avez pas créé de point de restauration et que vous ne disposez pas d'une version antérieure de pilote à rétablir.

Utilisation de périphériques amovibles (USB et autres)

Quand vous utilisez un périphérique USB, vous pouvez le connecter et le déconnecter physiquement à tout instant. Avec certains matériels, ce comportement ne pose aucun problème. Si, par exemple, vous possédez un lecteur de cartes Compact Flash qui vous permet de transférer des images entre votre appareil photo numérique et votre ordinateur, vous pouvez débrancher le lecteur dès que vous n'en avez plus besoin.

Cependant, dans certains cas, le retrait d'un périphérique entraîne des problèmes pour Windows. Imaginons, par exemple, que vous ayez un disque dur amovible connecté sur votre port USB ou une carte réseau dans l'emplacement PC Card de votre ordinateur portable. Si un programme est en train d'utiliser des fichiers présents sur le disque ou est connecté, via le réseau, à un autre ordinateur, le débranchement soudain du périphérique se traduira immanquablement par une perte des données. Pour déconnecter un tel périphérique en toute sécurité, vous devez au préalable envoyer un message à Windows afin de l'informer que vous avez fini d'utiliser le périphérique.

Retirer un périphérique en toute sécurité

1. Dans la zone de notification, recherchez l'icône Retirer le périphérique en toute sécurité.
2. Double-cliquez dessus pour afficher la boîte de dialogue Supprimer le périphérique en toute sécurité.
3. La liste proposée répertorie tous les périphériques amovibles connectés à votre ordinateur.
4. Sélectionnez dans la liste le périphérique à arrêter, puis cliquez sur Arrêter.

5. Quand apparaît le message vous indiquant que vous pouvez retirer le périphérique, débranchez celui-ci.

6. Cliquez sur Fermer.

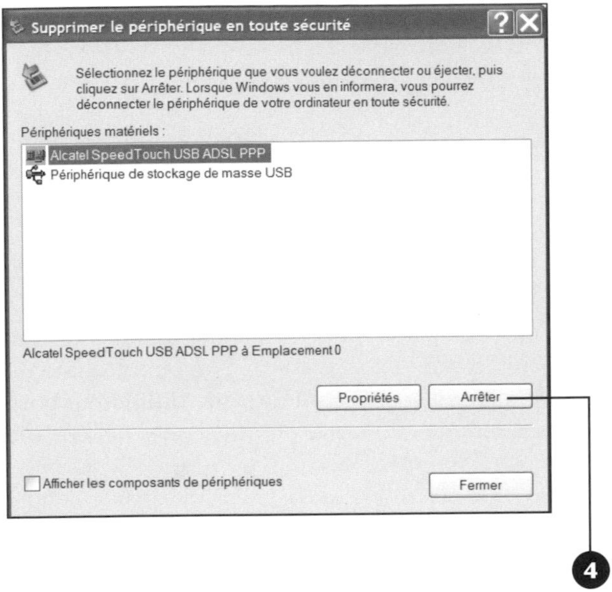

Résolution des problèmes

5

Microsoft Windows XP constitue la version la plus fiable jamais proposée par Microsoft. Arrêts brutaux, interruptions, blocages et autres incidents représentent désormais l'exception. Cependant, il en va de Windows XP comme du monde : aucun système d'exploitation n'est parfait et ne vous protègera contre les pilotes de périphérique défaillants, les matériels défectueux et les programmes bogués.

Maintenance préventive

Quelques minutes de maintenance préventive vous épargneront, par la suite, des heures de tourment : en effet, en dépit de votre bonne volonté, vos données peuvent, à tout moment, être l'objet de graves incidents. Tôt ou tard, votre disque dur « se plantera », vous effacerez malencontreusement un dossier essentiel ou vous serez la proie d'un virus fatal. Aussi serez-vous heureux d'avoir sauvegardé vos fichiers en lieu sûr.

Windows XP propose un excellent programme de sauvegarde, bien que relativement difficile à identifier selon l'édition du système d'exploitation. Dans le cas de Windows XP Professionnel, ce programme est installé automatiquement avec le système d'exploitation. Dans le cas de Windows XP Édition familiale acheté en magasin, le programme figure sur le CD-ROM, mais vous devez l'installer vous-même.

Installer l'utilitaire de sauvegarde sous Windows XP Edition familiale

1. Insérez le CD-ROM Windows dans le lecteur approprié.
2. Ouvrez l'Explorateur Windows. Le contenu du CD s'affiche.
3. Double-cliquez successivement sur les dossiers Valueadd, Msft et Ntbackup.
4. Cliquez ensuite sur l'icône Ntbackup pour installer le programme Backup.

ASTUCE

Si vous possédez un lecteur Zip, utilisez-le pour enregistrer le fichier de sauvegarde. Les disques Zip stockant 100 ou 250 Mo de données, quelques-uns devraient suffire pour contenir l'ensemble de vos fichiers. Ne recourez pas, en revanche, aux disquettes standard, car il en faudrait probablement plusieurs centaines ! Si vous disposez d'un lecteur CD-RW, enregistrez directement la sauvegarde sur un CD. Si vous ne possédez qu'un lecteur CD-R, enregistrez l'ensemble de la sauvegarde dans un fichier du disque dur, puis copiez-le sur le CD-R. Dans les deux cas, assurez-vous que la quantité totale des données n'excède pas 650 Mo.

Démarrer la sauvegarde

1. Cliquez sur Démarrer, puis sur Tous les programmes.
2. Cliquez sur le menu Accessoires, puis, dans le menu Outils système, sélectionnez Utilitaire de sauvegarde.
3. Sur la page de bienvenue de l'Assistant, cliquez sur Suivant. Par défaut, l'utilitaire de sauvegarde démarre en mode Assistant, à moins que la case à cocher Toujours démarrer en mode Assistant ait été désactivée sur la page d'accueil. Si vous vous retrouvez incidemment en mode avancé, cliquez sur Mode Assistant pour relancer l'Assistant.
4. Sur la page Sauvegarder ou restaurer, sélectionnez Sauvegarder les fichiers et les paramètres, puis cliquez sur Suivant.

5 Sur la page Que voulez-vous sauvegarder ?, choisissez l'une des quatre options proposées :

- Sélectionnez Mes documents et paramètres pour sauvegarder uniquement vos fichiers personnels. Option recommandée pour la plupart des utilisateurs.
- Choisissez Les paramètres et les documents de tout le monde si votre ordinateur possède plusieurs comptes d'utilisateurs et que vous êtes chargé de la sauvegarde générale.
- Bien que l'option Toutes les informations sur cet ordinateur semble être la meilleure solution pour sauvegarder la totalité du contenu de votre ordinateur, elle est déconseillée si vous ne possédez pas un périphérique de stockage (comme un disque externe) d'une capacité au moins égale à celle du disque principal.
- Si vous devez sauvegarder des fichiers de données enregistrés à un autre emplacement que le dossier Mes documents, sélectionnez l'option Me laisser choisir les fichiers à sauvegarder.

Assistant Sauvegarde ou Restauration

Que voulez-vous sauvegarder ?
Vous pouvez spécifier les éléments que vous voulez sauvegarder.

Que voulez-vous sauvegarder ?

(●) Mes documents et paramètres
Inclut le dossier Mes documents, vos Favoris, votre Bureau et vos cookies.

( ) Les paramètres et les documents de tout le monde
Inclut le dossier Mes documents, les Favoris, le Bureau et les cookies de tous les utilisateurs.

( ) Toutes les informations sur cet ordinateur
Inclut toutes les données de cet ordinateur et crée un disque de récupération du système qui peut être utilisée pour restaurer Windows dans le cas d'une panne majeure.

( ) Me laisser choisir les fichiers à sauvegarder

5 6

< Précédent | Suivant > | Annuler

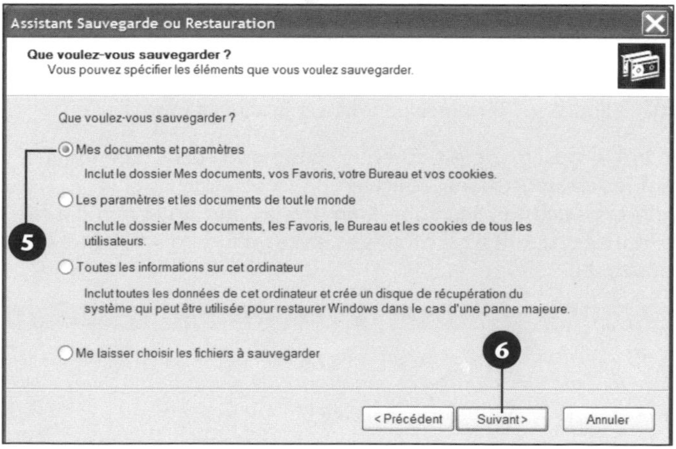

6 Cliquez sur Suivant.

7 Sur la page Type, nom et destination de la sauvegarde, choisissez l'emplacement où la sauvegarde doit être enregistrée. La liste déroulante propose tous les lecteurs amovibles disponibles.

8 Dans la zone Entrez un nom pour cette sauvegarde, saisissez un nom évocateur, puis cliquez sur Suivant.

9 Sur la dernière page, l'Assistant affiche le résumé des options choisies sur les pages précédentes.

10 Cliquez sur Terminer pour lancer la sauvegarde.

Quand la sauvegarde est achevée, conservez-la dans un endroit sûr. Idéalement, stockez les fichiers de sauvegarde les plus importants dans un lieu autre (domicile ou bureau) et fermé à clé. Les données seront ainsi protégées en cas d'incendie ou autre catastrophe.

ASTUCE

Veillez à effectuer une sauvegarde au moins une fois par semaine. Une fois que vous maîtriserez parfaitement le processus, un quart d'heure environ suffira pour sauvegarder 1 Go de données.

Pour restaurer les fichiers sauvegardés, tenez à portée de main les disques où la sauvegarde a été enregistrée.

Restaurer la sauvegarde

1. Exécutez à nouveau le programme Utilitaire de sauvegarde.
2. Sur la deuxième page de l'Assistant, choisissez Restaurer les fichiers et les paramètres.
3. Sur la page Que voulez-vous restaurer ?, double-cliquez sur n'importe quel élément du volet gauche (Éléments à restaurer).
4. Activez ou désactivez les cases à cocher afin de choisir les dossiers et fichiers spécifiques à restaurer. Par défaut, tous les fichiers sauvegardés sont sélectionnés. Il s'agit du meilleur choix si vous avez subi un sérieux « plantage » du système et que vous restaurez les données sur un nouvel ordinateur ou sur un disque récemment formaté.
5. Cliquez sur Suivant.

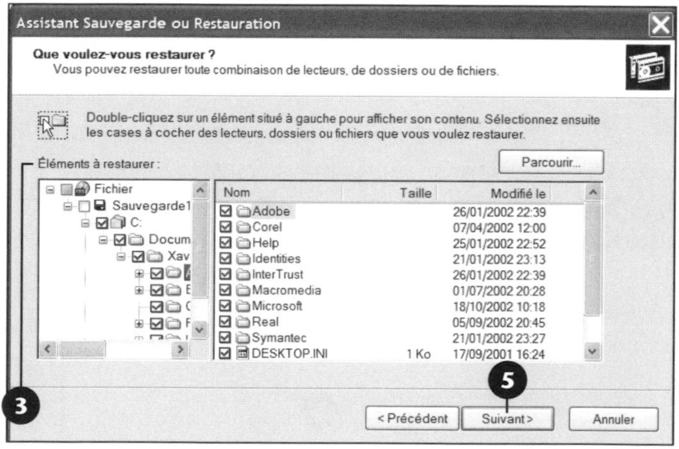

6. Cliquez sur Terminer.

Chaque jour, à la même heure, le programme Restauration du système sauvegarde des informations détaillées sur la configuration de votre système et enregistre les fichiers et paramètres associés (l'ensemble de ces informations est appelé *point de restauration système*) dans une zone protégée du disque dur. Cependant, vous pouvez vous-même créer un *point de restauration* à tout moment, notamment quand vous vous apprêtez à installer un logiciel ou un matériel : en cas de problème, Windows pourra être aisément rétabli et fonctionner à nouveau.

Créer un point de restauration

1. Cliquez sur Démarrer, puis sur Tous les programmes.
2. Pointez sur Accessoires, puis sur Outils système.
3. Cliquez sur Restauration du système.
4. Sur la page Restauration du système, activez la case à cocher Créer un point de restauration et cliquez sur Suivant.
5. Sur la page Créer un point de restauration, attribuez un nom descriptif au point de restauration : par exemple, « Avant installation d'un nouvel antivirus ».
6. Cliquez sur Créer. Après quelques instants, la page Point de restauration créé apparaît. Elle contient la date, l'heure et l'intitulé du point de restauration.

7. Cliquez sur Fermer.

Restauration du système

Créer un point de restauration

Aide

Votre ordinateur crée automatiquement des points de restauration à des heures régulièrement planifiées ou avant l'installation de certains programmes. Cependant vous pouvez utiliser Restauration du système pour créer vos propres points de restauration à des heures autres que ceux planifiés par votre ordinateur.

Entrez une description du point de restauration dans la boîte de dialogue suivante. Choisissez une description facile à identifier au cas où vous ayez besoin de restaurer votre ordinateur plus tard.

Description du point de restauration :

Avant installation d'un nouvel anti-virus

5

La date et l'heure sont automatiquement ajoutées à votre point de restauration.

Ce point de restauration ne peut pas être modifié après sa création. Avant de continuer, vérifiez le nom que vous avez entré.

6

< Précédent | Créer | Annuler

Diagnostic

Il existe trois causes principales d'erreurs majeures :

- Bogue lié à un programme ou à un pilote de périphérique. Un pilote de périphérique mal conçu constitue la principale cause des « plantages » sous Windows. Soyez, par principe, méfiant à l'égard des pilotes non signés. Tous les logiciels fonctionnant directement avec le système d'exploitation, comme les antivirus, les pare-feux personnels, les logiciels de gravure sur CD et les utilitaires de disque, installent des pilotes susceptibles d'interférer avec Windows de manière imprévisible.
- Bogue lié à Windows lui-même. Windows présente certains bogues, même si ceux-ci n'entraînent que très exceptionnellement une perte des données. Chaque fois que l'un de ces bogues est détecté, Microsoft le rend public dans sa Base de connaissances et propose dès que possible un correctif sur Windows Update.
- Problème lié au matériel. Certains incidents ne sont nullement provoqués par Windows, mais par un composant matériel défectueux. Une puce mémoire de mauvaise qualité, un court-circuit sur la carte mère de l'ordinateur ou une prise d'alimentation mal installée, par exemple, peuvent avoir des conséquences dévastatrices sur l'ordinateur ou le disque dur.

Que faire quand Windows se bloque ou affiche un message d'erreur ? Plutôt que de taper contre le clavier ou de pester après la planète entière, sachez qu'il existe une approche plus rationnelle et plus efficace, décrite ci-après, pour diagnostiquer et résoudre l'immense majorité des incidents, y compris les arrêts système.

Si le problème apparaît sur votre ordinateur aussitôt après que vous avez effectué telle ou telle modification, vous pouvez parier sans trop de risque qu'il lui est directement lié. Dans ce cas, annulez la modification en restaurant le système à la configuration immédiatement antérieure. Si vous avez créé un point de restauration avant de procéder au changement, choisissez-le au sein de la liste des points de restauration disponibles ; sinon, sélectionnez le point de restauration système le plus récent, mais antérieur, bien sûr, à la modification.

Dans Windows XP, le Centre d'aide et de support propose un certain nombre d'Assistants vous guidant pas à pas à travers des procédures de dépannage, qu'il s'agisse d'un lecteur de DVD ou d'un périphérique USB, par exemple. Les Assistants constituent un excellent point de départ, ne serait-ce qu'en permettant de vous assurer que vous avez procédé aux vérifications de base.

Utiliser les outils de dépannage

1. Cliquez sur Démarrer, puis sur Aide et support.
2. Dans la fenêtre Centre d'aide et de support, cliquez sur Index.
3. Dans la zone Entrez le mot clé à rechercher, tapez utilitaire de résolution des problèmes.
4. Parcourez la liste des rubriques proposées jusqu'à trouver celle correspondant à votre cas et double-cliquez dessus pour afficher son contenu dans le volet droit.
5. Chaque page de l'Assistant affichée dans la fenêtre Centre d'aide et de support propose une question à choix multiple ou de type oui/non. Au fur et à mesure que vous répondez, l'Assistant affine la nature du problème et suggère les solutions possibles.

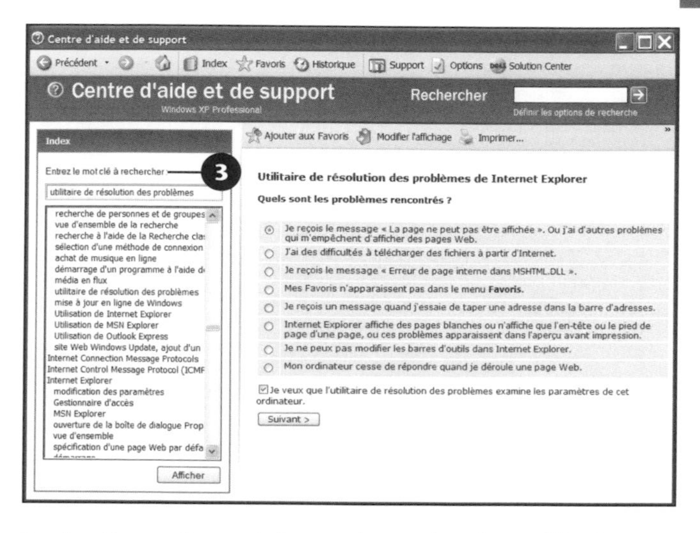

Quoi qu'il en soit, avant de vous lancer dans la modification d'options Windows, vérifiez les connexions de tous les matériels et assurez-vous que l'alimentation fonctionne correctement. Si vous ne craignez pas de retirer le couvercle de l'unité centrale, éteignez l'ordinateur, enlevez le couvercle et vérifiez que les cartes et les circuits sont correctement insérés dans leurs emplacements. Si l'erreur rencontrée semble parfaitement aléatoire, elle peut être le signe d'une puce mémoire ou d'une prise d'alimentation défaillante.

De son côté, le manque d'espace sur le disque peut provoquer toutes sortes de problèmes, plus ou moins insolites. De fait, si vous êtes un inconditionnel du téléchargement de photos, de fichiers musicaux ou de vidéos, vous risquez de saturer votre espace disque en moins de temps qu'il n'en faut pour le dire.

Vérifier l'espace disponible

1. Ouvrez le Poste de travail.
2. Cliquez avec le bouton droit sur l'icône du disque C.
3. Sélectionnez Propriétés.

4 Vérifiez l'espace utilisé et l'espace libre.

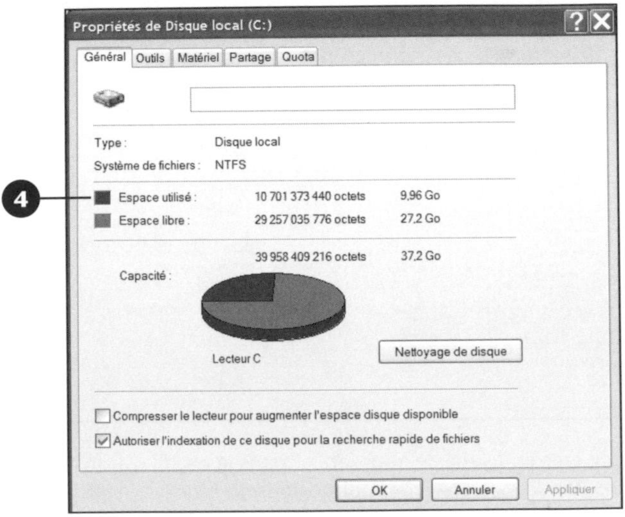

Propriétés de Disque local (C:)

Général | Outils | Matériel | Partage | Quota

Type : Disque local

Système de fichiers : NTFS

4 — Espace utilisé : 10 701 373 440 octets 9,96 Go

Espace libre : 29 257 035 776 octets 27,2 Go

Capacité : 39 958 409 216 octets 37,2 Go

Lecteur C

Nettoyage de disque

Compresser le lecteur pour augmenter l'espace disque disponible

Autoriser l'indexation de ce disque pour la recherche rapide de fichiers

OK | Annuler | Appliquer

Peut-être l'ignorez-vous, mais les pilotes vidéo constituent la cause la plus courante des blocages système. En effet, chaque fois que vous exécutez la moindre action sous Windows (déplacer le pointeur de la souris, par exemple), le pilote vidéo l'interprète et l'exécute à l'écran. Autrement dit, si le pilote vidéo présente un bogue, celui-ci peut apparaître à tout instant. Pour déterminer si le pilote vidéo est en cause, remplacez-le temporairement par l'un des pilotes génériques de Windows XP. Un outil de dépannage extrêmement utile, l'Utilitaire de configuration système, permet d'accomplir cette tâche automatiquement.

Remplacer provisoirement le pilote vidéo

1 Fermez tous les programmes en cours d'exécution.

2 Cliquez sur Démarrer, puis sur Exécuter.

3 Dans la zone de texte Ouvrir, tapez msconfig et appuyez sur ENTRÉE.

4 Dans la boîte de dialogue Utilitaire de configuration système, cliquez sur l'onglet BOOT.INI et sélectionnez /BASEVIDEO.

5 Cliquez sur OK. Quand vous y êtes invité, cliquez sur Redémarrer.

Utilitaire de configuration système
Général | SYSTEM.INI | WIN.INI | BOOT.INI | Services | Démarrage
[boot loader]
timeout=30
default=multi(0)disk(0)rdisk(0)partition(2)\WINDOWS
[operating systems]
multi(0)disk(0)rdisk(0)partition(2)\WINDOWS="Microsoft Windows XP Professionnel" /fastdetect /basevideo
Vérifier les chemins de démarrage | Par défaut | Monter | Descendre
Options de démarrage
/SAFEBOOT MINIMAL NETWORK DSREPAIR
/NOGUIBOOT MINIMAL (ALTERNATESHELL)
/BOOTLOG
/BASEVIDEO
/SOS
Délai : 30 secondes
Options avancées...
OK | Annuler | Appliquer | Aide

Quand l'écran Windows s'affiche, ne vous inquiétez pas si sa résolution est plus faible et que les réglages de couleur ont disparu. Ces deux faits sont directement liés à l'utilisation du pilote vidéo générique. Ignorez la proposition de Windows vous invitant à améliorer les paramètres vidéo. Essayez de reproduire les mêmes actions que celles qui, précédemment, posaient un problème. Si vous ne rencontrez plus d'erreurs, vous pouvez en conclure que le pilote vidéo est en cause et vous mettre en quête d'un pilote vidéo mis à jour.

Une fois que vous avez installé le nouveau pilote, exécutez de nouveau l'Utilitaire de configuration système, en activant, cette fois, l'option Démarrage normal dans l'onglet Général. Cliquez sur OK et redémarrez l'ordinateur.

Certains programmes sont configurés pour s'exécuter automatiquement au démarrage, sans apparaître dans la barre des tâches. Si, chaque fois que vous démarrez Windows, un message d'erreur s'affiche ou qu'un mystérieux blocage se produit, ces programmes peuvent être à l'origine de l'erreur. Pour afficher leur liste et dépanner ce type d'anomalie, recourez à l'Utilitaire de configuration système et empêchez qu'ils ne s'exécutent automatiquement au démarrage. Si le problème se trouve résolu, rajoutez les programmes l'un après l'autre jusqu'à ce que vous ayez identifiié le coupable.

Messages d'erreur

L'idéal serait, bien sûr, que chaque fois que vous rencontrez un problème, Windows propose une explication claire et simple. Pour l'heure, contentons-nous de ces messages d'erreur au degré d'utilité extrêmement variable. Reconnaissons que certains sont transparents et explicites, tandis que d'autres auraient aussi bien pu être rédigés dans une langue étrangère. Cependant, même si le message n'est guère lisible, essayez d'en extraire autant d'informations que possible.

Quand Windows affiche un message d'erreur, notez bien sur une feuille la totalité du message, surtout s'il comporte des informations techniques.

ASTUCE

Un bon moyen pour capturer les messages d'erreur détaillés consiste à appuyer sur CTRL+C. Cette action copie le message d'erreur, qu'il ne vous reste plus qu'à coller dans le Bloc-notes et à enregistrer en vue d'une utilisation ultérieure. Si ce raccourci clavier ne fonctionne pas, cliquez dans le message et appuyez sur ALT+IMPR ÉCRAN. Le contenu de la fenêtre active (le message) est alors copié dans le Presse-papiers Windows. Collez-le dans WordPad ou dans Microsoft Paint, puis imprimez-le ou enregistrez-le dans un fichier.

Si le même message réapparaît régulièrement, son contenu doit pouvoir vous aider à déterminer la cause du problème. Utilisez un mot clé du message pour explorer la Base de connaissances Microsoft. Plus le message est spécifique, plus vous avez de chances de trouver une réponse appropriée dans la Base de connaissances. Il est probable, par exemple, qu'un message contenant un numéro ou code d'erreur particulier vous conduise à un résultat beaucoup plus exploitable qu'une phrase comme « le programme a rencontré une erreur ».

La Base de connaissances constitue une mine d'articles rédigés par des techniciens de Microsoft et utilisés par les professionnels du support technique pour aider les clients. Pour y accéder, visitez le site *http://support.microsoft.com* et cliquez dans la zone Rechercher dans la base de connaissances (KB).

Le message d'erreur Windows le plus redouté, ARRÊT, a reçu un nom particulièrement évocateur : l'*écran bleu d'erreur fatale* (BSOD, *Blue Screen Of Death*). Il apparaît généralement quand une erreur grave entraîne l'arrêt brutal de Windows, sans le moindre avertissement. Si des programmes sont en cours d'exécution, ils s'arrêtent aussitôt. Tous les fichiers non enregistrés sont perdus. La seule chose que vous voyez est un écran bleu, comportant plusieurs lignes de texte. Certaines informations du message d'erreur sont très importantes, comme le code, le groupe de paramètres qui le suit ou le nom du programme ou du pilote où l'erreur a été détectée.

Même les utilisateurs les plus enhardis de Windows redoutent l'écran bleu, en raison de sa soudaineté et de son irrévocabilité. Bien qu'il ne soit jamais agréable d'y être confronté, peut-être les explications suivantes contribueront-elles à vous réconforter.

- Les erreurs fatales sont presque toujours liées à des problèmes matériels, à des pilotes défaillants ou à des bogues dans un utilitaire système comme un pare-feu personnel ou un programme anti-virus.
- La recherche dans la Base de connaissances à partir d'un code d'erreur spécifique est souvent couronnée de succès.

◆ Le remplacement du pilote, programme ou périphérique défaillant, permet très souvent de supprimer le problème.

Normalement, après avoir affiché une erreur Arrêt, Windows redémarre automatiquement, ce qui se révèle frustrant si vous êtes en train de noter sur une feuille les différents détails de l'erreur. Il est possible de modifier ce comportement et de laisser l'écran bleu affiché.

Désactiver le redémarrage automatique en cas d'erreur fatale

1. Ouvrez le Panneau de configuration.
2. Double-cliquez sur l'icône Système (dans la catégorie Performances et maintenance).
3. Cliquez sur l'onglet Avancé.
4. Sous l'en-tête Démarrage et récupération, cliquez sur Paramètres.

Propriétés système
Restauration du système | Mises à jour automatiques | Utilisation à distance
Général | Nom de l'ordinateur | Matériel | Avancé
Vous devez avoir ouvert une session en tant qu'administrateur afin d'effectuer la plupart de ces modifications.
Performances
Les effets visuels, la planification du processeur, l'utilisation mémoire et la mémoire virtuelle
Paramètres
Profil des utilisateurs
Paramètres du Bureau liés à votre ouverture de session
Paramètres
Démarrage et récupération
Informations de démarrage du système, de défaillance du système et de débogage
Paramètres
Variables d'environnement | Rapport d'erreurs
OK | Annuler | Appliquer

5. Sous l'en-tête Défaillance du système, désactivez la case à cocher Redémarrer automatiquement.
6. Cliquez sur OK.

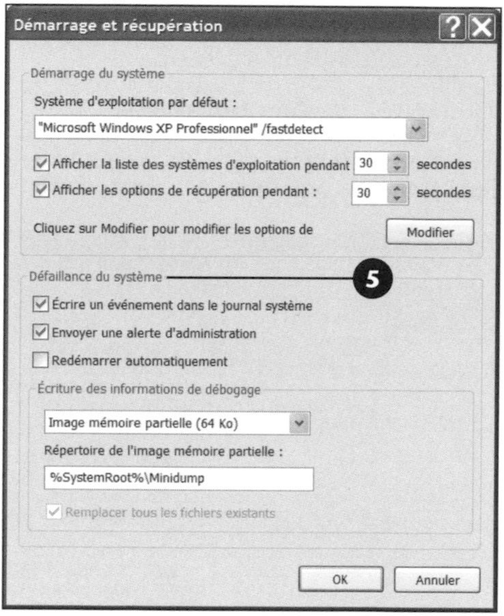

Démarrage et récupération

Démarrage du système

Système d'exploitation par défaut :

"Microsoft Windows XP Professionnel" /fastdetect

Afficher la liste des systèmes d'exploitation pendant 30 secondes

Afficher les options de récupération pendant : 30 secondes

Cliquez sur Modifier pour modifier les options de

Modifier

Défaillance du système

5

Écrire un événement dans le journal système

Envoyer une alerte d'administration

Redémarrer automatiquement

Écriture des informations de débogage

Image mémoire partielle (64 Ko)

Répertoire de l'image mémoire partielle :

%SystemRoot%\Minidump

Remplacer tous les fichiers existants

OK

Annuler

Windows XP conserve un enregistrement des erreurs et messages d'informations sur votre système dans trois fichiers journaux différents. Quand vous dépannez un problème, ces journaux constituent une excellente source d'informations : la recherche au sein de la Base de connaissances à partir des informations fournies par le journal Système, par exemple, peut aider à expliquer des erreurs en apparence totalement aléatoires.

Afficher les journaux de l'Observateur d'événements

1. Ouvrez le Panneau de configuration.
2. Double-cliquez sur l'icône Outils d'administration, dans la catégorie Performances et maintenance.
3. Double-cliquez sur Observateur d'événements.
4. La fenêtre Observateur d'événements s'affiche.
5. Choisissez l'un des trois journaux dans le volet gauche. Son contenu apparaît dans le volet droit.

Généralement, vous consultez le journal Système pour obtenir des messages sur Windows et ses services, et le journal Application pour les messages générés par les programmes Windows. Le troisième journal, Sécurité, est vide par défaut. Si vous utilisez Windows XP Édition familiale, vous ne pouvez pas effectuer d'audit sur les événements de sécurité. L'activation de cette fonctionnalité dans la version Windows XP Professionnel nécessite l'utilisation d'un outil avancé, intitulé Éditeur de stratégie système et réservé aux experts.

La majorité des événements recensés dans les journaux constituent de simples informations, signalées par une icône (lettre *i* de couleur bleue). Une croix rouge indique une erreur et un point d'exclamation de couleur jaune correspond à un avertissement. Double-cliquez sur l'entrée de votre choix pour afficher des informations supplémentaires.

Rétablissement d'une configuration antérieure

Précédemment, vous avez appris à sauvegarder la configuration de votre système afin de pouvoir annuler toute modification ayant engendré un dysfonctionnement. Si votre ordinateur se comporte étrangement, vous avez la possibilité de le rétablir à une date antérieure, date à laquelle il fonctionnait correctement.

Rétablir une configuration antérieure

1. Cliquez sur le menu Démarrer.
2. Pointez successivement sur Tous les programmes, Accessoires, et Outils système.
3. Sélectionnez Restauration système.
4. Sur l'écran Restauration du système, activez la case à cocher Restaurer mon ordinateur à une heure antérieure, et cliquez sur Suivant.
5. Le troisième choix, Annuler ma dernière restauration, n'est disponible que si vous avez déjà utilisé la restauration du système pour revenir à une configuration antérieure. Dans le cas contraire, seules les deux premières options sont affichées.

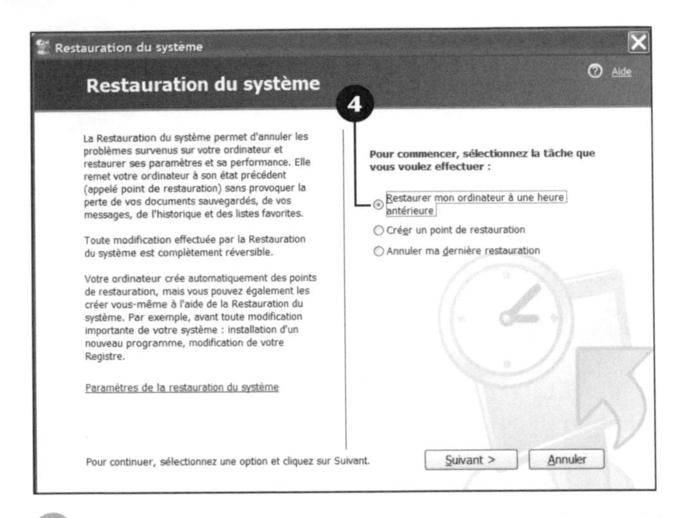

6 Sur la page Sélectionnez un point de restauration, choisissez dans le calendrier la date correspondant au point de restauration souhaité, puis sélectionnez le point de restauration dans la liste affichée à droite.

7 Cliquez sur Suivant.

Restauration du système

Sélectionnez un point de restauration

Aide

Le calendrier suivant affiche en gras toutes les dates qui ont des points de restauration disponibles. La liste affiche les points de restauration qui sont disponibles à la date sélectionnée.

Des types possibles de restauration sont : Des points de vérification système (restauration planifiée des points crées par votre ordinateur), des points de restauration manuelle (points de restauration crées par vous), et des points de restauration d'installation (points de restauration automatique crées quand certains programmes sont installés).

1. Sur ce calendrier, cliquez sur une date en gras.

< novembre 2002 >

lun.	mar.	mer.	jeu.	ven.	sam.	dim.
28	29	30	31	1	**2**	**3**
4	**5**	6	**7**	**8**	9	10
11	**12**	**13**	**14**	**15**	**16**	**17**
18	**19**	**20**	**21**	**22**	**23**	**24**
25	**26**	27	28	29	30	1
2	3	4	5	6	7	8

6

2. Sur cette liste, cliquez sur un point de restauration.

< mercredi 20 novembre 2002 >

20:07:48 Avant installation IEAK

19:34:40 Point de vérification système

7

< Précédent | Suivant > | Annuler

8 La page suivante permet de confirmer le choix du point de restauration. Elle rappelle également que la restauration ne supprime aucun fichier de données et que vous aurez toujours la possibilité d'annuler la restauration effectuée. Répondez aux différentes invitations pour terminer l'opération.

 Une fois que vous avez fini, Windows redémarre et votre système doit fonctionner à nouveau.

ASTUCE

Quand la restauration est achevée, tous les programmes installés après la date et l'heure du point de restauration sélectionné ne fonctionnent plus. Avant de restaurer votre système à une date antérieure, désinstallez tous les programmes que vous avez pu installer depuis la création du point de restauration. Bien que cette étape ne soit pas obligatoire, elle permet de prévenir certains problèmes.

Démarrage en mode sans échec

Quand Windows refuse obstinément de démarrer, la meilleure solution consiste à utiliser le Mode sans échec afin de procéder à un certain nombre de tests et de réparations nécessaires. En principe, le Mode sans échec fonctionne quand bien même Windows se trouve dans l'incapacité de démarrer normalement. Quand vous êtes connecté en mode sans échec, vous pouvez remarquer que le Bureau Windows offre un aspect profondément différent de celui auquel vous êtes habitué. La mention Mode sans échec apparaît dans chaque coin de l'écran, tandis que la résolution, les couleurs et les icônes du Bureau ne présentent pas leur aspect habituel.

Démarrer en mode sans échec

 Arrêtez votre ordinateur complètement et attendez une minute ou deux, afin de vous assurer qu'aucun élément ne réside encore dans la mémoire de l'ordinateur.

2. Mettez l'ordinateur sous tension.
3. Dès que s'affichent les messages de démarrage, tapez sur la touche F8 une fois par seconde environ.
4. Quand le Menu d'options avancées de Windows apparaît, sélectionnez Mode sans échec et appuyez sur ENTRÉE.
5. Sur l'écran suivant, sélectionnez le système d'exploitation que vous souhaitez démarrer et appuyez sur ENTRÉE.
6. Différents messages apparaissent, recensant chaque composant Windows en cours de chargement. Puis, après un rapide aperçu du logo Windows, la page d'accueil doit s'afficher.
7. Cliquez sur votre nom d'utilisateur pour ouvrir une session.
8. Vous pouvez alors procéder à diverses opérations, comme supprimer ou mettre à jour des pilotes de périphériques, désinstaller des logiciels, modifier le Registre (sous réserve d'y avoir été invité par un technicien professionnel) ou exécuter la restauration du système et rétablir l'ordinateur à une configuration antérieure.
9. Une fois que vous avez terminé vos tests et réparations, redémarrez l'ordinateur normalement.

Réparation de Windows

Dans certains cas, vous ne pourrez absolument pas démarrer Windows, parce qu'un ou plusieurs fichiers du système d'exploitation sont corrompus. Il existe néanmoins une solution relativement simple pour résoudre le problème : exécuter à nouveau le programme d'installation de Windows.

Exécuter à nouveau le programme d'installation de Windows

1. Insérez le CD-ROM Windows XP dans le lecteur approprié.
2. Redémarrez l'ordinateur. Si un message vous invite à appuyer sur une touche pour démarrer à partir du CD-ROM, tapez sur la barre d'espace.
3. Le programme d'installation de Windows démarre alors automatiquement. Quand vous parvenez sur l'écran d'accueil, appuyez sur ENTRÉE pour poursuivre le programme d'installation de Windows.
4. Acceptez l'accord de licence.
5. Windows recherche, sur votre disque dur, une installation existante. S'il la trouve, il propose un menu comportant une option de réparation.
6. Appuyez sur R pour démarrer la réparation.

Connexion Internet

6

Microsoft Internet Explorer fait partie intégrante de Windows XP et tous les éléments nécessaires à la connexion avec votre fournisseur de services Internet sont inclus dans le système d'exploitation. Où que vous vous trouviez dans Windows XP, l'incroyable diversité du Web ne se trouve qu'à un ou deux clics de souris.

Connexion à l'aide d'un modem

Dans Windows XP, la configuration d'une connexion Internet d'accès à distance ne nécessite que quelques clics de souris, grâce à la présence d'un Assistant très efficace. Cette connexion peut, cependant, exiger quelque réglage supplémentaire. Si elle constitue votre principal moyen d'accès à Internet, vous souhaiterez probablement la configurer pour qu'elle se déclenche automatiquement dès que vous en avez besoin et se termine, passé un délai déterminé d'inactivité.

En revanche, la configuration sera un peu différente si vous utilisez une connexion ADSL comme connexion principale et que vous ne recourez à une connexion classique que lorsque vous êtes en déplacement ou que votre connexion ADSL cesse provisoirement de fonctionner.

Grâce à la fonctionnalité Plug and Play, l'installation d'un nouveau modem se déroule pratiquement de façon instantanée. Si Windows ne détecte pas le nouveau modem quand vous le branchez (s'il s'agit d'un modèle ancien se connectant à un port série, par exemple), vous devez l'ajouter.

Ajouter un modem

1. Ouvrez le Panneau de configuration.
2. Dans le Panneau de configuration, cliquez sur le lien Imprimantes et autres périphériques.
3. Dans le volet des tâches, recherchez le lien Ajout de matériel.
4. Une fois le modem installé, effectuez les réglages nécessaires en retournant sur la page Imprimantes et autres périphériques.
5. Double-cliquez sur Options de modem et téléphonie.
6. La boîte de dialogue Options de modem et téléphonie s'affiche.
7. Si le modem ne fonctionne pas correctement, cliquez sur Propriétés.
8. Puis, dans l'onglet Général de la boîte de dialogue Propriétés, cliquez sur Dépanner.

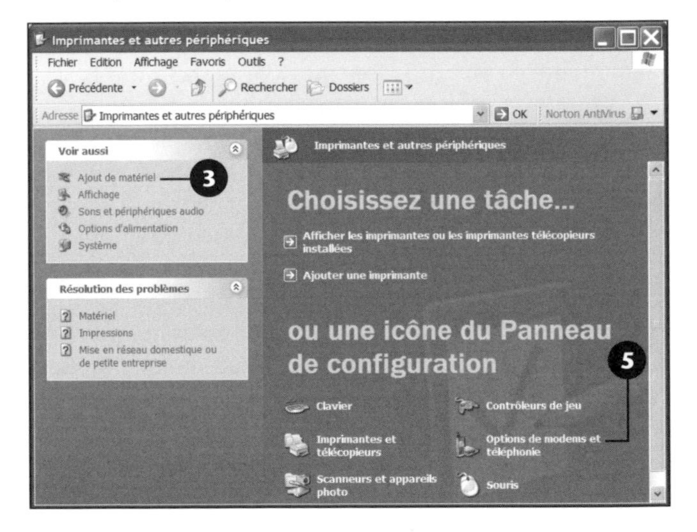

Après avoir installé le modem, utilisez l'Assistant Nouvelle connexion pour créer une connexion contenant l'ensemble des paramètres nécessaires. Demandez, au préalable, au fournisseur de services Internet les informations dont vous aurez besoin : nom d'utilisateur, mot de passe, numéro de téléphone, etc.

Établir la connexion

1. Cliquez sur Démarrer, ouvrez le Panneau de configuration, sélectionnez Connexions réseau et Internet, puis cliquez sur Connexions réseau.

2. Dans le volet des tâches à gauche du dossier Connexions réseau, cliquez sur Créer une nouvelle connexion.

3. Si le volet des tâches n'est pas affiché, cliquez sur Dossiers dans la barre d'outils.

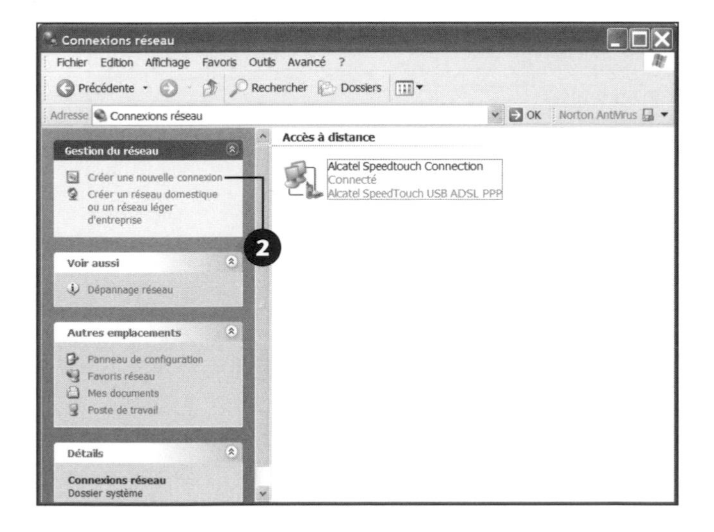

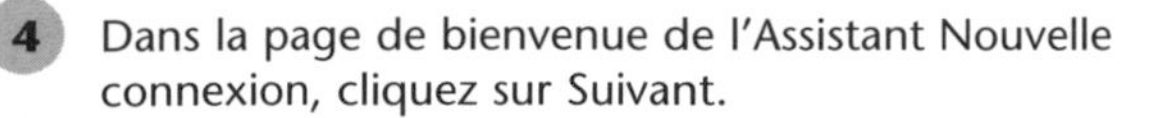

4 Dans la page de bienvenue de l'Assistant Nouvelle connexion, cliquez sur Suivant.

5 Sur la page Type de connexion réseau, choisissez Établir une connexion à Internet.

6 Cliquez sur Suivant.

5

Assistant Nouvelle connexion

Type de connexion réseau
Que voulez-vous faire ?

◉ **Établir une connexion à Internet**
Permet d'établir une connexion à Internet afin de pouvoir naviguer sur le Web et de lire des courriers électroniques.

○ **Connexion au réseau d'entreprise**
Permet d'établir une connexion à un réseau d'entreprise (en utilisant un réseau privé virtuel ou l'accès réseau à distance) afin de vous offrir la possibilité de travailler à partir de votre domicile ou de tout autre emplacement.

○ **Configurer un réseau domestique ou un réseau de petite entreprise**
Permet d'établir une connexion à un réseau domestique ou de petite entreprise existant ou d'en créer un nouveau.

○ **Configurer une connexion avancée**
Permet d'établir une connexion directe à un autre ordinateur en utilisant votre port série, parallèle ou votre port infrarouge, ou configure cet ordinateur afin que d'autres ordinateurs puissent s'y connecter.

< Précédent | Suivant > | Annuler

6

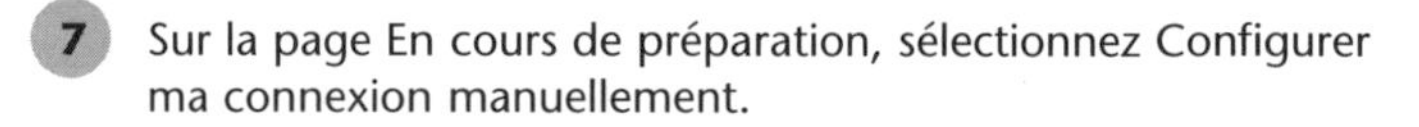

7 Sur la page En cours de préparation, sélectionnez Configurer ma connexion manuellement.

8 Sur la page Connexion Internet, choisissez Se connecter en utilisant un modem d'accès à distance, et cliquez sur Suivant.

9 Dans la zone Nom du fournisseur de services Internet de la page Nom de la connexion, entrez le nom que vous souhaitez utiliser pour identifier la connexion.

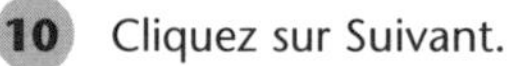

10 Cliquez sur Suivant.

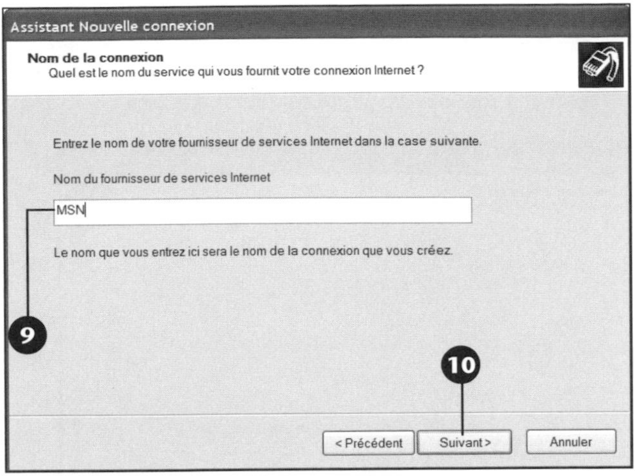

Assistant Nouvelle connexion

Nom de la connexion
Quel est le nom du service qui vous fournit votre connexion Internet ?

Entrez le nom de votre fournisseur de services Internet dans la case suivante.

Nom du fournisseur de services Internet

MSN

Le nom que vous entrez ici sera le nom de la connexion que vous créez.

9

10

< Précédent | Suivant > | Annuler

11 Sur la page Entrez le numéro de téléphone à composer, tapez le numéro à composer pour se connecter au fournisseur de services Internet. Le cas échéant, précisez le préfixe ou l'indicatif régional requis.

12 Sur la page Information de compte Internet, complétez les zones Nom d'utilisateur et Mot de passe.

13 Définissez également les trois options affichées en bas de la page.

- Utiliser ce nom de compte et ce mot de passe lorsque tout utilisateur se connecte à Internet à partir de cet ordinateur. Conservez cette option. Ne la désactivez que si vous interdisez aux autres utilisateurs de l'ordinateur de se connecter à votre fournisseur de services Internet.
- Établir cette connexion Internet en tant que connexion par défaut. Conservez cette option s'il s'agit de votre connexion Internet principale. Désactivez-la si vous possédez une connexion large bande et n'utilisez la connexion d'accès à distance que lors de déplacements ou de l'interruption momentanée de votre connexion principale.

- Activer le Pare-feu de connexion Internet pour cette connexion. Conservez cette option à moins que vous n'utilisiez un autre programme de pare-feu ou que votre pare-feu soit intégré à une solution matérielle.

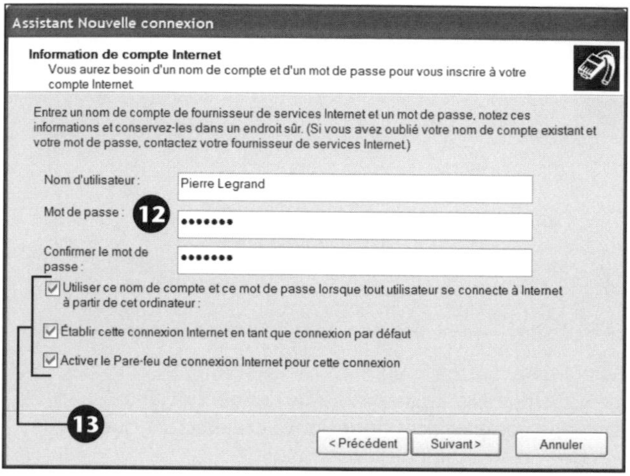

14 Sur la dernière page de l'Assistant, cliquez sur Terminer.

ASTUCE

Chaque connexion d'accès distant créée apparaît dans le dossier Connexions réseau. Pour accéder plus facilement aux différentes connexions, activez l'option proposée sur la dernière page de l'Assistant, à savoir Ajouter un raccourci vers cette connexion sur mon Bureau.

Pour utiliser la nouvelle connexion, double-cliquez dessus dans le dossier Connexions réseau. Une boîte de dialogue s'affiche, avec le nom d'utilisateur et le mot de passe entrés précédemment. Cliquez sur Numéroter pour vous connecter à Internet.

Cependant, peut-être préférez-vous que Windows se connecte automatiquement à Internet chaque fois que vous cliquez sur une page Web ou vérifiez votre courrier électronique. Cette solution se justifie dans les circonstances suivantes :

- Votre compte d'accès distant représente votre seul moyen d'accéder à Internet.

- Vous possédez une ligne téléphonique dédiée à Internet. Dans ce cas, vous ne risquez nullement d'interrompre accidentellement un appel téléphonique en cours.
- Vous disposez d'un forfait d'accès à Internet peu coûteux.

Configurer une connexion automatique

1. À partir du menu Outils de Internet Explorer, ouvrez la boîte de dialogue Options Internet.
2. Cliquez sur l'onglet Connexions.
3. Sélectionnez Toujours établir la connexion par défaut pour informer Windows que la connexion doit être établie automatiquement chaque fois que vous voulez rechercher des données sur Internet.

   – ou –

4. Sélectionnez Ne jamais établir de connexion pour garder un contrôle complet des connexions et n'effectuer que des connexions manuelles.
5. Cliquez sur OK.

6. Ajustez, ensuite, les options de la connexion afin de ne pas avoir à indiquer à chaque fois le numéro de téléphone ou le mot de passe. Dans le dossier Connexions réseau, cliquez avec le bouton droit sur la connexion, puis sélectionnez Propriétés.

7. Dans l'onglet Options de la boîte de dialogue Propriétés, désactivez les cases à cocher Demander un nom, un mot de passe, un certificat et Demander un numéro de téléphone.

8. Cliquez sur OK.

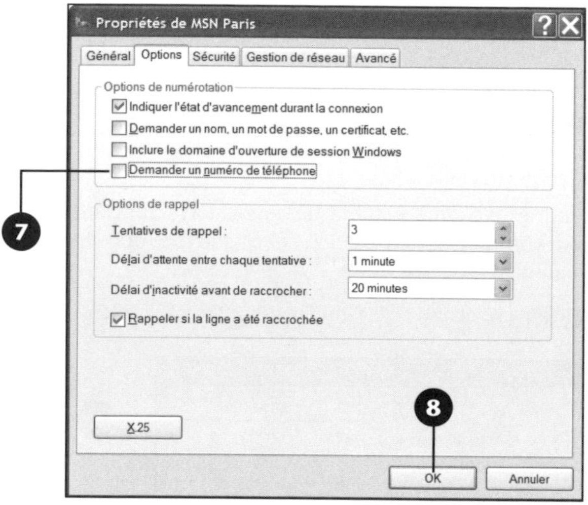

Désormais, quand vous double-cliquerez sur la connexion ou demanderez une page Web, Windows établira automatiquement la connexion à votre fournisseur de services Internet, sans que vous ayez à saisir la moindre information.

ASTUCE

Utilisez les choix proposés sous l'en-tête Options de rappel pour indiquer à Windows le délai d'inactivité à respecter avant de mettre un terme à la connexion, ou pour que le numéro soit recomposé automatiquement en cas de déconnexion accidentelle de votre fournisseur de services Internet.

Établir la déconnexion

1. Lorsque vous êtes connecté à Internet, une petite icône s'affiche dans la zone de notification.

2. Pour vous déconnecter, cliquez sur l'icône avec le bouton droit et choisissez Se déconnecter.

   – ou –

3. Double-cliquez sur l'icône et, dans la boîte de dialogue État, cliquez sur le bouton Se déconnecter.

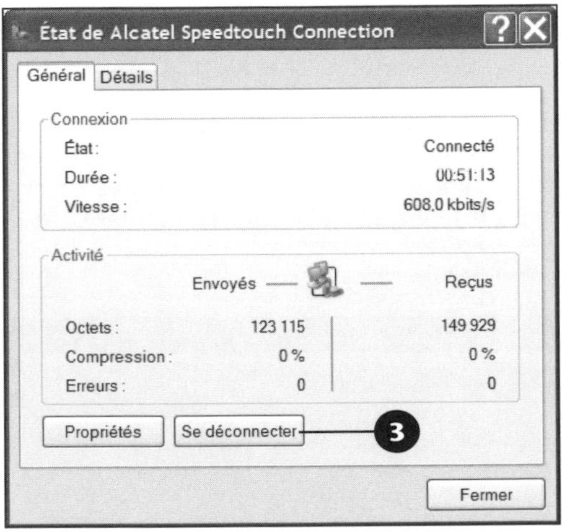

État de Alcatel Speedtouch Connection
Général | Détails
Connexion
État : Connecté
Durée : 00:51:13
Vitesse : 608,0 kbits/s
Activité
Envoyés — Reçus
Octets : 123 115 | 149 929
Compression : 0 % | 0 %
Erreurs : 0 | 0
Propriétés | Se déconnecter — 3
Fermer

Les connexions Internet d'accès distant se caractérisent par une certaine lenteur. En revanche, une connexion large bande permet d'afficher des pages Web l'une après l'autre aussi rapidement que vous tourneriez celles d'un magazine. Les connexions large bande les plus courantes s'effectuent par l'intermédiaire d'un câble ou d'une ligne ADSL. La première solution transporte les données en recourant au même câble que celui utilisé par les chaînes câblées. La seconde, tout en s'appuyant sur le réseau téléphonique, fonctionne infiniment plus vite qu'une connexion d'accès distant classique et vous permet de téléphoner tandis que vous surfez sur le Web.

Configurer une connexion haut débit

1. Dans le Panneau de configuration, ouvrez le dossier Connexions réseau.

2. Cliquez sur Créer une nouvelle connexion.

3. Dans l'Assistant Nouvelle connexion, suivez les mêmes étapes que celles mentionnées dans la section précédente, mais sélectionnez l'une des deux options de large bande.

4. La plupart des personnes choisissent l'option Se connecter en utilisant une connexion large bande qui nécessite un nom d'utilisateur et un mot de passe.

– ou –

5. Si votre fournisseur exige que vous vous inscriviez pour bénéficier d'un accès haut débit, enregistrez votre nom d'utilisateur et votre mot de passe lorsque vous y êtes invité, comme vous le feriez avec une connexion Internet classique.

6. Cliquez sur Suivant.

Assistant Nouvelle connexion

Connexion Internet
Comment voulez-vous vous connecter à Internet ?

○ **Se connecter en utilisant un modem d'accès à distance**
Ce type de connexion utilise un modem et une ligne téléphonique standard ou RNIS.

◉ **Se connecter en utilisant une connexion large bande qui nécessite un nom d'utilisateur et un mot de passe**
Ceci est une connexion à haute vitesse qui utilise un modem câble ou une ligne DSL. Votre fournisseur de services Internet peut faire référence à ce type de connexion sous la dénomination PPPoE.

○ **Se connecter en utilisant une connexion large bande toujours activée**
Ceci est une connexion à haute vitesse qui utilise un modem câble ou une ligne DSL. Elle est toujours active et ne nécessite pas d'inscription.

4

< Précédent | Suivant > | Annuler

7. Cliquez sur Terminer.

Recherche sur le Web

Vous pouvez trouver tout ce que vous voulez sur Internet, à condition de savoir où chercher. Internet Explorer 6 propose deux solutions pour extraire les informations souhaitées des innombrables sites Web.

Saisir directement le terme à rechercher

1. Dans Internet Explorer, saisissez directement le terme à rechercher dans la barre d'adresses.
2. Internet tente de convertir le mot saisi en adresse Web.
3. S'il n'y parvient pas, il transmet votre requête au service de recherche défini par défaut.

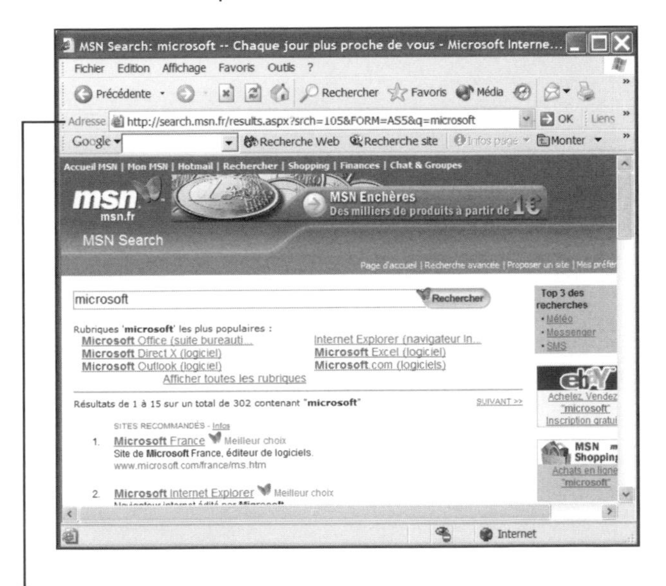

Effectuer une recherche avec l'Assistant

1. Cliquez sur le bouton Rechercher de la barre d'outils.
2. Le volet de recherche s'affiche et propose différentes catégories, ainsi que la possibilité de rechercher d'autres éléments, comme des fichiers ou des personnes.

3. Cliquez sur Rechercher.

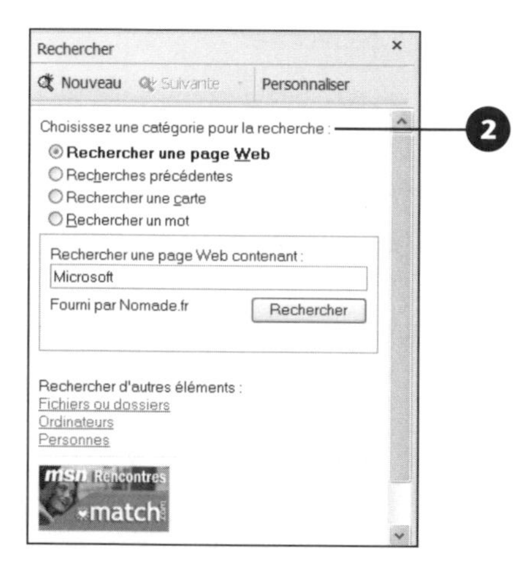

La requête est adressée au moteur de recherche par défaut. Vous pouvez, bien sûr, sélectionner un autre moteur et demander que toutes vos recherches lui soient transmises.

Sélectionner un moteur de recherche

1. Ouvrez le volet Rechercher et cliquez sur Personnaliser, en haut du volet.
2. Dans la boîte de dialogue Personnaliser les paramètres de recherche, activez l'option Utiliser l'Assistant Recherche.
3. Parcourez chaque catégorie et sélectionnez le nom du fournisseur que vous souhaitez utiliser pour chacune d'elles. (Il est possible de sélectionner plusieurs fournisseurs.)

4. Dans chaque catégorie, assurez-vous que la première sélection correspond bien à celle que vous voulez utiliser pour la catégorie. Les autres choix ne sont effectifs que si vous décidez d'envoyer votre requête à d'autres fournisseurs, une fois la recherche par défaut terminée.

5. Désactivez les cases à cocher des catégories qui ne sont pas à utiliser. Par exemple, si vous ne recherchez jamais de cartes sur Internet, désactivez la case à cocher Rechercher une carte.

6. Cliquez sur le bouton Paramètres de recherche automatique et sélectionnez le moteur de recherche à utiliser quand vous saisissez directement les termes dans la barre d'adresses.

7. Cliquez sur OK.

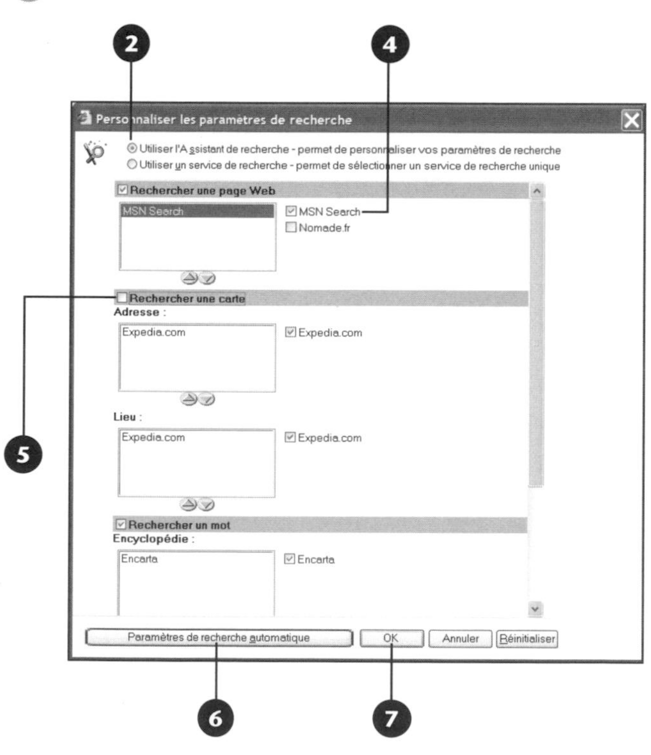

Gestion des Favoris

Le Web se compose d'un nombre infini de pages. Quand vous en recherchez une qui vous intéresse tout particulièrement, êtes-vous prêt à parcourir de nouveau toutes les pages pour la retrouver ? Bien sûr que non. Vous allez plutôt tirer parti de la liste Favoris de Internet Explorer pour enregistrer les raccourcis permettant d'accéder à ces pages et de les revisiter à la demande.
Pour composer votre liste de sites favoris, ajoutez simplement un raccourci chaque fois que vous visualisez une page digne d'être conservée.

Ajouter la page en cours aux Favoris

1. Dans le menu Favoris de Internet Explorer, cliquez sur Ajouter aux Favoris.
2. Dans la boîte de dialogue Ajout de Favoris, modifiez le texte de la zone Nom (le titre proposé, par défaut, comme nom du raccourci, ne décrit que très imparfaitement la page).
3. Cliquez sur Créer dans pour sélectionner un dossier déjà existant.

   – ou –

4. Cliquez sur Nouveau dossier pour créer un dossier à la volée.

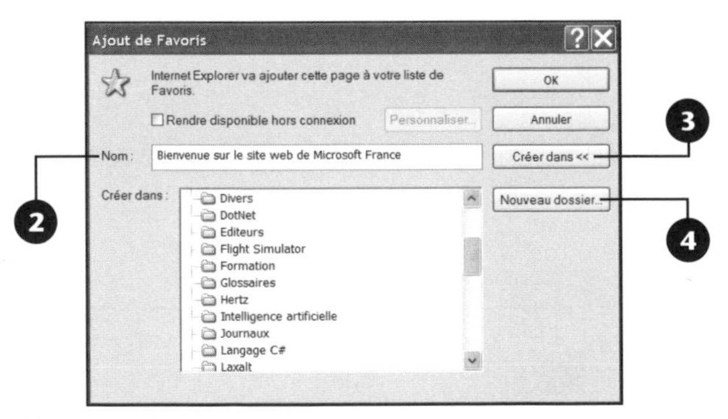

Ajouter un Favori sur le Bureau

1. Dans le menu Fichier, sélectionnez Envoyer.
2. Cliquez sur Raccourci vers le Bureau.

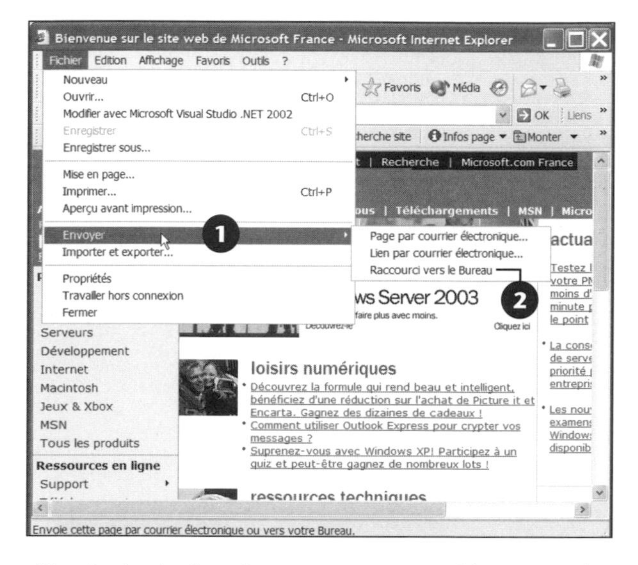

Pour utiliser le dossier Favoris, vous pouvez procéder comme le font la plupart des personnes : dérouler le menu Favoris et parcourir son contenu. Tous les dossiers que vous avez créés apparaissent sous forme de menus en cascade, affichés à droite ou à gauche du dossier lui-même. Il existe, cependant, une solution plus rapide pour accéder à vos pages Web favorites.

Accéder aux pages Web favorites

1. Dans la barre d'outils de Internet Explorer, cliquez sur Favoris.
2. La liste des Favoris apparaît à gauche de la page Web en cours.
3. Cliquez à nouveau sur Favoris pour masquer le volet d'exploration.

Vous pouvez renommer un raccourci ou le déplacer vers le haut ou vers le bas pour modifier sa position dans la liste.

Renommer un Favori

1. Cliquez sur le Favori avec le bouton droit de la souris.
2. Sélectionnez Renommer.
3. Saisissez le nouveau nom du Favori.

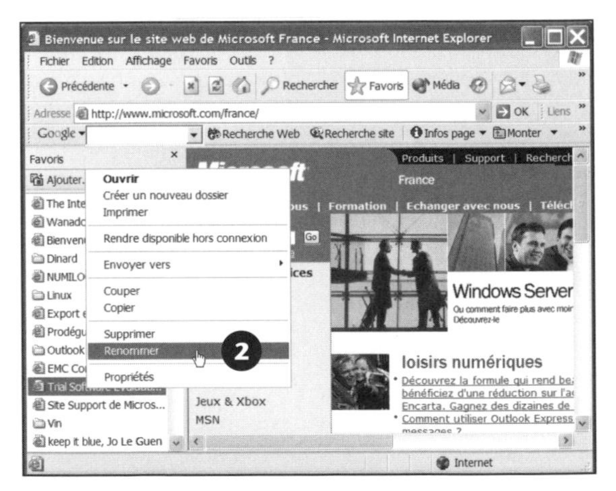

Organiser les Favoris

1. Dans le menu Fichier, sélectionnez Organiser les Favoris.
2. La boîte de dialogue Organiser les Favoris s'affiche.
3. Cliquez sur Déplacer pour organiser les Favoris à votre convenance.

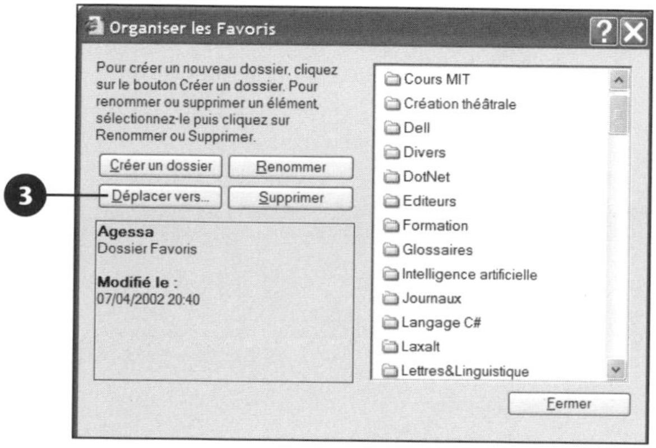

Dépannage d'une page Web

Il arrive que vous cliquiez sur un lien et que vous attendiez indéfiniment le chargement de la page correspondante. Le temps effectif de chargement, entre le moment où vous cliquez sur un lien et celui où la totalité de la page s'affiche dans votre navigateur, dépend de différents facteurs, dont la vitesse de votre connexion et celle du serveur Web figurent parmi les plus importants : votre connexion par modem câble ne sera guère utile si le serveur Web à l'autre extrémité fonctionne à une lenteur déconcertante. Le trafic réel et les éventuels goulets d'étranglement peuvent aussi avoir une influence négative sur votre connexion. Si une page ne parvient pas à s'afficher, arrêtez son chargement.

Arrêter le chargement d'une page

1. Dans Internet Explorer, cliquez sur le bouton Arrêter (petite croix rouge sur la barre d'outils).
2. Cliquez sur le bouton Actualiser, situé à droite.
3. Si cette opération est sans effet, essayez de fermer la fenêtre et de l'ouvrir à nouveau.

Si les autres pages se chargent normalement, vous pouvez en déduire que le problème se situe à l'autre extrémité de la connexion. En revanche, si aucune page ne se charge, votre connexion Internet est sans doute en cause. Si le problème persiste après quelques minutes, contactez votre fournisseur de services Internet – peut-être est-il confronté momentanément à un dysfonctionnement de ses installations.

Saisie de formulaires et mémorisation de mots de passe

Lorsque vous saisissez des informations dans des pages Web, Internet Explorer est parfaitement capable de les mémoriser grâce à la fonctionnalité Saisie semi-automatique. Ces informations peuvent être des adresses Web, des termes recherchés, des noms d'utilisateur, des numéros de téléphone ou des mots de passe, par exemple. En un clic de souris, les valeurs enregistrées apparaissent et vous évitez ainsi d'avoir à les retaper. Si la sécurité constitue votre préoccupation essentielle et qu'à vos yeux elle est menacée par l'enregistrement de ces valeurs, vous pouvez désactiver la saisie semi-automatique. Cependant, ces données ne sont accessibles que par les personnes se connectant à l'ordinateur avec votre nom d'utilisateur et votre mot de passe ; en outre, Windows sollicite votre autorisation avant d'enregistrer les mots de passe. Si vous conservez soigneusement ces informations clés sur votre ordinateur et que vous pensez à verrouiller l'ordinateur dès que vous vous en éloignez quelques instants, les données enregistrées devraient être raisonnablement sécurisées. En revanche, si l'ordinateur se trouve dans un lieu public ou si vous partagez le même compte avec d'autres membres de votre famille, désactivez la saisie semi-automatique, plus particulièrement sur les sites Web sensibles, comme celui où vous effectuez vos opérations bancaires.

Désactiver la saisie semi-automatique dans les pages Web

1. Dans le menu Outils de Internet Explorer, sélectionnez Options Internet.
2. Cliquez sur l'onglet Contenu.

3 Cliquez sur le bouton Saisie semi-automatique.

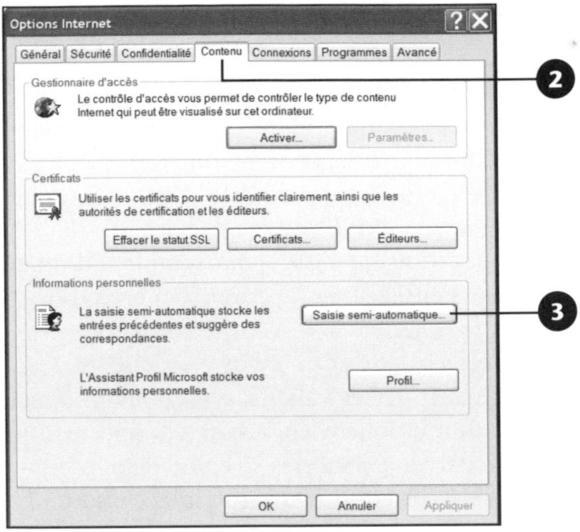

4 Dans la boîte de dialogue Paramètres de saisie semi-automatique, ajustez les différentes options.

- Adresses Web : cette option contrôle les URL que vous tapez dans la barre d'adresses.
- Formulaires : cette option concerne les noms, adresses et termes de recherche que vous saisissez dans les formulaires Web.
- Noms d'utilisateur et mots de passe sur les formulaires : ces informations sont stockées par paires dans un emplacement distinct et sécurisé, et les mots de passe sont normalement masqués à l'aide de points de couleur noire lorsque vous les saisissez.
- Demander l'enregistrement des mots de passe : cette option permet d'arrêter l'enregistrement des mots de passe, sans que les paires (nom d'utilisateur / mot de passe) déjà existantes soient effacées. Pour conserver les mots de passe enregistrés jusque-là, désactivez cette case à cocher, mais gardez la case précédente activée.

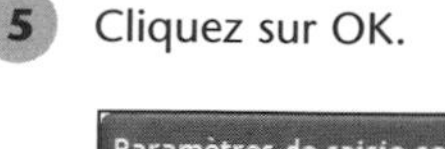

Cliquez sur OK.

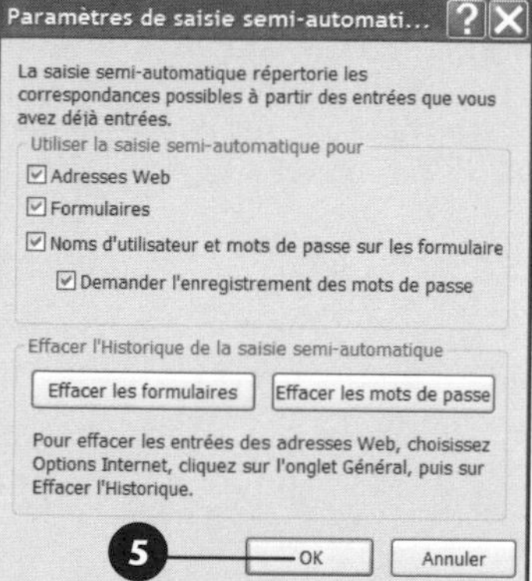

Enregistrement d'une page Web

Quand vous visitez une page Web qui mérite toute votre attention, vous l'enregistrez dans vos Favoris. Toutefois, le fait de cliquer ultérieurement sur le raccourci enregistré ne garantit pas que la même page s'affichera à nouveau. Il se peut que le site Web n'existe plus, que la page ait été supprimée ou que la réorganisation du site ne permette pas de la retrouver. De même, l'auteur de la page peut en avoir modifié le contenu. Dans quelque cas que ce soit, vous risquez d'être déçu de ne pas retrouver la page qui vous avait tant séduit !

Pour être sûr de retrouver les mêmes informations, enregistrez une copie de la page Web elle-même. Internet Explorer offre trois solutions. La page peut être enregistrée comme fichier sur votre disque dur afin que vous puissiez l'ouvrir dans votre navigateur à tout moment, adressée à vous-même sous forme de courrier électronique et classée dans un dossier approprié, ou, plus simplement, imprimée.

ASTUCE

La sauvegarde d'une page Web est particulièrement importante quand vous recherchez des informations techniques sur un matériel ou un logiciel que vous utilisez régulièrement. Disposer ainsi d'un accès rapide aux instructions d'installation et aux informations de dépannage se révèle bien plus profitable que de rechercher à nouveau ces informations sur le Web, où elles risquent de ne plus figurer !

Quand vous ouvrez une page Web dans votre navigateur, en réalité vous chargez simplement différents fichiers stockés sur un serveur. Leur enregistrement sur votre disque dur ne présente aucune difficulté.

Enregistrer une page Web

1. Dans le menu Fichier de Internet Explorer, sélectionnez Enregistrer sous.
2. La boîte de dialogue Enregistrer la page Web s'affiche
3. Sélectionnez un dossier de destination.
4. Cliquez dans la zone Nom du fichier et entrez le nom de votre choix.
5. Sélectionnez un format de fichier dans la liste déroulante Type. Vous avez le choix entre quatre formats.

   - Page Web complète : en dépit des apparences, il ne s'agit pas là de la meilleure solution. En effet, la page Web est enregistrée dans un fichier (avec le nom attribué) et les fichiers associés (comme les images ou les scripts) sont sauvegardés dans un dossier distinct ayant le même nom. Si vous souhaitez envoyer à un tiers une copie de la page Web enregistrée, vous devrez penser à lui adresser tous les éléments, sans quoi la page sera incomplète.
   - Archive Web, fichier seul : ce format est recommandé lorsque la page à enregistrer comporte des graphiques ou autres éléments dont le contenu vous importe. Le fichier enregistré inclut tous les fichiers nécessaires au

format compressé. En cas de transfert ou de partage, un seul fichier est concerné. Quand vous double-cliquez sur l'icône du fichier enregistré, la page complète s'affiche dans Internet Explorer.

- Page Web HTML uniquement : sélectionnez cette option si les graphiques et autres ne vous intéressent pas. Quand vous ouvrez la page enregistrée, une petite croix rouge apparaît à l'emplacement initial des graphiques, mais les informations proprement dites sont bel et bien présentes.
- Fichier texte : si la page à enregistrer obéit à une mise en forme très simple et que vous ne souhaitez pas conserver les graphiques, choisissez ce format. Le fichier enregistré peut ainsi être ouvert à l'aide du Bloc-notes.

6 Cliquez sur Enregistrer.

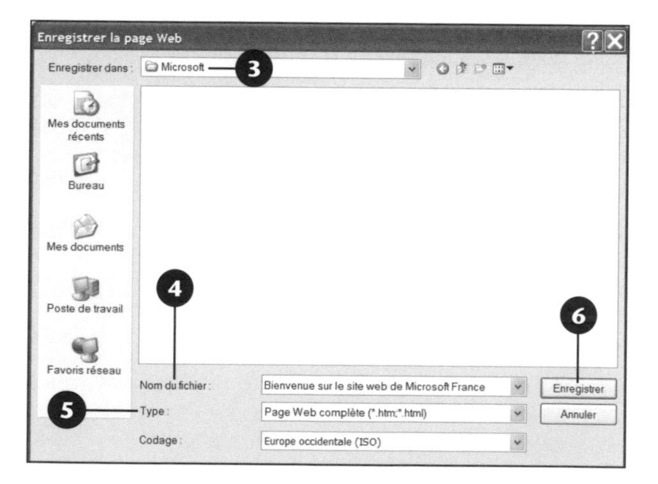

Le langage HTML constitue le langage de base du Web, ainsi que le format utilisé par Microsoft Outlook Express et Microsoft Outlook pour créer et afficher des graphiques et des textes mis en forme dans les messages électroniques. Ainsi, si vous utilisez l'un de ces deux programmes de messagerie, vous pouvez convertir très simplement la page Web en courrier électronique et l'adresser à vous-même ou à la personne de votre choix.

Envoyer la page sous forme de courrier électronique

1. Dans le menu Fichier de Internet Explorer, sélectionnez Envoyer, puis Page par courrier électronique.
2. Une fenêtre de message s'affiche, avec la page Web collée dans le message.
3. Ajoutez une adresse dans le champ À :.
4. Cliquez sur Envoyer.

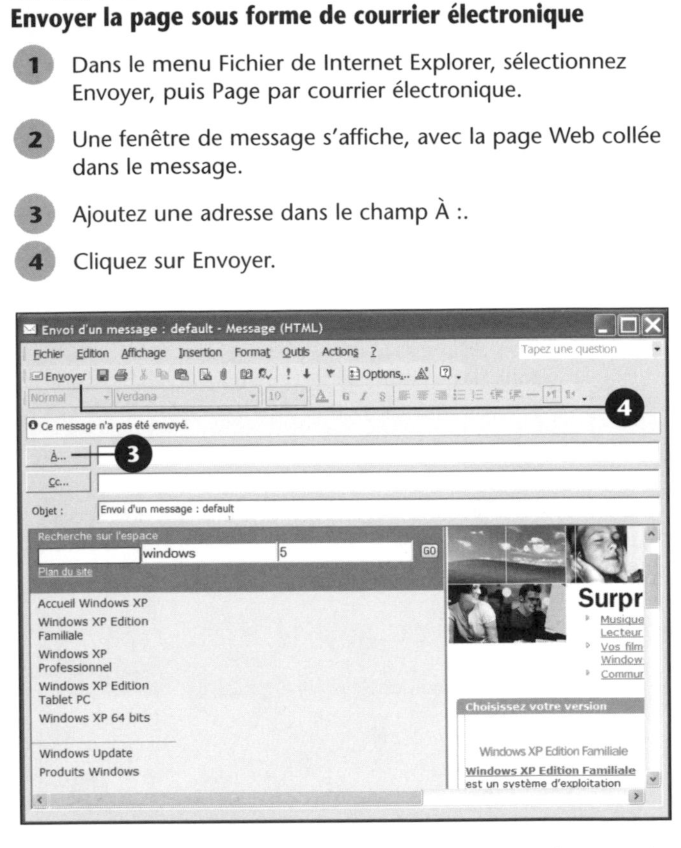

Selon que Outlook ou Outlook Express sont configurés en mode texte enrichi ou texte brut, la page Web est remplacée dans le message par un lien accompagné d'une icône.

Pour imprimer une page Web, vous avez le choix entre trois solutions.

- Le bouton Imprimer de la barre d'outils standard. Le travail d'impression est envoyé directement à l'imprimante, sans autre procédure. Utilisez cette option si vous ne disposez que d'une seule imprimante ou que vous souhaitiez la sortie imprimée le plus rapidement possible, sans vous préoccuper de quelque autre option.

- La commande Imprimer du menu Fichier. La boîte de dialogue Imprimer s'affiche : vous pouvez sélectionner une imprimante, les pages à imprimer, le nombre d'exemplaires, etc. Retenez cette option si vous voulez imprimer une page particulière, sélectionner une autre imprimante ou ajuster les marges.
- La commande Aperçu avant impression du menu Fichier. Cette option ouvre une fenêtre dans laquelle la page apparaît telle qu'elle sera envoyée à l'imprimante.

Il est fortement recommandé d'utiliser l'Aperçu avant impression. En effet, rien de plus agaçant que d'obtenir à l'impression une deuxième page ne contenant qu'une seule ligne de texte, souvent totalement inutile ! En affichant l'aperçu de la page à imprimer, vous repérez cette page superflue et demandez qu'elle ne soit pas imprimée. Une excellente solution consiste à modifier le comportement de Internet Explorer pour que la boîte de dialogue Aperçu avant impression s'affiche automatiquement quand vous cliquez sur Imprimer.

Afficher automatiquement l'Aperçu avant impression

1. Cliquez avec le bouton droit sur n'importe quel emplacement de la barre à outils et, dans le menu contextuel, choisissez Personnaliser.
2. Dans la boîte de dialogue Personnalisation de la barre d'outils, sélectionnez Imprimer dans la liste Boutons de la barre d'outils.
3. Cliquez sur Supprimer.
4. Dans la liste Boutons disponibles, sélectionnez Aperçu.
5. Cliquez sur Ajouter.
6. Pour déplacer le bouton sur la barre d'outils, sélectionnez le bouton Aperçu et cliquez sur Monter ou Descendre.
7. Cliquez sur Fermer.

Personnalisation de la barre d'outils

Boutons disponibles :

Séparateur
Connecter un lecteur réseau
Déconnecter un lecteur réseau
Dossiers
Plein écran
Taille
Couper

Ajouter ->
<- Supprimer

Boutons de la barre d'outils :

Courrier
Imprimer
Édition
Discuter
Messenger
Séparateur

Fermer
Réinitialiser
Monter
Descendre

Options de texte : Étiquettes texte à droite des icônes
Options d'icône : Grandes icônes

4 2 3 6

Désormais, quand vous sélectionnerez Aperçu avant impression sur une page Web, vous visualiserez la page avant de l'imprimer et éviterez de gâcher inutilement du papier !

Imprimer partiellement une page Web

1. Sélectionnez la partie de page à imprimer à l'aide de la souris.
2. Choisissez Fichier, puis Imprimer.
3. Dans la zone Étendue de pages, activez l'option Sélection.
4. Cliquez sur Imprimer. Seuls le texte et les graphiques sélectionnés sont imprimés.

Imprimer

Général Options

Sélection de l'imprimante

Ajouter une imprimante
Acrobat Distiller
hp deskjet 3820 series
HP DeskJet 710C

État : Prêt
Emplacement :
Commentaire :

Imprimer dans un fichier
Préférences
Rechercher une imprimante...

Étendue de pages
Tout
Sélection
Page actuelle
Pages : 1
Entrez un numéro ou une étendue de pages. Par exemple, 5-12

Nombre de copies : 1
Copies assemblées

4

Imprimer Annuler Appliquer

Courrier électronique

7

La messagerie électronique a profondément modifié nos comportements. La rédaction et l'envoi d'un courrier électronique nécessitent seulement quelques secondes, tandis que les pièces jointes permettent de partager un heureux événement ou un document professionnel en quelques clics de souris.

Microsoft Windows XP inclut Microsoft Outlook Express, programme de messagerie électronique grâce auquel vous pouvez envoyer, recevoir et gérer vos courriers.

Configuration des comptes de messagerie

La plupart des fournisseurs de services Internet proposent un ou plusieurs comptes de messagerie, ainsi qu'une adresse électronique pour chacun d'eux. L'envoi et la réception de courrier électronique s'effectuent à l'aide de deux types de serveurs : un serveur SMTP pour le courrier sortant et un serveur POP3 pour le courrier entrant. En tant qu'utilisateur, votre seule tâche consiste à configurer Outlook Express de façon à ce qu'il se connecte correctement à chaque serveur. Au préalable, vous aurez à récupérer certaines informations auprès de votre fournisseur de services : adresse électronique complète, nom de connexion et mot de passe, noms des serveurs SMTP et POP3.

Si vous possédez un compte de messagerie AOL, MSN ou Hotmail, les instructions présentées dans cette section ne vous concernent pas.

Quand vous exécutez Outlook Express pour la première fois, utilisez l'Assistant Connexion Internet pour configurer votre compte de messagerie principal. Si vous ignorez cette étape ou souhaitez ajouter par la suite un nouveau compte, vous pourrez relancer l'Assistant de façon autonome.

Configurer le compte de messagerie principal

1. Dans le menu Outils de la fenêtre Outlook Express, choisissez Comptes.
2. Cliquez sur Ajouter.
3. Sélectionnez Courrier.

4. Sur la page Votre nom, tapez le nom qui doit apparaître quand un destinataire reçoit votre message.

5. Cliquez sur Suivant.

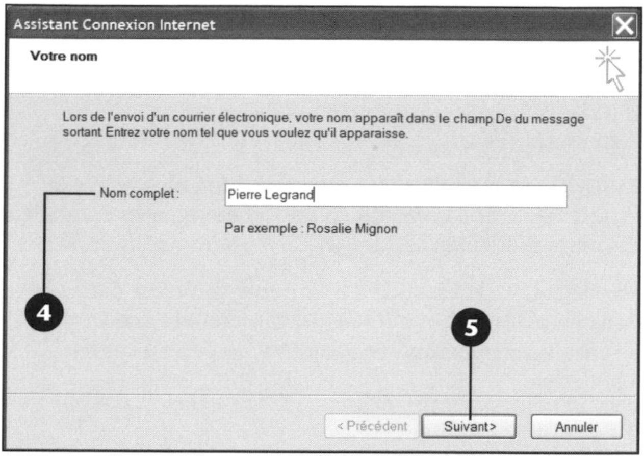

6. Sur la page Adresse de messagerie Internet, entrez votre adresse électronique. Cette adresse sera utilisée par vos correspondants pour vous répondre.
7. Cliquez sur Suivant.

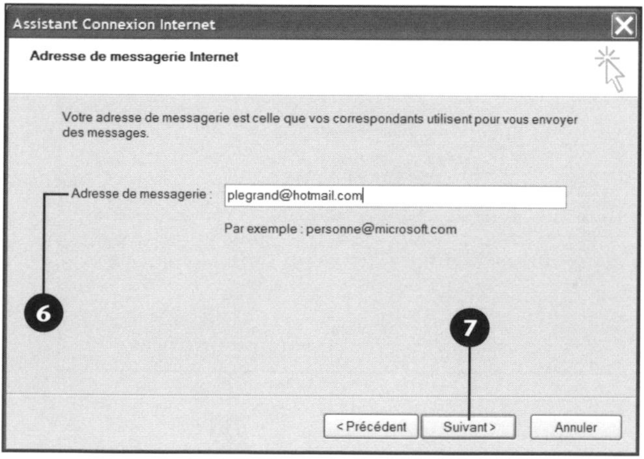

8 Sur la page Noms des serveurs de messagerie électronique, entrez le nom du serveur du courrier entrant (POP3) et celui du courrier sortant (SMTP).

9 Cliquez sur Suivant.

10 Sur la page Connexion à la messagerie Internet, entrez le nom et le mot de passe du compte communiqués par votre fournisseur de services Internet.

11 Par défaut, la case à cocher Mémoriser le mot de passe est toujours activée. Désactivez-la si vous préférez que Outlook Express vous invite à saisir votre mot de passe à chaque connexion.

12 Cliquez sur Suivant.

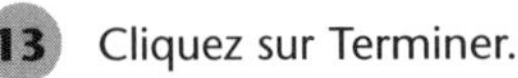

13 Cliquez sur Terminer.

Réglage des options de compte de messagerie

Une fois le compte de messagerie créé à l'aide de l'Assistant, il peut être modifié à tout instant. Tel est le cas si, par exemple, le fournisseur de services Internet change votre mot de passe ou utilise de nouveaux serveurs. Cependant, il se peut aussi que vous souhaitiez vous-même changer le compte.

Modifier un compte de messagerie

1. Ouvrez Outlook Express et, dans le menu Outils, choisissez Comptes.
2. Cliquez sur l'onglet Courrier pour afficher tous les comptes créés.
3. Sélectionnez dans la liste le compte à modifier et cliquez sur Propriétés. Vous pouvez alors effectuer les actions suivantes :
   - Modifier le nom du compte : cliquez sur l'onglet Général et entrez un nom évocateur en haut de la boîte de dialogue. Par défaut est affiché le nom du serveur de messagerie POP3, mais vous pouvez le remplacer par le nom de votre choix.
   - Modifier l'adresse de réponse : peut-être désirez-vous que vos destinataires répondent en utilisant une autre adresse que celle à partir de laquelle les messages ont été expédiés. Par exemple, vous utilisez un compte Hotmail pour envoyer des messages quand vous êtes absent de votre domicile, mais voulez que vos correspondants répondent à votre adresse (électronique) domestique. Dans l'onglet Général, renseignez la zone Adresse de réponse en conséquence.

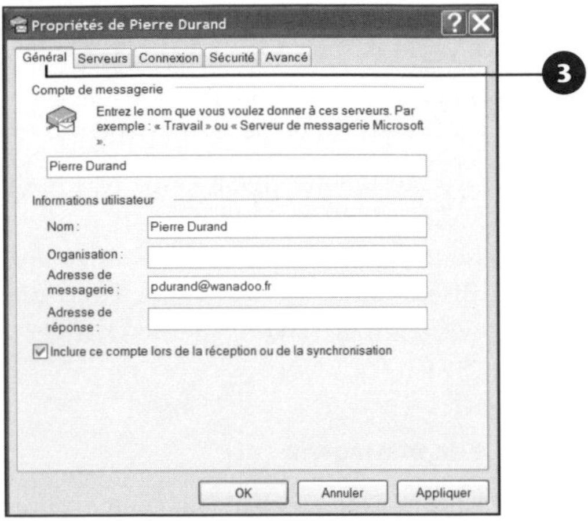

Propriétés de Pierre Durand

Général | Serveurs | Connexion | Sécurité | Avancé

3

Compte de messagerie

Entrez le nom que vous voulez donner à ces serveurs. Par exemple : « Travail » ou « Serveur de messagerie Microsoft ».

Pierre Durand

Informations utilisateur

Nom : Pierre Durand

Organisation :

Adresse de messagerie : pdurand@wanadoo.fr

Adresse de réponse :

☑ Inclure ce compte lors de la réception ou de la synchronisation

OK | Annuler | Appliquer

4 Modifier les noms de serveurs : si votre fournisseur de services Internet modifie ses serveurs de messagerie, entrez les nouvelles adresses dans l'onglet Serveurs.

5 Modifier le nom du compte ou le mot de passe : dans l'onglet Serveurs, complétez les zones situées sous l'en-tête Serveur de messagerie pour courrier entrant.

Propriétés de Pierre Durand

Général | Serveurs | Connexion | Sécurité | Avancé

Informations sur le serveur

Mon serveur de messagerie pour courrier entrant est un POP3 serveur

4

Courrier entrant (POP3) : POP3

Courrier sortant (SMTP) : SMTP

Serveur de messagerie pour courrier entrant

Nom du compte : pdurand

5

Mot de passe :

☑ Mémoriser le mot de passe

☐ Connexion utilisant l'authentification par mot de passe sécurisé

Serveur de messagerie pour courrier sortant

☐ Mon serveur requiert une authentification | Paramètres...

OK | Annuler | Appliquer

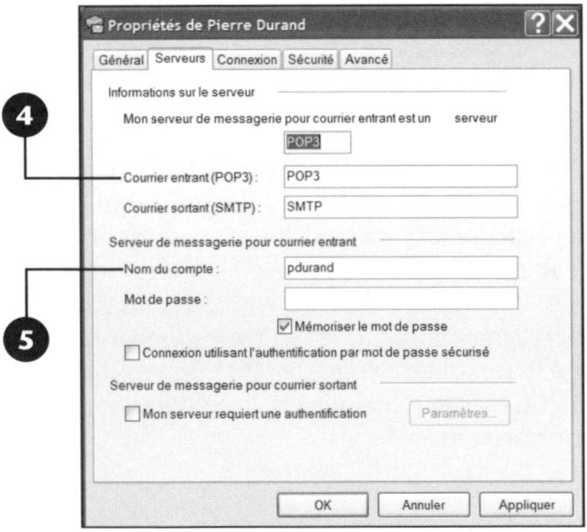

6 Conserver une copie des messages sur le serveur : cette option est primordiale si vous consultez un même compte de messagerie à partir de deux ordinateurs différents. En principe, Outlook Express supprime les messages du serveur de messagerie lorsque vous les récupérez. Toutefois, si vous récupérez vos messages à partir de deux ordinateurs, les uns seront enregistrés sur le premier et les autres sur le second. Pour éviter ce désagrément, précisez sur quel ordinateur les messages doivent être enregistrés. Ensuite, sur l'autre ordinateur, cliquez sur l'onglet Avancé et activez la case à cocher Conserver une copie des messages sur le serveur.

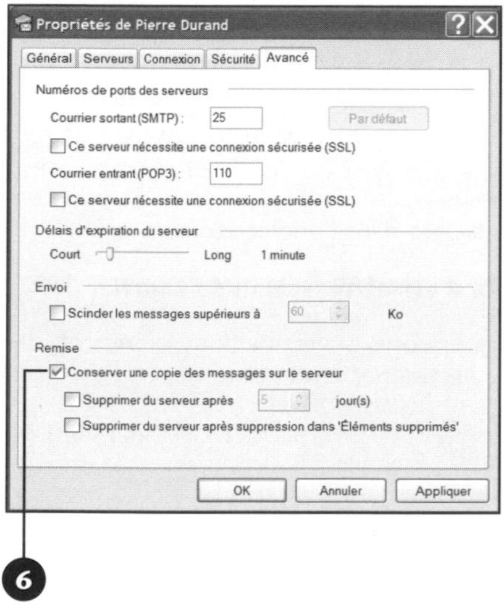

Réception du courrier

Par défaut, Outlook Express vérifie la présence de nouveaux messages toutes les 30 minutes. Ce contrôle s'effectue automatiquement sous réserve que vous soyez connecté à Internet et que Outlook Express soit en cours d'exécution. Si vous disposez d'une connexion permanente, cette solution se révèle très pratique. Assis à votre table de travail, vous êtes ainsi informé presque instantanément (chaque demi-heure) de l'arrivée de nouveaux messages. Cependant, il se peut que cet intervalle de 30 minutes ne vous convienne pas et que vous souhaitiez le raccourcir. En revanche, si vous ne possédez pas une connexion permanente, sans doute préfèrerez-vous envoyer et recevoir vos messages à votre gré sans en confier la tâche à Outlook Express.

Modifier l'intervalle d'envoi/réception du courrier

1. Pour définir ces options, ouvrez Outlook Express et, dans le menu Outils, sélectionnez Options.
2. Sur l'onglet Général, recherchez le groupe de paramètres situé sous l'en-tête Envoyer / Recevoir des messages.
3. Pour modifier l'intervalle de vérification automatique, laissez activée la case Vérifier l'arrivée de nouveaux messages toutes les, puis ajustez l'intervalle à l'aide des flèches haut et bas (ou entrez directement la valeur souhaitée). L'intervalle doit être compris entre 1 (vérification toutes les minutes) et 480 (vérification toutes les huit heures).

4 Vous pouvez aussi déterminer quel doit être le comportement de Microsoft Outlook Express si l'ordinateur n'est pas connecté lorsque la vérification doit avoir lieu. À cette fin, sélectionnez l'une des trois options de la liste déroulante située sous l'en-tête Si l'ordinateur n'est pas connecté à ce moment-là. La valeur par défaut, Ne pas connecter, empêche qu'Outlook Express ne se connecte de lui-même à Internet.

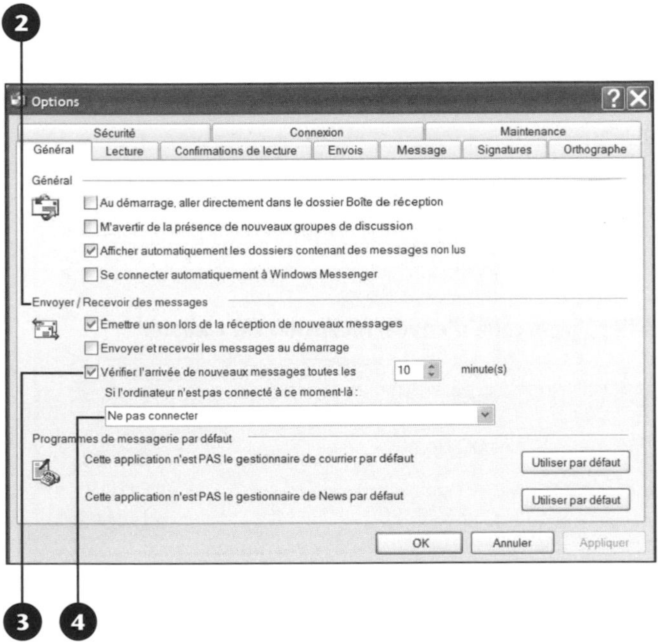

Vérifier manuellement la présence de messages

1. Ouvrez Outlook Express.
2. Cliquez sur le bouton Envoyer et recevoir de la barre d'outils de Outlook Express.
3. Si vous possédez plusieurs comptes et que vous ne voulez en vérifier qu'un seul, dans le menu Outils, sélectionnez Envoyer et recevoir, puis choisissez le compte approprié en bas du menu proposé.

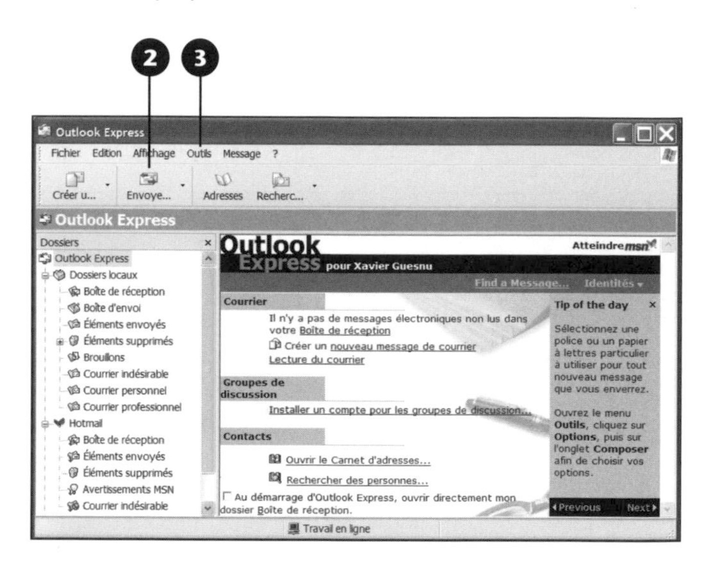

Composition d'un message

La composition d'un message dans Outlook Express est simple, surtout si vous n'envoyez que quelques lignes. Vous pouvez aussi joindre des photos ou autres fichiers au message.

Composer un message

1. Dans la barre d'outils de Outlook Express, cliquez sur Créer un message.
2. Une fenêtre de courrier vide s'affiche.
3. Dans le champ À :, entrez l'adresse électronique du destinataire. Vous devez saisir au moins une adresse. Vous pouvez ajouter d'autres adresses à ce champ, en les séparant par un point-virgule (;), ou dans le champ Cc :. Si l'un des noms figure dans le Carnet d'adresses, cliquez sur À :, Cc : ou Cci : pour ouvrir le Carnet d'adresses, sélectionner le nom et l'ajouter directement au champ À :, Cc : ou Cci :.
4. Dans le champ Objet, saisissez l'objet du message, de façon claire et explicite.

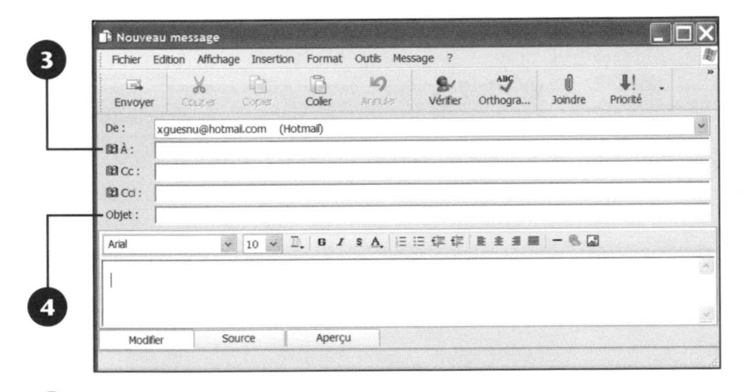

5. Choisissez le format du message : texte brut ou texte enrichi (HTML). Le premier mode signifie que les destinataires verront le message, sans polices, couleurs ou mises en forme (italique ou gras, par exemple) particulières. En revanche, le second mode (par défaut) permet de personnaliser l'aspect du message, d'ajouter une couleur d'arrière-plan et d'insérer des images.

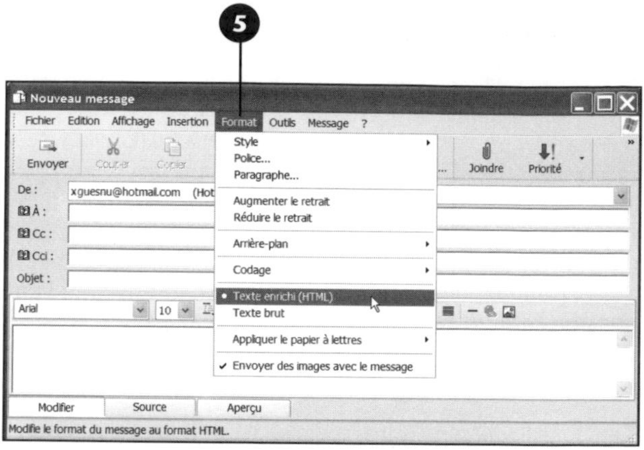

6. Entrez le texte du message. Utilisez les boutons de la barre d'outils de mise en forme pour modifier une police, définir un retrait ou ajouter des lignes et des images. Si vous travaillez en mode texte brut, ces boutons ne sont pas disponibles.

7. Vérifiez l'orthographe. Cette option n'est disponible que si vous avez déjà installé un programme Microsoft incluant un vérificateur d'orthographe, comme Microsoft Works ou Microsoft Office. Cliquez sur Orthographe pour afficher et corriger les éventuelles erreurs d'orthographe de votre message.

8. Attachez les éventuelles pièces jointes.

9. Cliquez sur Envoyer pour transférer le message dans la Boîte d'envoi, à partir de laquelle Outlook Express l'expédiera lors de la prochaine connexion au serveur SMTP.

ASTUCE

Le champ Cci permet d'envoyer une copie du message à un destinataire sans révéler son adresse aux autres destinataires. Cette fonction est très utile quand vous adressez un message à plusieurs personnes, mais souhaitez qu'ils ne répondent qu'à vous : dans ce cas, adressez-vous le message et indiquez les destinataires uniquement dans la ligne Cci :. Par défaut, le champ Cci : n'apparaît pas ; pour l'afficher, dans le menu Affichage, sélectionnez Tous les en-têtes.

ASTUCE

Si vous répondez à un message, vous pouvez démarrer votre réponse avec l'adresse et l'objet déjà renseignés. Dans la liste des messages ou dans la fenêtre de message ouverte, sélectionnez le message approprié. Cliquez sur Répondre à l'expéditeur (pour envoyer votre réponse uniquement à l'expéditeur), sur Répondre à tous (pour adresser votre réponse à toutes les personnes ayant reçu le message original) ou sur Transférer (pour acheminer une copie du message à un destinataire n'ayant pas obtenu le message d'origine).

Si vous tapez systématiquement votre nom, votre adresse électronique et autres informations, en bas de chaque message, pensez à ajouter une signature à Outlook Express. Une signature consiste en un bloc de texte apparaissant automatiquement à la fin de chaque nouveau message.

Créer une signature

1. Dans le menu Outils de Outlook Express, sélectionnez Options.
2. Cliquez sur l'onglet Signatures.
3. Tapez le texte de la signature.
4. Cliquez sur OK.

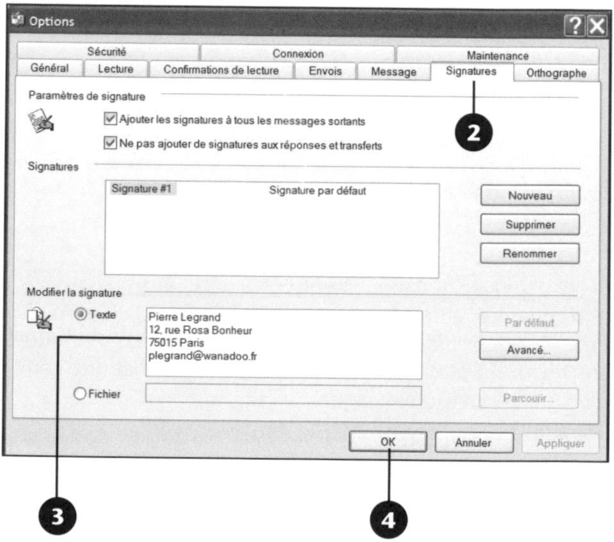

Gestion du Carnet d'adresses

Le Carnet d'adresses a pour vocation d'associer noms et adresses électroniques.

Ouvrir le Carnet d'adresses

 Cliquez sur le bouton Adresses de la barre d'outils de Outlook Express.

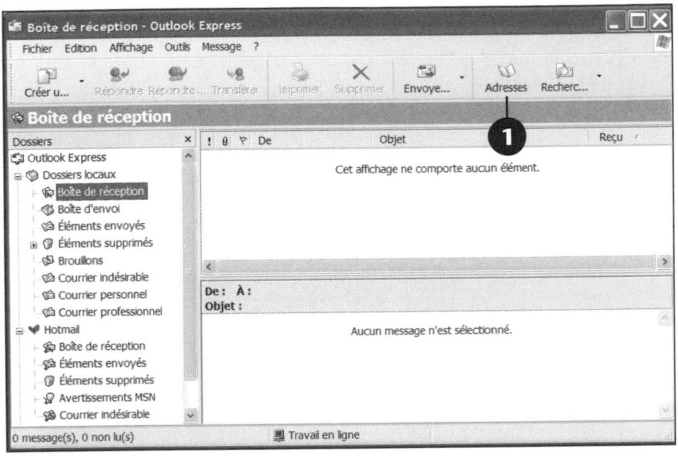

Vous pouvez ajouter de nouveaux enregistrements au Carnet d'adresses ou modifier ceux existants à tout moment.

Afficher un enregistrement du Carnet d'adresses

1. Dans Outlook Express, cliquez sur le bouton Adresses.
2. Double-cliquez sur l'entrée souhaitée.
3. Dans l'onglet Nom, complétez ou modifiez le champ Afficher (le nom réellement affiché dans la zone À : ou Cc : du message) et l'adresse électronique.

 Cliquez sur OK.

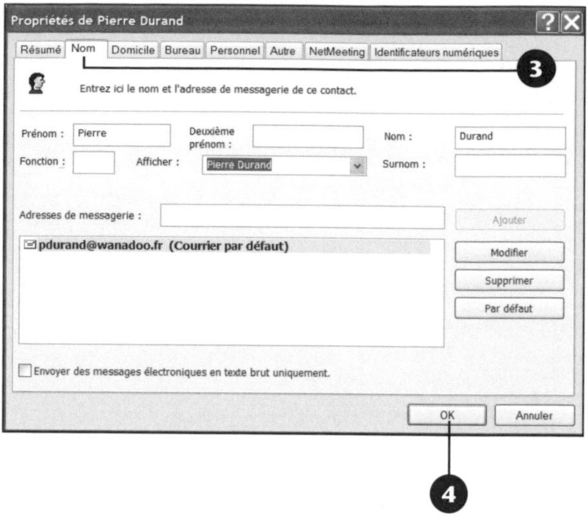

Cependant, la solution la plus rapide et la plus efficace consiste à laisser Outlook Express agir à votre place. Chaque fois que vous répondez à un message, Outlook Express ajoute automatiquement l'adresse du destinataire au Carnet d'adresses. De plus, vous pouvez ajouter toute adresse figurant dans un message en cliquant sur le nom avec le bouton droit et en choisissant, dans le menu contextuel, Ajouter au Carnet d'adresses.

ASTUCE

Même si vous pouvez définir plusieurs adresses électroniques pour chaque enregistrement du Carnet d'adresses, seule l'adresse par défaut est utilisée quand vous rédigez un nouveau message. Pour utiliser une autre adresse, vous devez créer un enregistrement dans le Carnet d'adresses ayant cette adresse comme valeur par défaut ou saisir l'adresse manuellement.

Il est également possible de créer des listes de distribution, composées de plusieurs adresses électroniques. Ces listes permettent d'envoyer de façon rapide et fiable un message à plusieurs personnes sans crainte d'en oublier une.

Créer une liste de distribution

Dans la fenêtre principale de Outlook Express, cliquez sur Adresses.

Dans le menu Fichier, sélectionnez Nouveau groupe.

Sur l'onglet Groupe de la boîte de dialogue Propriétés, complétez la zone de texte Nom du groupe (définissez un nom facile à retenir).

Cliquez sur le bouton Sélectionner les membres et choisissez les noms dans la liste affichée à gauche. Vous pouvez sélectionner un nom à la fois, en cliquant sur Sélectionner, ou plusieurs noms en maintenant la touche CTRL enfoncée et en cliquant sur Sélectionner une fois votre choix fait.

Cliquez sur OK.

Dans la boîte de dialogue Propriétés, vérifiez le nom et les membres du groupe.

Si vous devez ajouter des noms ne figurant pas dans le Carnet d'adresses, utilisez les zones de texte Nom et Courrier électronique, en bas de la boîte de dialogue.

Cliquez sur OK.

Propriétés

Groupe | Détails du groupe

Entrez un nom pour votre groupe et ajoutez les membres voulus. Après avoir créé un groupe, vous pouvez ajouter ou supprimer des membres à tout moment.

Nom du groupe : 0 membre(s)

Il y a trois façons d'ajouter un membre à un groupe : sélectionner une personne dans votre Carnet d'adresses, ajouter un nouveau contact au groupe et l'inclure dans votre Carnet d'adresses ou ajouter un nouveau membre au groupe mais ne pas l'inclure dans votre Carnet d'adresses.

Membres du groupe :

Sélectionner les membres

Nouveau contact

Supprimer

Propriétés

Nom :

Courrier électronique :

Ajouter

OK Annuler

Les listes de distribution apparaissent en gras dans la fenêtre Carnet d'adresses, ainsi que dans l'arborescence du volet gauche. Lorsque vous composez un message, vous pouvez ajouter la liste de distribution comme vous le feriez pour une adresse électronique simple. Quand vous cliquez sur Envoyer, Outlook Express convertit le nom du groupe en adresses individuelles et envoie à chacune d'elles une copie du message.

Utilisation des pièces jointes

Un message électronique se compose de bien d'autres choses que de simples mots. Vous pouvez lui *attacher* un ou plusieurs fichiers, que le destinataire peut enregistrer, visualiser ou modifier directement. Les pièces jointes constituent une excellente solution pour échanger des images, collaborer à un projet ou partager des informations. Le seul véritable défi en matière de pièces jointes consiste à éviter de transmettre malencontreusement des virus ou de surcharger le fournisseur de services Internet par l'envoi de fichiers volumineux.

Joindre un fichier à un courrier électronique

1. Créez le message.
2. Cliquer sur Joindre.
3. Une boîte de dialogue s'affiche, à partir de laquelle vous recherchez les fichiers à attacher au message.
4. Une fois la sélection terminée, cliquez sur Joindre.

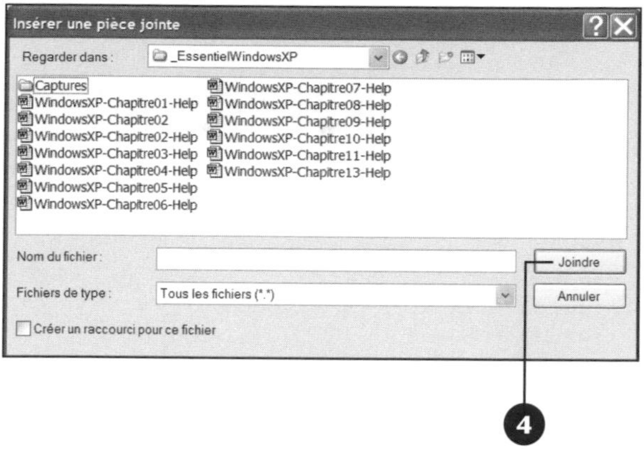

Quand vous recevez un message contenant des pièces jointes, vous avez le choix entre deux solutions :

- Ouvrir directement la pièce jointe en double-cliquant sur le nom du fichier dans la fenêtre de message ou dans le volet de visualisation.
- Enregistrer les fichiers attachés afin de les utiliser ultérieurement.

Utiliser les pièces jointes à partir de la fenêtre des messages

1. Double-cliquez sur le message
2. Examinez le champ Joindre, juste au-dessus du corps du message.
3. Double-cliquez sur le fichier pour l'ouvrir.

   – ou –

4. Cliquez sur le fichier avec le bouton droit et choisissez Enregistrer sous.

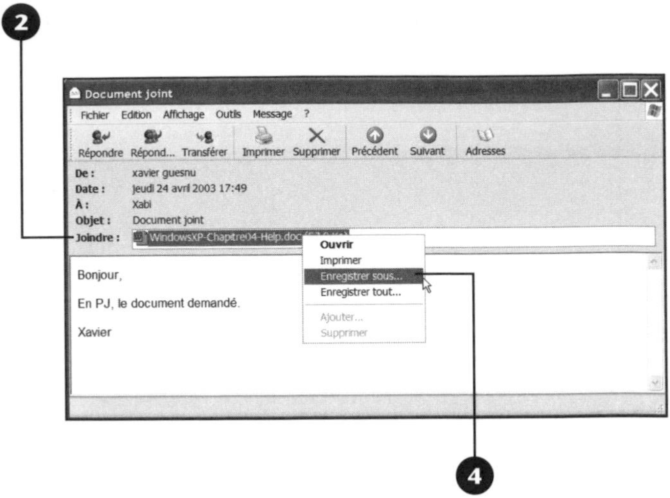

ASTUCE

Choisissez Enregistrer tout pour sélectionner toutes les pièces jointes et les enregistrer à un même emplacement.

Utiliser les pièces jointes à partir du volet de visualisation

1. Cliquez sur l'icône du trombone, au-dessus et à droite du message.

2. La liste déroulante affiche toutes les pièces jointes au message.

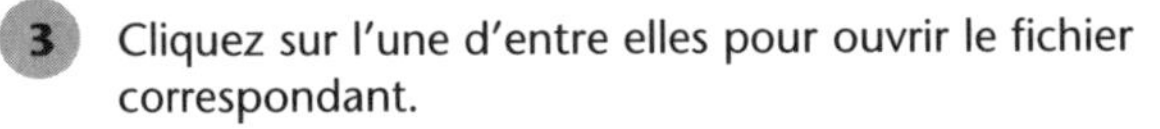

3. Cliquez sur l'une d'entre elles pour ouvrir le fichier correspondant.

   – ou –

 Choisissez Enregistrer les pièces jointes pour afficher la liste et sélectionner celles que vous désirez enregistrer.

Organisation des messages électroniques

Par défaut, vous disposez dans Outlook Express de cinq dossiers, affichés dans la liste Dossiers, sous l'icône Dossiers locaux, et stockés localement sur votre ordinateur. Ils ne peuvent être ni déplacés, ni renommés, ni supprimés.

DOSSIERS LOCAUX	
Nom du dossier	**Utilisation**
Boîte de réception	Contient tous les messages entrants en provenance des comptes de messagerie Internet.
Boîte d'envoi	Quand vous composez un message et cliquez sur Envoyer, le message atterrit dans ce dossier. Il sera expédié dès que vous vous connecterez au serveur de messages sortants.
Éléments envoyés	Chaque fois que vous envoyez un message, Outlook Express en stocke une copie à cet emplacement. Pour désactiver ce comportement, dans le menu Outils, choisissez Options et, dans l'onglet Envois, désactivez la case à cocher Copier les messages envoyés dans 'Éléments envoyés'.
Éléments supprimés	Ce dossier est l'équivalent, pour les messages électroniques, de la Corbeille. Quand vous supprimez les messages d'un autre dossier local, ils sont transférés dans ce dossier.
Brouillons	Ce dossier stocke les copies des messages en cours de composition.

Par exemple, quand vous travaillez à la rédaction d'un message, vous pouvez l'enregistrer dans le dossier Brouillons au lieu de l'envoyer.

Enregistrer un message dans le dossier Brouillons

1. Composez votre message.
2. Dans le menu Fichier de Outlook Express, sélectionnez Enregistrer.
3. Le message prend automatiquement place dans le dossier Brouillons.

4. Vous pouvez fermer la fenêtre de message et compléter le message à tout moment en affichant le contenu du dossier Brouillons.

5. Une fois le message prêt, cliquez sur Envoyer pour transférer le message dans la Boîte d'envoi.

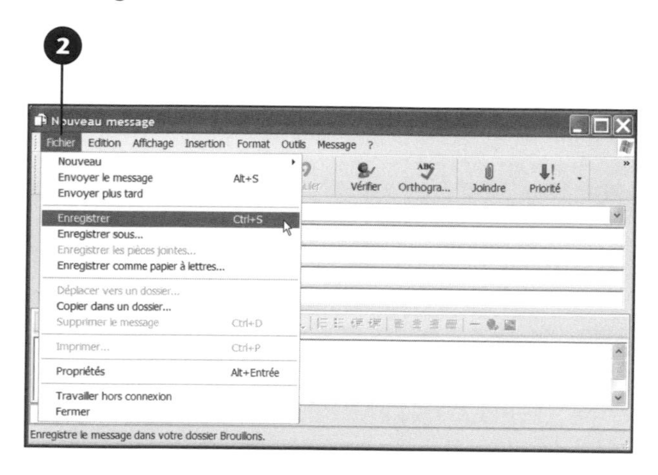

Au fil des jours, le nombre de messages de votre Boîte de réception risque fort d'atteindre des proportions impressionnantes et de rendre difficile la recherche d'un message déjà reçu. Aussi convient-il d'ajouter des dossiers afin d'organiser au mieux les différents courriers. Si vous souhaitez conserver tous vos anciens messages comme archive personnelle, vous pouvez recourir à des dossiers distincts pour les stocker en fonction de leur catégorie (messages personnels, messages de promotions, etc.). Vous pouvez aussi choisir de supprimer tous les messages une fois que vous les avez lus et ne stocker que ceux que vous voulez réellement conserver dans un dossier unique, intitulé par exemple Messages sauvegardés.

Créer un dossier

1. Dans le menu Fichier, sélectionnez Nouveau, puis Dossier.

– ou –

2. Cliquez avec le bouton droit sur un dossier existant et, dans le menu contextuel, choisissez Nouveau dossier.

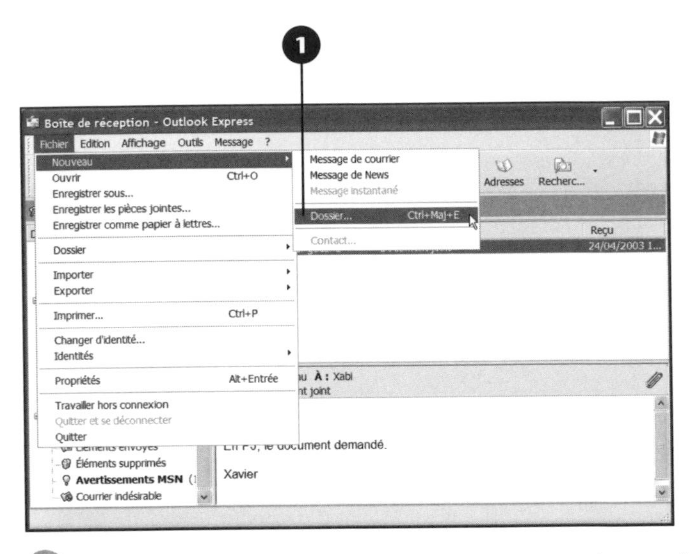

3. Dans la boîte de dialogue Créer un dossier, entrez le nom du nouveau dossier.
4. Sélectionnez le dossier existant dans lequel il doit apparaître.

5. Cliquez sur OK.

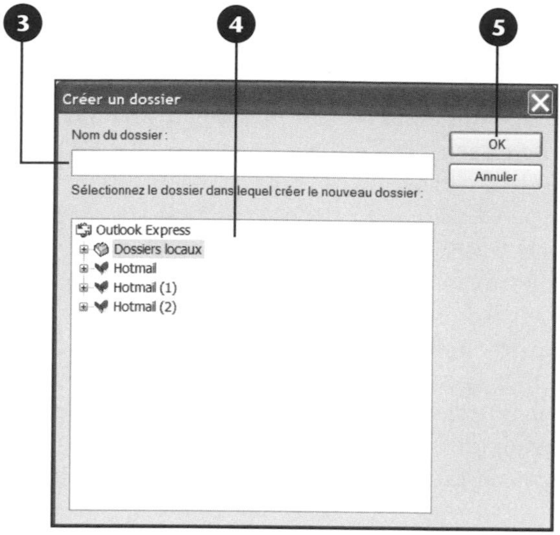

Après avoir créé un dossier, vous pouvez déplacer ou copier des messages en les faisant glisser d'un dossier vers un autre. À l'aide du menu contextuel (menu s'affichant lorsque vous cliquez avec le bouton droit de la souris), vous pouvez renommer un dossier ou le supprimer. Vous pouvez aussi transférer le dossier à un autre emplacement en le faisant glisser au sein de l'arborescence Dossiers locaux. Il est également possible de créer des sous-dossiers. Si vous êtes abonné à plusieurs listes de diffusion, peut-être créerez-vous un dossier Mes listes de diffusion, puis un sous-dossier pour chacune des listes.

Tri automatique à l'aide des règles de message

Si elles rendent de grands services, les listes de diffusion présentent aussi des inconvénients. En effet, vous risquez de recevoir chaque jour une multitude de messages.

La meilleure solution consiste à recourir aux règles de message pour trier les messages entrants et les transférer automatiquement dans le dossier approprié. À l'aide de quelques règles, vous conservez le contrôle de la Boîte de réception, tout en laissant Outlook Express se charger du tri de la plupart des messages.

Les *règles de message* permettent de définir les conditions que Outlook Express doit vérifier chaque fois qu'arrive un nouveau message. Si celui-ci provient d'une source particulière, comme votre banque par exemple, il peut être transféré automatiquement dans le dossier de votre choix. Si le message se révèle être un courrier indésirable ou un *spam* (message publicitaire non désiré), il peut, en fonction des règles définies, être détruit automatiquement, sans encombrer inutilement votre boîte aux lettres.

Toutes les règles examinent les messages au fur et à mesure de leur arrivée dans la Boîte de réception. Une règle se compose de deux parties :

- Les *conditions* définissent ce que Outlook Express recherche dans le message : par exemple, une adresse électronique spécifique dans les lignes À : ou De :, des mots précis du champ Objet ou du corps du message lui-même, etc.
- Les *actions* définissent le comportement de Outlook Express quand les conditions définies sont satisfaites. Le message peut être transféré vers un dossier, mis en surbrillance ou supprimé, par exemple.

Créer une règle de message

1. Dans le menu Outils, sélectionnez Règles de message, puis cliquez sur Courrier.
2. Si vous vous apprêtez à créer votre première règle, la boîte de dialogue Nouvelle règle de courrier s'affiche. Si vous avez

déjà créé des règles, cliquez sur Nouveau dans la boîte de dialogue Règles de message pour ouvrir l'Assistant Nouvelle règle de courrier.

3. Sous l'en-tête Sélectionnez les conditions pour votre règle, activez les cases à cocher des conditions que Outlook Express doit vérifier.

4. Sous l'en-tête Sélectionnez les actions pour votre règle, activez l'action que Outlook Express doit accomplir. Vous pouvez aussi activer l'option Ne plus de traiter de règles, si vous ne voulez pas que d'autres règles s'appliquent au message.

5. Dans la zone de liste Description de la règle, cliquez sur l'une des valeurs soulignées en bleu pour saisir un texte particulier, un nom de dossier ou autres informations requises.

6. Dans la zone de texte Nom de la règle, tapez un nom descriptif.

7. Cliquez sur OK.

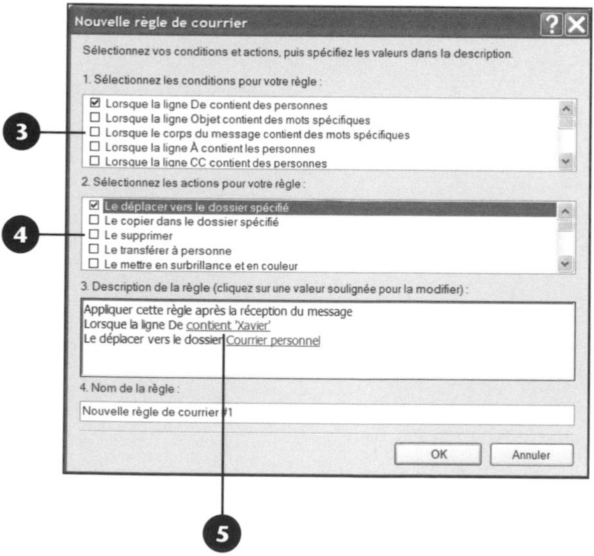

Nouvelle règle de courrier

Sélectionnez vos conditions et actions, puis spécifiez les valeurs dans la description.

1. Sélectionnez les conditions pour votre règle :

☑ Lorsque la ligne De contient des personnes
☐ Lorsque la ligne Objet contient des mots spécifiques
☐ Lorsque le corps du message contient des mots spécifiques
☐ Lorsque la ligne À contient les personnes
☐ Lorsque la ligne CC contient des personnes

2. Sélectionnez les actions pour votre règle :

☑ Le déplacer vers le dossier spécifié
☐ Le copier dans le dossier spécifié
☐ Le supprimer
☐ Le transférer à personne
☐ Le mettre en surbrillance et en couleur

3. Description de la règle (cliquez sur une valeur soulignée pour la modifier) :

Appliquer cette règle après la réception du message
Lorsque la ligne De contient 'Xavier'
Le déplacer vers le dossier Courrier personnel

4. Nom de la règle :

Nouvelle règle de courrier #1

OK Annuler

Les règles de message sont très puissantes, mais peuvent aussi prêter à confusion. Comme tout logiciel, Outlook Express suit vos souhaits à la lettre. En cas de faute d'orthographe, la règle risque fort de ne pas fonctionner comme prévu. De même, si vous possédez deux ou plusieurs règles, Outlook Express les applique selon leur ordre d'apparition. Si la première éjecte le message de la Boîte de réception, la deuxième règle n'aura aucun moyen de l'analyser !

Confidentialité et sécurité

8

La navigation sur Internet exige une grande vigilance. Le Web a beau recéler des sites merveilleux, le danger vous guette au détour de chaque page. Cependant, en prenant les mesures appropriées, vous vous protègerez des virus, pirates et autres menaces informatiques. Votre connexion Internet n'est pas une rue à sens unique. Un utilisateur indélicat peut mettre à profit le moindre courrier électronique ou la moindre page Web pour attaquer votre ordinateur. Aussi la prévention constitue-t-elle, en matière de sécurité informatique, la meilleure approche possible.

Protection contre les virus

Virus, vers, chevaux de Troie et autres figurent parmi les programmes les plus répandus sur le Web ! Leur pouvoir de nuisance semble même croître d'année en année.

Les *virus* constituent des programmes qui s'emparent (ou *infectent*) d'autres programmes. Les *vers* désignent des virus qui s'étendent d'un ordinateur à l'autre, à l'aide des messages électroniques ou des connexions réseau. Les *chevaux de Troie* représentent des programmes, inoffensifs en apparence mais qui, en réalité, permettent à une personne de prendre, *à votre insu*, le contrôle de votre ordinateur via Internet et d'attaquer d'autres ordinateurs. La plupart des virus conjuguent aujourd'hui ces trois caractéristiques.

Si vous baissez la garde et laissez un virus infecter votre ordinateur, les conséquences peuvent être désastreuses. Le virus est à même de supprimer vos fichiers de données et d'empêcher vos programmes de fonctionner correctement. Le nettoyage du virus nécessite, certes, du temps et la restauration des fichiers de données peut se révéler délicate, voire impossible. En outre, aussi longtemps que votre ordinateur demeure infecté, le virus est à même de se propager sur l'ordinateur de vos amis, proches ou collaborateurs : si ceux-ci n'ont pas adopté les mesures de précaution nécessaires, ils seront infectés à leur tour.

Ne vous croyez pas à l'abri parce que vous n'ouvrez jamais les pièces jointes ! Les virus peuvent parfaitement s'exécuter de façon automatique en profitant des défaillances de sécurité non corrigées de Internet Explorer ou de Outlook Express, ne serait-ce que lorsque le contenu d'une pièce jointe s'affiche dans le volet de visualisation. Aussi est-il crucial de faire appel à Windows Update pour installer les correctifs de sécurité les plus récents.

Il est clair que votre première priorité doit être d'empêcher les virus d'atteindre votre ordinateur. À cette fin, installez un antivirus et maintenez-le à jour. Windows XP ne propose aucune protection intégrée contre les programmes nocifs. Il vous appartient d'ajouter vous-même cette protection et de vous assurer que votre logiciel antivirus contient les dernières mises à jour en matière de définition de virus.

De même, il importe d'apprendre à chaque utilisateur de votre ordinateur à ne pas devenir lui-même victime d'un virus. L'une des meilleures solutions consiste à bloquer les pièces jointes douteuses. En effet, la plupart des virus se propagent d'un ordinateur à l'autre sous forme de pièces jointes. Le meilleur emplacement pour stopper ce type de virus demeure le serveur de messagerie. Vérifiez auprès de votre fournisseur de services Internet qu'il fournit ce type de prestation. Il est également possible de configurer Outlook Express et de bloquer toutes les pièces jointes susceptibles d'être nocives.

Malheureusement, il est impossible de dire de prime abord ou même en l'ouvrant qu'une pièce jointe contient un virus. Cependant, quelques indices peuvent laisser présumer que la pièce jointe est infectée :

- Le message provient d'une personne connue sans être réellement attendu.
- Le texte du message vous invite à ouvrir d'urgence la pièce jointe.
- Le fichier joint est un programme ou autre fichier exécutable.
- Le nom du fichier comporte deux extensions.

Bloquer les pièces jointes dans Outlook Express

1. Ouvrez Outlook Express.
2. Dans le menu Outils, sélectionnez Options.
3. Sur l'onglet Sécurité de la boîte de dialogue Options, activez la case à cocher Ne pas autoriser l'ouverture ou l'enregistrement des pièces jointes susceptibles de contenir un virus.

4. Cliquez sur OK.

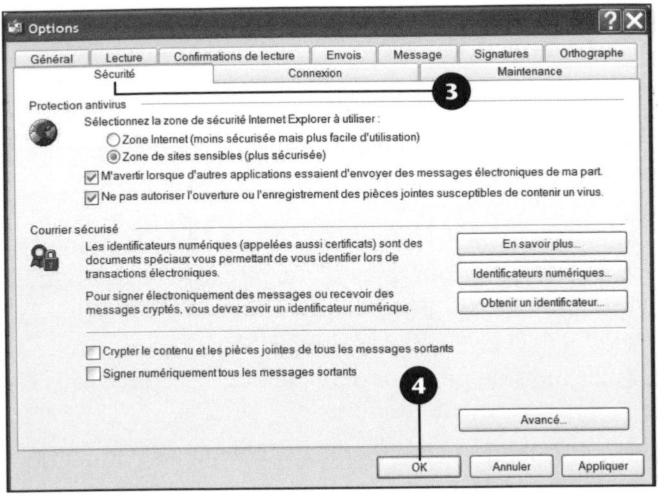

Options

Général | Lecture | Confirmations de lecture | Envois | Message | Signatures | Orthographe
Sécurité | Connexion | Maintenance

3

Protection antivirus

Sélectionnez la zone de sécurité Internet Explorer à utiliser :

Zone Internet (moins sécurisée mais plus facile d'utilisation)

Zone de sites sensibles (plus sécurisée)

M'avertir lorsque d'autres applications essaient d'envoyer des messages électroniques de ma part.

Ne pas autoriser l'ouverture ou l'enregistrement des pièces jointes susceptibles de contenir un virus.

Courrier sécurisé

Les identificateurs numériques (appelées aussi certificats) sont des documents spéciaux vous permettant de vous identifier lors de transactions électroniques.

Pour signer électroniquement des messages ou recevoir des messages cryptés, vous devez avoir un identificateur numérique.

En savoir plus...

Identificateurs numériques...

Obtenir un identificateur...

Crypter le contenu et les pièces jointes de tous les messages sortants

Signer numériquement tous les messages sortants

4

Avancé...

OK | Annuler | Appliquer

ASTUCE

Quand vous avez activé l'option précédente, vous risquez de ne pouvoir ouvrir des pièces jointes parfaitement légitimes. Si tel est le cas et que vous êtes certain que la pièce jointe ne présente aucun danger, répétez la procédure ci-dessus mais, cette fois, désactivez la case Ne pas autoriser l'ouverture ou l'enregistrement des pièces jointes susceptibles de contenir un virus. Fermez la boîte de dialogue, ouvrez ou enregistrez la pièce jointe, et réactivez aussitôt la protection.

Soyez aussi extrêmement vigilant lorsque vous utilisez Internet : ne téléchargez jamais de fichiers à partir de sites Web inconnus et ne cliquez jamais sur les liens proposés dans un message électronique d'origine douteuse. Chaque fois que vous téléchargez un programme depuis Internet, Windows vous avertit que l'opération que vous vous apprêtez à effectuer peut être dangereuse. Une boîte de dialogue offre alors la possibilité de suspendre l'opération et de décider en connaissance de cause d'enregistrer ou non le fichier. Si vous avez le moindre doute, cliquez sur Annuler. Quoi qu'il en soit, ne téléchargez jamais le moindre fichier si votre logiciel antivirus n'est pas à jour !

Blocage des spams et autres courriers indésirables

Tout possesseur d'une adresse électronique sait que sa Boîte de réception est régulièrement encombrée de *spams* (messages publicitaires non désirés). Dès que votre adresse électronique se retrouve, pour une raison ou une autre, sur une liste de diffusion de ce type de messages, le cauchemar ne fait que commencer ! Il n'existe malheureusement pas de solution miracle pour empêcher la réception des spams. Néanmoins, quelques mesures permettent d'en diminuer considérablement le flot.

D'abord, veillez sur votre adresse électronique comme sur la prunelle de vos yeux. Les arroseurs de spams utilisant toutes sortes de subterfuges pour s'emparer d'adresses électroniques, ne communiquez jamais votre adresse électronique à qui que ce soit si vous n'avez pas toute confiance en la personne. Créez un compte Hotmail (gratuit) et utilisez cette adresse quand vous visitez un site Web nécessitant une inscription avec votre adresse électronique.

Ensuite, utilisez judicieusement les règles de message pour répartir les messages dans différents dossiers (Courrier personnel ou Courrier professionnel, par exemple) et vider les messages restants dans un dossier intitulé Courrier indésirable. Ainsi, tous les messages provenant d'amis ou de proches seront triés en premier et tous ceux n'étant ni d'ordre personnel ou professionnel seront transférés dans le dossier Courrier indésirable.

Enfin, ne répondez jamais à un spam ! L'un des pièges fréquemment tendus par les diffuseurs de spams consiste à fournir un lien ou une adresse, en laissant croire que vous pourrez y annuler votre inscription à la liste de diffusion ! De fait, si vous utilisez cette option, vous confirmez la validité de votre adresse électronique. Autrement dit, loin de recevoir moins de spams, vous en obtenez dix fois plus ! N'utilisez les liens proposés que si vous savez, en toute certitude, que le message provient d'une entreprise officielle, à même de respecter vos souhaits.

Mise en place d'un pare-feu

Nombre de tentatives d'intrusion sont effectuées par des logiciels automatisés, cherchant à accéder aux ordinateurs non protégés. Ces programmes, appelés *analyseurs de ports*, chargent les adresses Internet l'une après l'autre, de façon extrêmement rapide, et cherchent à s'infiltrer en utilisant les défaillances de sécurité connues. Ils peuvent être comparés à une personne essayant d'ouvrir les portes de toutes les voitures jusqu'à ce qu'il en trouve une qui ne soit pas verrouillée.

De même qu'il est conseillé de toujours fermer sa voiture à clé, protégez votre ordinateur en configurant un *pare-feu personnel*, comme le pare-feu ICF (*Internet Connection Firewall*) fourni avec Windows XP.

Quand vous activez ce pare-feu, vous postez en réalité un agent logiciel à l'entrée de votre ordinateur et lui demandez de faire office de « videur ». Quand vous envoyez une requête à un serveur Internet (en cliquant sur le lien d'un site Web ou sur le bouton Envoyer et recevoir de Outlook Express, par exemple), le pare-feu note que vous avez demandé à ce serveur de vous envoyer des données.

Lorsque les données arrivent, le pare-feu vérifie sa liste, constate qu'il s'agit des réponses à votre demande et les laisse entrer. En revanche, quand un pirate informatique tente de sonder les ports de votre ordinateur, le pare-feu sait que vous n'avez jamais sollicité cette connexion et rejette la demande.

Aucune compétence préalable n'est requise pour utiliser ICF. Le pare-feu est activé par défaut dès que vous définissez la connexion d'accès à distance ou la connexion large bande d'un ordinateur. Bien qu'aucune intervention manuelle ne soit nécessaire pour activer le pare-feu ICF, il se peut que vous souhaitiez le désactiver temporairement s'il bloque une tâche que vous essayez d'accomplir sur le réseau ou sur Internet.

Désactiver le pare-feu ICF

1. Cliquez sur Démarrer.
2. Ouvrez le Panneau de configuration.
3. Choisissez la catégorie Connexions réseau et Internet.
4. Double-cliquez sur l'icône Connexions réseau.
5. Dans le dossier Connexions réseau, recherchez l'icône de votre connexion Internet. Si le pare-feu ICF est activé, un cadenas doit apparaître dans le coin supérieur droit de l'icône et l'intitulé *derrière un pare-feu* s'afficher dans la description à droite de l'icône.
6. Cliquez sur l'icône de connexion avec le bouton droit et sélectionnez Propriétés.
7. Cliquez sur l'onglet Avancé, puis désactivez l'option située sous l'en-tête Pare-feu de connexion Internet.

8. Cliquez sur OK.

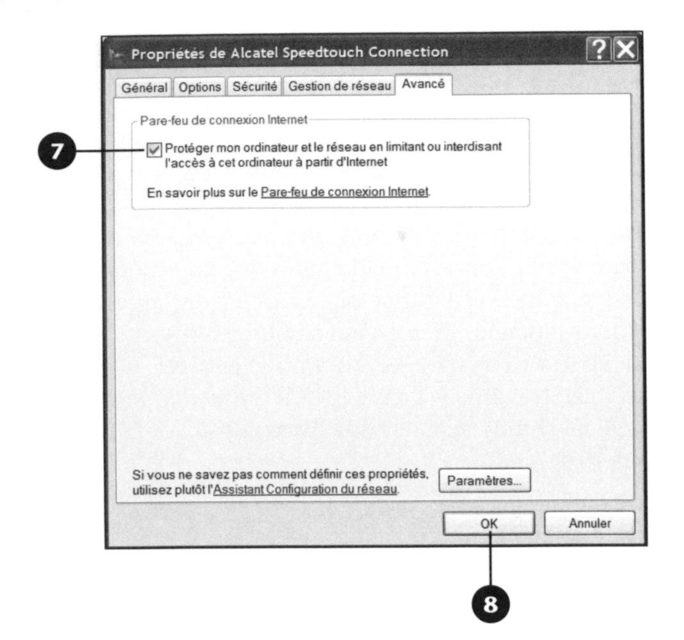

À propos des cookies

Utilisés de façon appropriée, les cookies offrent un réel gain de temps et simplifient la navigation sur le Web. Mal employés, ils risquent de divulguer vos informations confidentielles et vos habitudes en matière d'exploration du Web, quand vous souhaiteriez les garder secrètes. Internet Explorer, fourni avec Windows XP, offre la possibilité de bloquer ou d'autoriser les cookies.

Un *cookie* est un petit fichier texte stocké sur votre ordinateur et activé quand vous retournez sur le site Web dont il émane. Peut-être consultez-vous chaque jour le bulletin météo sur msn.com. Le cookie permet alors au site de vous identifier. Quand vous avez visité le site MSN pour la première fois, vous avez, entre autres, saisi votre code postal, lequel a été stocké dans un cookie. Chaque fois que vous retournez sur msn.com, le site Web analyse le cookie, extrait le code postal et affiche un bulletin météo personnalisé.

Sachez, néanmoins, que les cookies ne peuvent pas :

- Exécuter un programme ou transporter un virus. Un cookie ne se compose que de texte et non de code.
- Rechercher des informations sur votre disque ou découvrir votre adresse électronique.
- Transmettre d'informations à un autre serveur Web que celui qui lui est directement associé. Si vous visitez un site donné, celui-ci ne peut extraire des informations que de ses propres cookies.

Dans les précédentes versions de Windows et de Internet Explorer, vous ne disposiez que d'un contrôle très rudimentaire sur les cookies. En revanche, Internet Explorer 6 autorise une surveillance beaucoup plus fine en permettant de sélectionner les cookies que vous acceptez et ceux que vous rejetez. Avant de définir la stratégie à adopter à l'égard des cookies, il importe de bien comprendre la différence entre deux types de cookies :

- Cookies internes : ces cookies désignent ceux créés par un site auquel vous accédez directement. Si, dans la barre d'adresses, vous tapez www.exemple.com, le cookie généré par le site Web exemple.com constitue un cookie interne.
- Cookies tiers : ces cookies sont créés par des serveurs dont l'adresse ne correspond pas à l'URL affichée dans la barre d'adresses de Internet Explorer. Les publicités constituent la forme de contenu tiers la plus courante sur les pages Web.

Contrôler les cookies

1. Dans le menu Outils de Internet Explorer, sélectionnez Options Internet.
2. Cliquez sur l'onglet Confidentialité.
3. Quand vous déplacez le curseur sur l'onglet Confidentialité, vous contrôlez la façon dont Internet Explorer doit gérer chaque type de cooke.
4. Faites glisser le curseur et choisissez l'une des six options proposées, chacune étant alors décrite dans la boîte de dialogue. À l'extrémité haute, vous bloquez tous les cookies, ce qui risque de rendre difficile votre navigation sur le Web. À l'extrémité basse, vous les acceptez tous, ce qui constitue un choix très risqué et, donc, déconseillé !

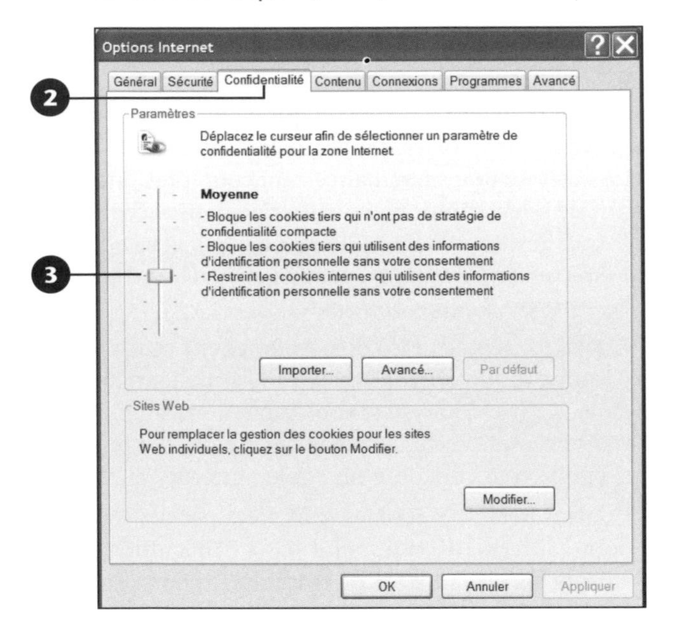

Une autre solution, recommandée, consiste à définir, lors de la première visite d'un site, l'acceptation ou le rejet des cookies internes et de refuser automatiquement tous les cookies tiers.

Personnaliser les options de confidentialité

1. Dans le menu Outils de Internet Explorer, sélectionnez Options Internet.
2. Dans la boîte de dialogue Options Internet, cliquez sur l'onglet Confidentialité, puis sur Avancé.
3. Dans la boîte de dialogue Paramètres de confidentialité avancés, activez la case à cocher Ignorer la gestion automatique des cookies.
4. Sous l'en-tête Cookies internes, sélectionnez Demander.
5. Sous l'en-tête Cookies tierce partie, sélectionnez Refuser.
6. Activez la case à cocher Toujours autoriser les cookies de la session.
7. Cliquez sur OK pour enregistrer les modifications.

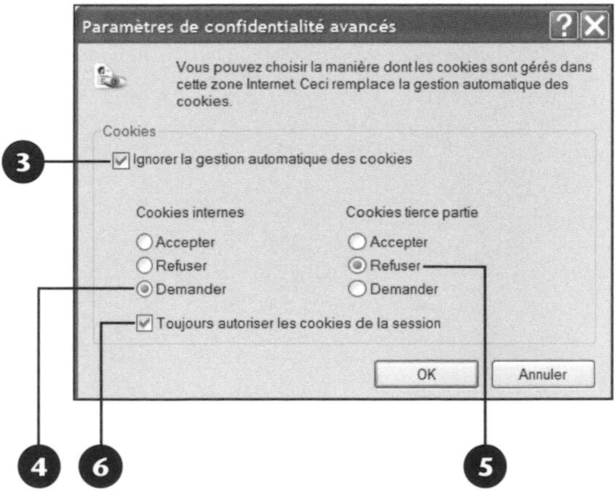

Une fois ces options définies, Internet Explorer rejette tous les cookies crées par des parties tierces. Quand vous visiterez un site Web pour la première fois, Internet Explorer vous demandera quelle attitude adopter en présence d'une requête de création de cookie.

Personnalisation 9

Plus vous utiliserez Windows XP, plus vous constaterez qu'il existe différentes façons d'ouvrir des fichiers, de les organiser et de les utiliser. Apprenez à tirer le meilleur parti de la flexibilité de Microsoft Windows XP en personnalisant l'affichage, la barre des tâches et le menu Démarrer, ainsi qu'en ajoutant des polices et en réglant à votre convenance les différents sons proposés.

Choix de l'interface : Windows XP ou Windows Classique

Grâce à ses couleurs éclatantes, ses fenêtres aux coins arrondis et ses larges icônes, Windows XP offre non seulement un changement spectaculaire par rapport aux versions antérieures, mais facilite également l'exécution de multiples tâches.

Si la nouveauté vous rebute, vous pouvez intégrer la version classique de l'interface à votre environnement ou associer des éléments de l'ancienne et de la nouvelle interface. Vous pouvez modifier le *thème* Windows en thème classique de telle sorte que votre interface (fenêtres, sons et icônes) se présente de la même façon que dans votre précédente version Windows. Un *thème* a pour objet d'harmoniser l'aspect des fenêtres, des boîtes de dialogue, des sons et des icônes. Vous pouvez sélectionner un thème Windows XP, télécharger un nouveau thème ou créer le vôtre.

Sélectionner le thème Windows classique

1. Cliquez avec le bouton droit sur un emplacement vide du Bureau.
2. Dans le menu contextuel, sélectionnez Propriétés.
3. Dans la boîte de dialogue Propriétés de Affichage, cliquez sur l'onglet Thèmes.
4. Dans la liste déroulante Thème, sélectionnez Windows classique.

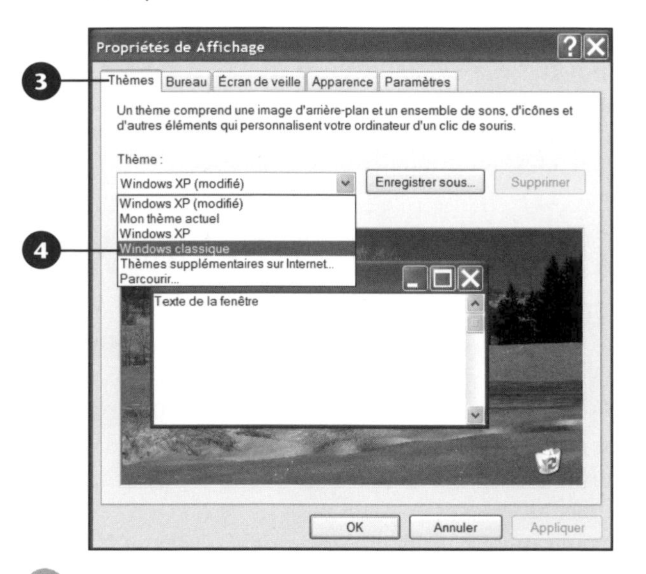

5. Cliquez sur OK. Un message s'affiche, vous invitant à patienter pendant que Windows reconfigure l'affichage.
6. Quand la boîte de dialogue Propriétés de Affichage apparaît à nouveau, elle s'affiche, ainsi que le Bureau, selon l'ancienne présentation.

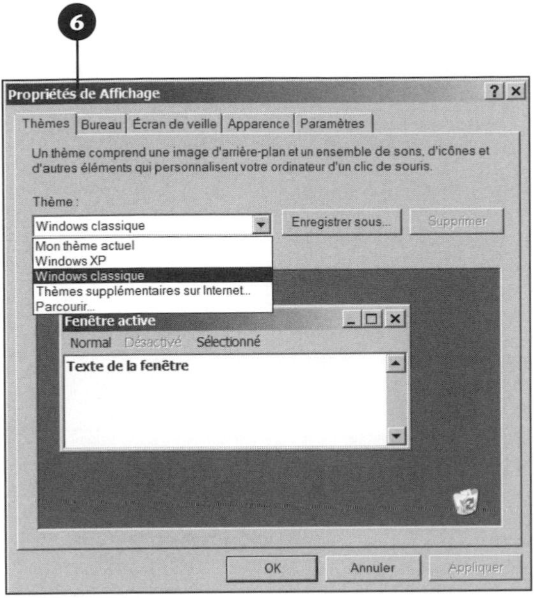

ASTUCE

Sans doute avez-vous remarqué que la boîte de dialogue Thèmes possédait deux boutons : Appliquer et OK. En pratique, rien ne les différencie, vous pouvez cliquer aussi bien sur l'un que sur l'autre pour que Windows effectue les modifications sélectionnées dans la boîte de dialogue. Quand vous cliquez sur OK, Windows applique les modifications et ferme la boîte de dialogue. Pour visualiser les modifications tout en conservant la boîte de dialogue ouverte, cliquez sur Appliquer. Ce bouton permet de procéder à divers essais sans devoir constamment fermer et ouvrir la boîte de dialogue.

Vous pouvez également remplacer les coins arrondis des fenêtres, boîtes de dialogue et boutons, par les coins traditionnels des précédentes versions de Windows, sans pour autant changer la totalité du thème.

Modifier l'affichage des coins

1. Cliquez avec le bouton droit sur un emplacement vide du Bureau.
2. Dans le menu contextuel, sélectionnez Propriétés.
3. Cliquez sur l'onglet Apparence.
4. Dans la liste Fenêtres et boutons, sélectionnez Style Windows Classique.
5. Cliquez sur OK.

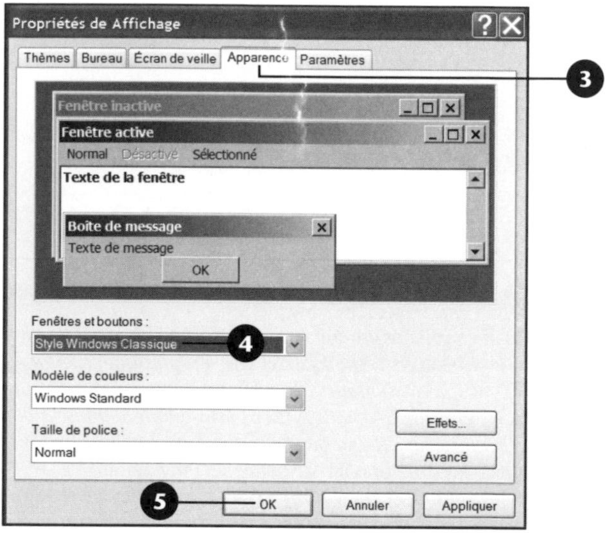

ASTUCE

Si vous conservez le thème Windows XP, la liste Modèles de couleurs de l'onglet Apparence ne propose que trois couleurs : gris clair, bleu et vert olive. Si vous choisissez le style Windows Classique, vous avez à votre disposition de multiples couleurs (Ardoise, Aubergine, Désert, etc.). Vous pouvez aussi cliquer sur le bouton Effets pour contrôler l'aspect des menus ou des icônes, ainsi que sur le bouton Avancé pour modifier la couleur, la police ou la taille des éléments du Bureau.

Une fois que vous avez modifié à votre convenance l'aspect des fenêtres, menus ou icônes, vous vous retrouvez en présence d'un thème qui s'intitule désormais Windows XP (modifié). Si vous désirez le conserver, enregistrez-le pour le réutiliser sur le même ordinateur ou le partager.

Enregistrer un modèle personnalisé

1. Cliquez avec le bouton droit sur un emplacement vide du Bureau.
2. Dans le menu contextuel, sélectionnez Propriétés.
3. Dans la boîte de dialogue Propriétés de Affichage, cliquez sur l'onglet Thèmes.
4. Cliquez sur Enregistrer sous.
5. Attribuez un nom évocateur au thème modifié (par défaut, il s'intitule Mon thème favori).
6. Cliquez sur Enregistrer.

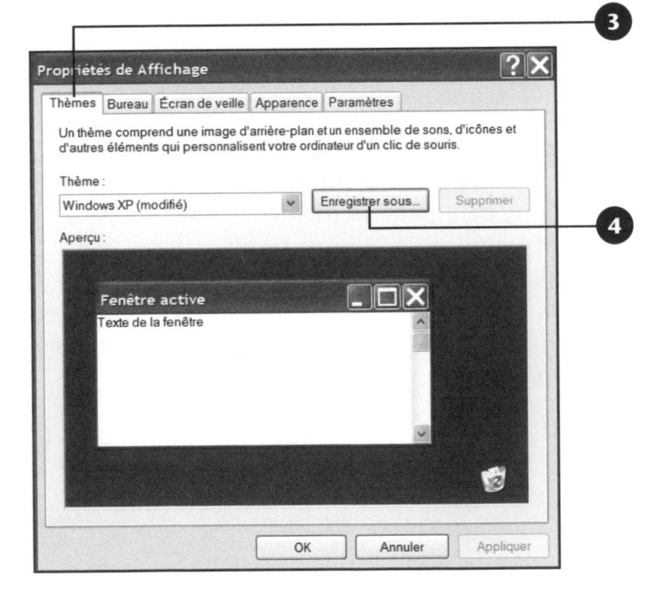

Utilisation de la barre des tâches

Sous Windows XP, la barre des tâches permet, comme par le passé, de démarrer des programmes, de basculer rapidement d'un programme à un autre et d'afficher des messages ou des alertes en provenance du système d'exploitation ou des applications. La barre des tâches se compose de trois zones différentes :

1. Barre Lancement rapide : cette barre affiche les programmes que vous utilisez régulièrement et que vous souhaitez démarrer à l'aide d'un simple clic au lieu de passer par le menu Démarrer ou de sélectionner l'icône correspondante sur le Bureau.
2. Boutons de la barre des tâches : un bouton s'affiche pour chaque fenêtre ouverte ou programme en cours d'exécution. Si vous cliquez sur le bouton d'un programme non visible à l'écran, la fenêtre correspondante s'affiche. Dans la plupart des cas, si vous appuyez une nouvelle fois sur le bouton, le programme est à nouveau masqué.
3. Zone de notification : cette zone affiche les icônes des utilitaires et programmes système installés sur votre ordinateur. Par exemple, quand vous utilisez un modem pour accéder à Internet, une icône d'état apparaît dans la zone de notification. Si vous pointez vers elle, des informations s'affichent sur la connexion, et si vous double-cliquez, vous accédez à une boîte de dialogue permettant de contrôler la connexion.

Si plusieurs fenêtres et programmes sont ouverts simultanément, la solution consiste à dédoubler la barre des tâches. Vous perdrez un peu de place, mais gagnerez en lisibilité.

Augmenter la hauteur de la barre des tâches

1. Cliquez avec le bouton droit sur un emplacement vide de la barre des tâches.
2. Si, dans le menu contextuel qui s'affiche, une coche apparaît à gauche de la commande Verrouiller la Barre des tâches, cliquez dessus pour déverrouiller la barre des tâches.

Barres d'outils
Cascade
Mosaïque horizontale
Mosaïque verticale
Afficher le Bureau
Gestionnaire des tâches
Verrouiller la Barre des tâches — 2
Propriétés

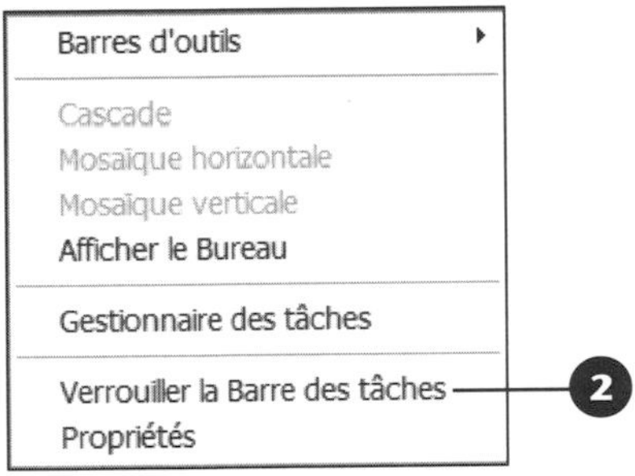

3. Dirigez le pointeur de la souris vers le bord supérieur de la barre des tâches jusqu'à ce qu'il se transforme en flèche à deux pointes, cliquez et déplacez le bord supérieur vers le haut.
4. Cliquez avec le bouton droit sur un emplacement vide de la Barre des tâches et, dans le menu contextuel, activez Verrouiller la barre des tâches.

Il se peut aussi que vous souhaitiez réduire l'espace occupé par la barre des tâches. Il suffit alors de la faire disparaître de l'écran dès qu'elle n'est plus nécessaire.

Masquer la barre des tâches

1. Cliquez avec le bouton droit sur un emplacement vide de la barre des tâches et, dans le menu contextuel, sélectionnez Propriétés.
2. Dans la boîte de dialogue Propriétés de la Barre des tâches et du menu Démarrer, activez l'option Masquer automatiquement la Barre des tâches.
3. Cliquez sur OK.

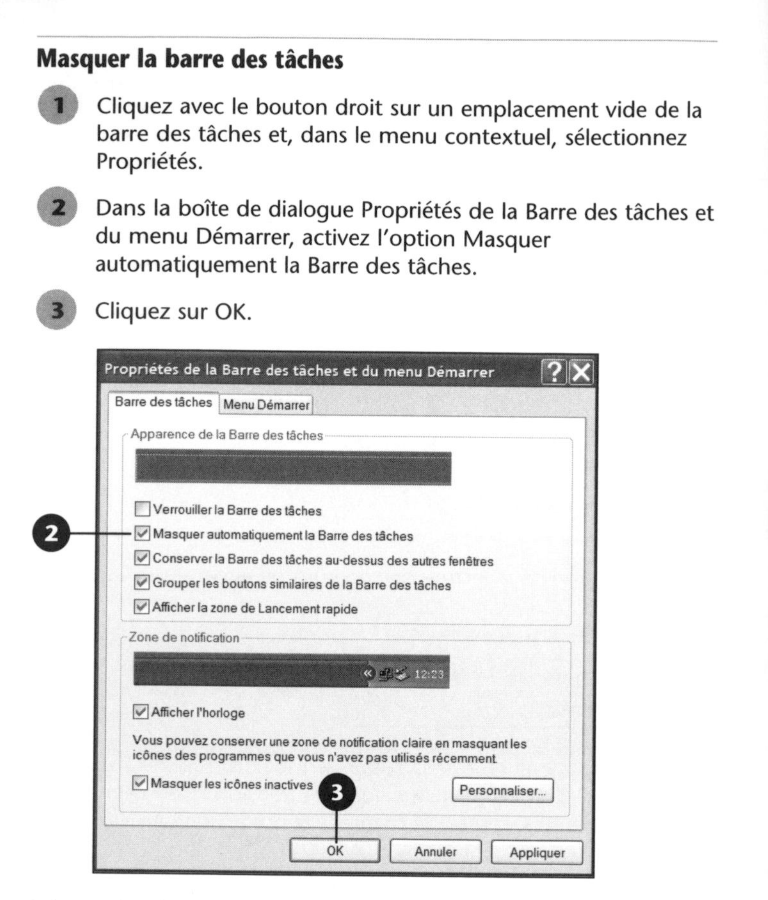

Désormais, chaque fois que le pointeur de la souris quittera la barre des tâches, celle-ci disparaîtra automatiquement et ne réapparaîtra que lorsque vous positionnerez le pointeur en bas de l'écran.

Si, par mégarde, vous avez déplacé la barre des tâches, pointez sur un emplacement vide de celle-ci, cliquez sur le bouton gauche en le maintenant enfoncé, faites glisser la barre des tâches vers le bas de l'écran et relâchez le bouton de la souris. Cependant, Windows XP propose une nouvelle fonctionnalité permettant de verrouiller la barre des tâches.

Verrouiller la barre des tâches

1. Cliquez sur la barre des tâches avec le bouton droit de la souris.
2. Dans le menu contextuel, sélectionnez Verrouiller la barre des tâches.

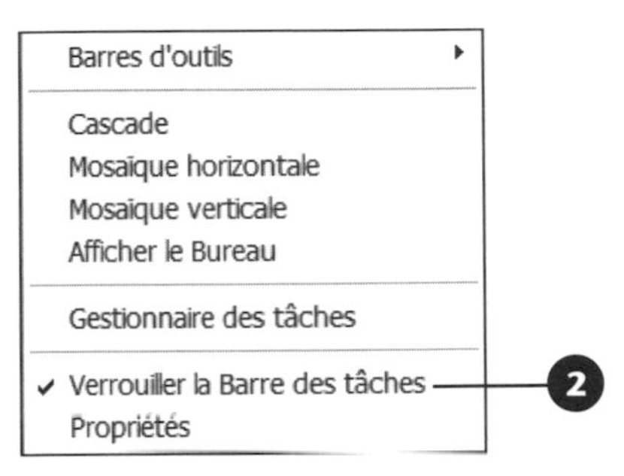

Windows XP facilite la lecture des boutons de la barre des tâches en regroupant les boutons similaires. Cette fonction, mise en œuvre dès que la barre des tâches se trouve à court d'espace, regroupe sur un même bouton tous ceux associés à un même programme. Par exemple, si vous avez ouvert cinq documents Word différents et que la place manque pour afficher chaque bouton correspondant, un seul bouton Microsoft Word regroupe les cinq documents.

Regrouper les boutons de la barre des tâches

1. Cliquez avec le bouton droit sur la barre des tâches.
2. Dans le menu contextuel, sélectionnez Propriétés.
3. Dans la boîte de dialogue Propriétés de la Barre des tâches et du menu Démarrer, activez l'option Grouper les boutons similaires de la Barre des tâches.

4. Cliquez sur OK.

La zone de notification désigne la zone située à droite de la barre des tâches. Elle contient les icônes généralement associées aux utilitaires système installés sur l'ordinateur : contrôle du volume, retrait d'un périphérique, etc. Comme cette zone risque très vite de se retrouver encombrée et d'occuper un espace qui pourrait être utilisé par les boutons de la barre des tâches, il peut être utile de n'afficher que les icônes réellement utilisées.

Masquer les icônes inactives

1. Cliquez avec le bouton droit sur un emplacement vide de la barre des tâches.
2. Sélectionnez Propriétés.
3. Dans la boîte de dialogue Propriétés de la Barre des tâches et du menu Démarrer, activez l'option Masquer les icônes inactives.

4. Cliquez sur OK.

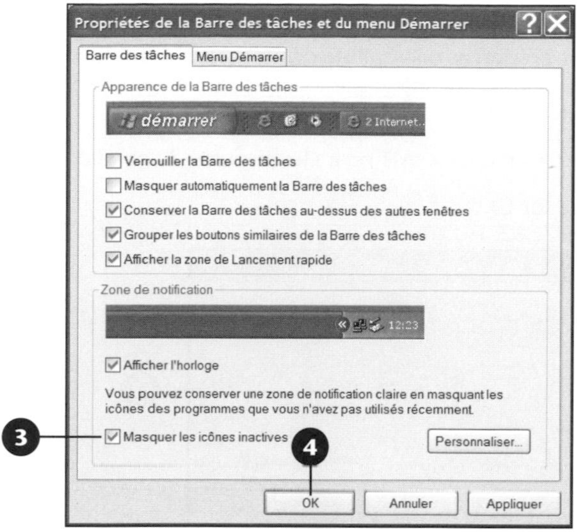

Les icônes masquées peuvent être affichées à tout moment en cliquant sur Afficher les icônes cachées, dans la zone de notification. Quand la flèche est orientée vers la gauche, certaines icônes sont masquées ; quand la flèche est orientée vers la droite, toutes les icônes sont visibles.

Certaines icônes de la zone de notification représentent une perte d'espace, tandis que d'autres sont extrêmement utiles. Peut-être appréciez-vous que l'icône du volume soit affichée en permanence afin de le régler aisément. Il est possible de demander à Windows de masquer les icônes inactives tout en l'empêchant de masquer celles que vous désirez voir constamment.

Personnaliser la zone de notification

1. Cliquez avec le bouton droit sur un emplacement vide de la zone de notification et sélectionnez Personnaliser les notifications.

2. Dans la colonne Nom de la boîte de dialogue Personnaliser les notifications, sélectionnez l'élément à modifier.

3. Dans la colonne Comportement, sélectionnez l'une des trois options proposées dans la liste déroulante. Si, par exemple, vous voulez qu'une icône soit toujours visible, choisissez Toujours afficher.
4. Répétez les étapes 2 et 3 pour chaque icône à modifier.
5. Cliquez sur OK.

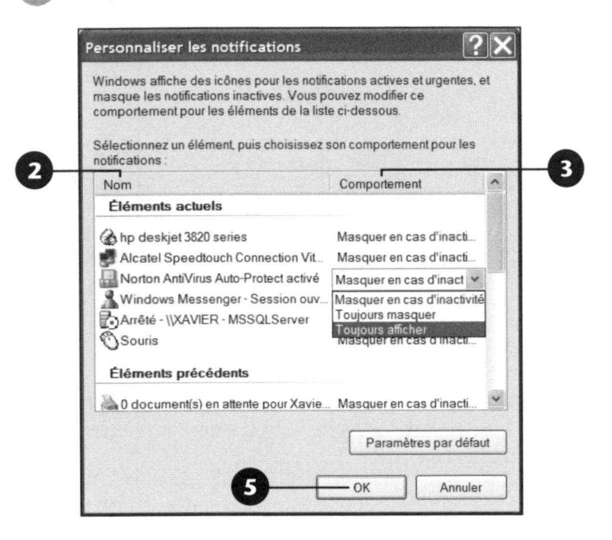

Personnalisation du menu Démarrer

Le menu Démarrer de Windows XP possède désormais deux colonnes. Vous êtes totalement maître de celle de gauche : il vous appartient, en effet, de décider des icônes qui doivent y figurer. Dans la colonne de droite, Windows affiche les icônes permettant d'accéder rapidement aux dossiers système et aux emplacements standard de stockage. Bien que vous ne puissiez pas ajouter à cette liste vos propres dossiers, vous pouvez masquer certaines entrées proposées.

Personnaliser le menu Démarrer

1. Cliquez avec le bouton droit sur Démarrer et, dans le menu contextuel, sélectionnez Propriétés.
2. La boîte de dialogue Propriétés de la Barre des tâches et du menu Démarrer s'affiche, l'onglet Menu Démarrer déjà sélectionné.
3. Cliquez sur Personnaliser.

4. Dans la boîte de dialogue Personnaliser le menu Démarrer, choisissez une taille d'icône pour les programmes.
5. Indiquez le nombre de programmes que Windows doit afficher sur le menu Démarrer. Par défaut, Windows mémorise les six derniers programmes les plus utilisés. Le nombre doit être compris entre 0 et 30. Cliquez sur Effacer la liste pour supprimer de la liste tous les programmes.

6 Sélectionnez les programmes à utiliser pour explorer le Web (par défaut, Internet Explorer) et gérer la messagerie électronique (par défaut, Outlook Express).

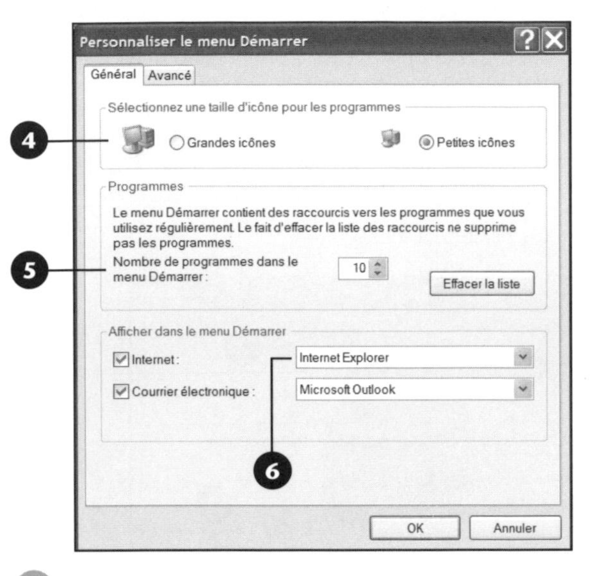

7 Cliquez sur l'onglet Avancé.

8 Pour que les sous-menus s'affichent automatiquement quand vous pointez la souris sur eux, activez la première option. Pour que les programmes nouvellement installés apparaissent en surbrillance dans le menu Démarrer, activez la seconde option.

9 Dans le cadre Éléments du menu Démarrer, parcourez la liste et cliquez sur chaque élément à inclure. Vous pouvez également cliquer pour désactiver les éléments déjà sélectionnés et que vous ne voulez pas voir apparaître dans le menu Démarrer.

10 En principe, Windows propose dans le menu Démarrer la liste des documents que vous avez utilisés dernièrement. Pour arrêter ce suivi, désactivez l'option Afficher les

documents ouverts récemment. Pour que Windows puisse démarrer une nouvelle liste, cliquez sur le bouton Effacer la liste.

 Cliquez sur OK pour valider les modifications apportées au menu Démarrer.

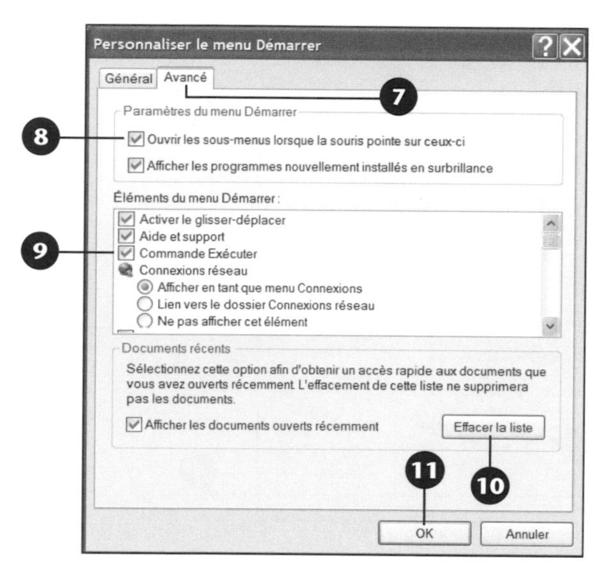

Lorsque vous remplacez le style Windows XP par le style Windows Classique, le menu Démarrer offre un aspect visuel différent, mais n'en conserve pas moins sa présentation en deux colonnes. Si vous le souhaitez, vous pouvez rétablir le menu Démarrer dans sa version traditionnelle.

Afficher le menu Démarrer dans sa version classique

1. Cliquez avec le bouton droit sur le menu Démarrer et sélectionnez Propriétés.
2. Dans la boîte de dialogue Propriétés de la Barre des tâches et du menu Démarrer, activez l'option Menu Démarrer classique.

3 Cliquez sur OK pour appliquer la modification ou, si vous préférez déterminer l'affichage de certains éléments du menu classique, cliquez sur Personnaliser, sélectionnez les options de menu à inclure et cliquez sur Ajouter.

4 Cliquez sur OK.

Présentation personnalisée du Bureau

Il est probable que, de temps à autre, vous souhaiterez changer l'arrière-plan de votre Bureau. Par défaut, Windows utilise l'image « Colline verdoyante ». Vous pouvez fort bien la remplacer par une image mieux adaptée à votre goût personnel. De même, vous pouvez modifier les couleurs et les polices des titres de fenêtres ou masquer les icônes afin qu'elles n'encombrent pas votre Bureau.

Outre celles proposées par Windows (« Désert sous la lune », « Dune », « Floraison », etc.), vous pouvez utiliser vos propres images comme arrière-plan, que vous les ayez téléchargées depuis le Web ou prises avec votre appareil photo numérique.

Modifier l'image d'arrière-plan

1. Cliquez avec le bouton droit sur un emplacement vide du Bureau.
2. Sélectionnez Propriétés et cliquez sur l'onglet Bureau.
3. Dans la zone de liste Arrière-plan, cliquez sur les différentes images pour vérifier leur contenu. Dès que vous cliquez sur un élément, l'image s'affiche dans un écran situé en haut de l'onglet.
4. Cliquez sur Appliquer pour afficher l'image comme arrière-plan du Bureau. Si le résultat vous convient, cliquez sur OK.

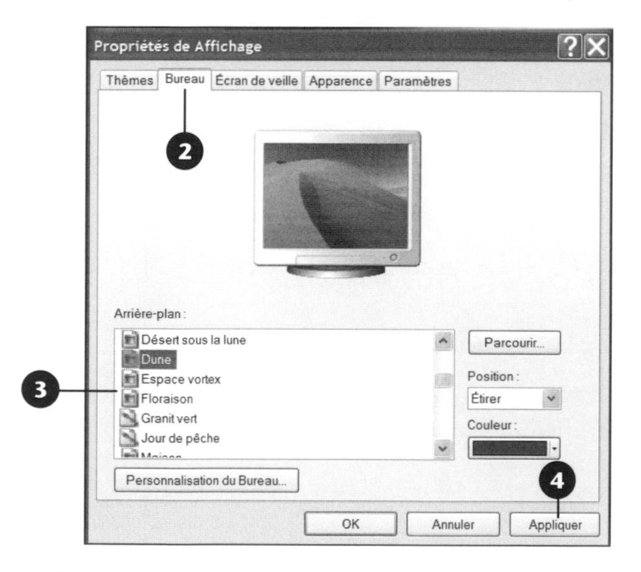

Après quelques mois, voire quelques semaines, les programmes et les fichiers que vous aurez installés ou téléchargés, auront créé de nombreux raccourcis sur le Bureau. Sans doute vous êtes-vous déjà promis de les supprimer. Le temps passe... et ils sont toujours là. Votre Bureau est à ce point encombré que vous êtes incapable de retrouver ce que vous cherchez ! Il est grand temps de nettoyer le Bureau ou, plus exactement, de demander à Windows de s'en charger automatiquement.

Nettoyer le Bureau

1. Cliquez sur Démarrer et ouvrez le Panneau de configuration.
2. Sélectionnez la catégorie Apparence et thèmes, puis double-cliquez sur l'icône Affichage.
3. Dans l'onglet Bureau de la boîte de dialogue Propriétés de Affichage, cliquez sur Personnalisation du bureau. La boîte de dialogue Éléments du Bureau s'affiche.
4. Dans le cadre Nettoyage du Bureau, activez l'option Exécuter l'Assistant Nettoyage du Bureau tous les 60 jours.
5. Si nécessaire, cliquez sur le bouton Nettoyer le Bureau maintenant.

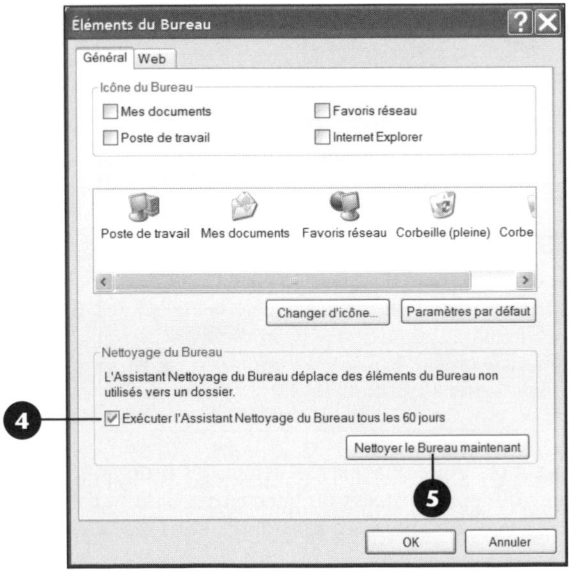

 L'Assistant Nettoyage du Bureau s'affiche. Cliquez sur Suivant.

7 L'Assistant vérifie tous les raccourcis présents sur votre Bureau et affiche la liste de ceux que vous n'avez pas utilisés récemment. La liste mentionne la dernière date d'utilisation et vous offre le choix de le conserver ou de le ranger. Activez la case à cocher située à gauche de l'élément pour déplacer celui-ci ou laissez la case désactivée pour que le raccourci demeure sur le Bureau. Cliquez sur Suivant.

 Vérifiez vos sélections. Si elles vous conviennent, cliquez sur OK.

Assistant Nettoyage du Bureau

Raccourcis
Les raccourcis sélectionnés vont être déplacés dans le dossier Raccourcis Bureau non utilisés.

Pour conserver un raccourci sur votre Bureau, désactivez sa case à cocher.

Raccourcis :

Raccourci vers le nettoyage	Date de la dernière utilisation
☐ Ciel Compta Libérale	11/04/2003
☐ Csvgloss	25/04/2003
☑ Microsoft Visual Studio ...	Jamais
☐ Raccourci vers SR32	11/04/2003
☑ Raccourci vers v1.0.3705	Jamais
☐ Raccourci vers _Flight...	21/04/2003

7

< Précédent | Suivant > | Annuler

ASTUCE

Pour démarrer plus rapidement l'Assistant Nettoyage du Bureau, cliquez avec le bouton droit sur le Bureau, sélectionnez Réorganiser les icônes par, et choisissez Exécuter l'Assistant Nettoyage du Bureau. L'Assistant peut être exécuté à tout moment (il n'est pas nécessaire d'attendre 60 jours entre deux nettoyages !).

L'Assistant Nettoyage du Bureau ne supprime aucun fichier ou programme de votre ordinateur. Il se contente de déplacer les raccourcis présents sur le Bureau vers un dossier intitulé Raccourcis Bureau non utilisés et enregistré sur le Bureau lui-même. Vous pouvez fort bien ouvrir ce dossier, utiliser les raccourcis qu'il contient ou même les transférer à nouveau vers le Bureau.

Dans les précédentes versions, Windows déposait différentes icônes sur le Bureau (Mes documents, Poste de travail, etc.) et vous n'aviez aucun moyen de les en retirer. Dans Windows XP, vous pouvez les afficher ou les masquer à votre guise, et ce de façon sélective.

Masquer les icônes du Bureau

1. Cliquez avec le bouton droit sur un emplacement vide du Bureau.
2. Choisissez Propriétés.
3. Dans la boîte de dialogue Propriétés de Affichage, cliquez sur l'onglet Bureau, puis sur Personnalisation du Bureau.
4. Dans l'onglet Général de la boîte de dialogue Éléments du Bureau, désactivez les cases à cocher des éléments que vous ne souhaitez pas voir apparaître sur le Bureau.
5. Cliquez sur OK.

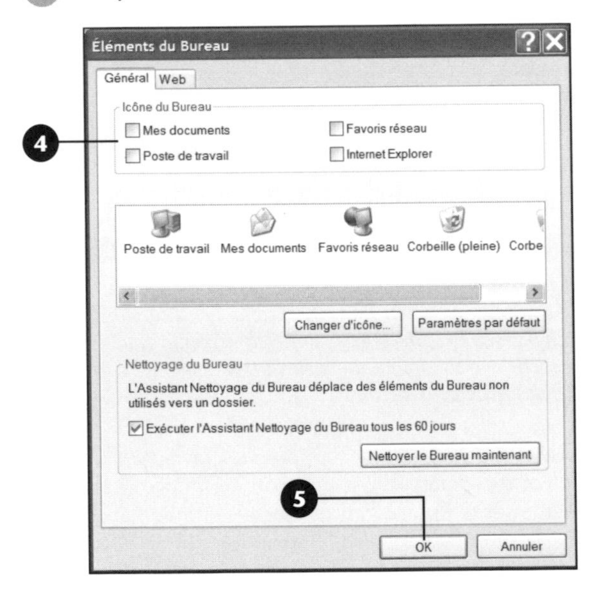

Pour contrôler de la façon la plus fine possible l'aspect de votre Bureau, vous pouvez être amené à faire preuve de créativité et à modifier le modèle de couleurs et la taille de police utilisés dans les fenêtres, les titres de fenêtres, les menus, etc.

Modifier le modèle de couleurs et la taille de police

1. Cliquez avec le bouton droit sur le Bureau et sélectionnez Propriétés pour ouvrir la boîte de dialogue Propriétés de Affichage.
2. Cliquez sur l'onglet Apparence. En bas de l'onglet, cliquez sur la flèche de la zone Modèle de couleurs.
3. Cliquez sur le modèle de couleur souhaité et regardez le résultat obtenu dans la fenêtre d'aperçu. Si vous n'êtes pas satisfait, modifiez votre choix.
4. Modifiez la taille de la police en cliquant sur la flèche de la zone de liste Taille de police. Les trois tailles disponibles sont les suivantes : Normal, Grandes polices et Très grands caractères. Le résultat correspondant apparaît dans la fenêtre d'aperçu.
5. Quand vous avez terminé, cliquez sur OK.

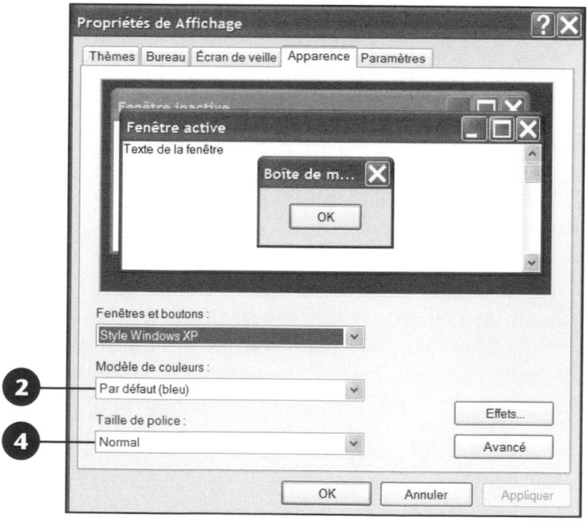

Configuration d'un écran de veille

Les écrans de veille (ou économiseurs d'écran) offrent trois avantages :

- Confidentialité. Que ce soit à la maison ou au travail, quand vous vous éloignez de votre bureau, quiconque passe à proximité de votre ordinateur peut regarder le contenu de l'écran. Un écran de veille permet d'afficher à la place une image de votre choix.
- Sécurité. Dans Windows XP, les écrans de veille proposent une option qui oblige l'utilisateur, une fois qu'il a déplacé la souris ou appuyé sur une touche du clavier, à saisir son nom d'utilisateur et son mot de passe dans une boîte de dialogue. De cette façon, personne ne peut visualiser le contenu de votre écran, à moins qu'il ne connaisse votre mot de passe...
- Divertissement. Les écrans de veille constituent un véritable plaisir pour l'œil. Windows XP propose sa propre collection d'écrans de veille, aux formes géométriques les plus insolites et originales qui soient.

Configurer un économiseur d'écran Windows XP

1. Cliquez avec le bouton droit sur un emplacement vide du Bureau.
2. Choisissez Propriétés.
3. Dans la boîte de dialogue Propriétés de Affichage, cliquez sur l'onglet Écran de veille. Dans la zone de liste déroulante Écran de veille, effectuez votre choix et regardez le résultat obtenu dans l'écran d'aperçu, en haut de la boîte de dialogue.
4. Indiquez aussi le délai à respecter avant que Windows n'autorise l'écran de veille à prendre le relais. La valeur par

défaut, 10 minutes, devrait convenir à la plupart des utilisateurs.

5 Pour obtenir un aperçu en mode plein écran, cliquez sur Aperçu. Pour arrêter la visualisation de l'aperçu et revenir sur l'onglet Écran de veille, déplacez la souris ou appuyez sur une touche du clavier.

6 Pour protéger l'écran de veille avec un mot de passe (afin que personne ne puisse utiliser l'ordinateur en votre absence), activez l'option À la reprise, afficher l'écran d'accueil. Bien sûr, cette option ne vaut comme mesure de sécurité que si vous avez associé un mot de passe à votre compte.

7 Cliquez sur OK.

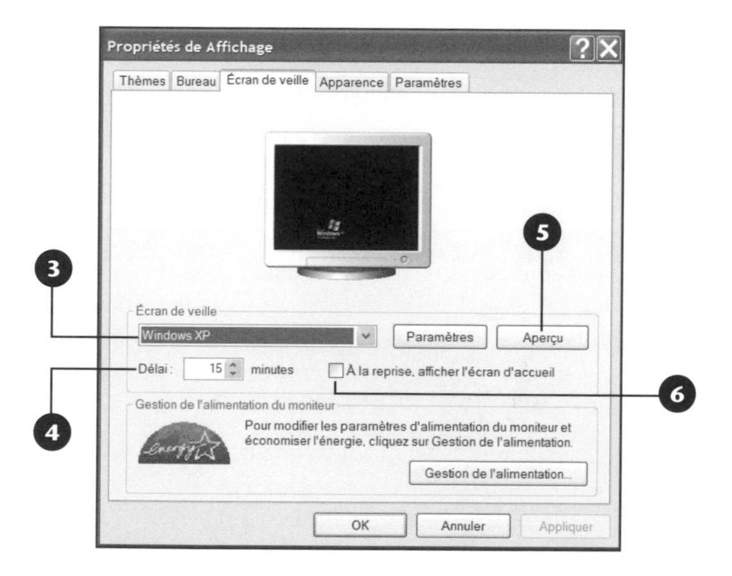

ASTUCE

Après avoir sélectionné un écran de veille, cliquez sur Paramètres afin de visualiser les options complémentaires disponibles. En règle générale, vous pouvez choisir la vitesse à laquelle l'effet choisi s'exécute ainsi que d'autres caractéristiques d'affichage, comme le nombre de canalisations ou le style de surface dans le cas d'un écran de veille Canalisations 3D.

Ajout de nouvelles polices

Windows XP propose un ensemble de polices *TrueType* et *OpenType* qui permettent de visualiser une multitude de styles de caractères, aussi bien dans les documents que sur le Web. Quand vous installez certains programmes, ils ajoutent des polices à votre système. À l'aide d'une simple recherche sur le Web, vous trouverez d'autres polices, aux formes, tailles et ornements les plus divers, que vous pourrez aisément télécharger et installer.

Afficher les polices installées

1. Cliquez sur le menu Démarrer.
2. Ouvrez le Panneau de configuration.
3. Sélectionnez la catégorie Apparence et thèmes.
4. Dans le volet des tâches, choisissez l'icône Polices.

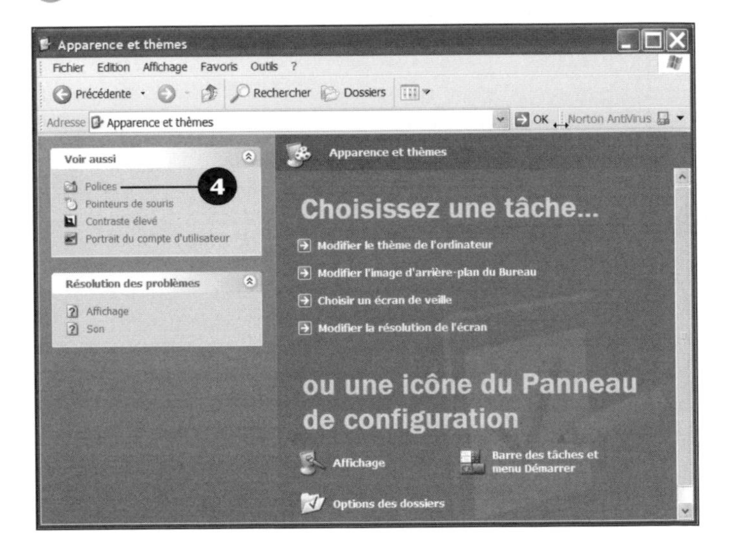

Quand vous double-cliquez sur l'icône d'une police, vous visualisez certaines informations, comme le nom de la police et les caractères disponibles dans cette police (avec différentes tailles), dans une fenêtre d'aperçu. Cliquez sur Imprimer pour obtenir sur papier le résultat obtenu.

Ajouter une police

1. Après avoir téléchargé une nouvelle police, vous pouvez l'ajouter à celles déjà existantes.
2. Ouvrez le dossier Polices et, dans le menu Fichier, sélectionnez Installer une nouvelle police.
3. Dans la zone de liste Dossiers, sélectionnez le dossier contenant les polices que vous avez téléchargées.
4. Dans la zone Liste des polices, sélectionnez la police à ajouter (maintenez la touche CTRL pour sélectionner plusieurs polices ou cliquez sur Sélectionner tout pour toutes les sélectionner).

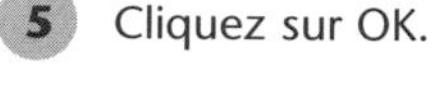

5. Cliquez sur OK.

Windows ajoute alors les polices sélectionnées au dossier Polices. Elles sont désormais disponibles pour l'ensemble des programmes que vous exécutez sous Windows XP.

Personnalisation des sons Windows

Votre PC est désormais capable de produire une multitude de sons et même de lire un texte affiché à l'écran. Vous pouvez même remplacer les différents sons par des airs de votre composition !

Windows XP permet de choisir des modèles de sons et de les affecter à différents événements, comme le démarrage ou l'arrêt de Windows, la fermeture d'un programme ou la réception d'un courrier électronique.

Sélectionner un modèle de sons

1. Dans le menu Démarrer, sélectionnez Panneau de configuration.
2. Dans la fenêtre Choisissez une catégorie, cliquez sur Sons, voix et périphériques audio.
3. Cliquez sur Modifier le modèle de sons. La boîte de dialogue Propriétés de Sons et périphériques audio s'affiche.
4. Cliquez sur la flèche de la zone Modèle de sons et sélectionnez un nouveau modèle dans la liste affichée. Pour obtenir un aperçu des sons du nouveau modèle, sélectionnez un élément de la liste Événements et cliquez sur la flèche orientée vers la droite et située à gauche du bouton Parcourir.

5. Cliquez sur OK.

Propriétés de Sons et périphériques audio

Volume | Sons | Audio | Voix | Matériel

Un modèle de sons est un ensemble de sons appliqués à des événements dans Windows et dans les programmes. Vous pouvez choisir un modèle existant ou sauvegarder celui que vous avez modifié.

Modèle de sons :

Windows par défaut — 4

Enregistrer sous... Supprimer

Pour modifier des sons, cliquez un événement dans la liste suivante, puis choisissez le son que vous voulez appliquer. Vous pouvez sauvegarder les modifications dans un nouveau modèle de sons.

Événements :

Windows
Afficher la bande Barre d'outils
Agrandir
Alerte de niveau de batterie critique
Alerte niveau de batterie faible
Arrêt critique

Sons :

Windows XP Alarme batterie

Parcourir...

OK Annuler Appliquer

Vous pouvez aussi créer votre propre modèle de sons ou modifier un modèle existant en changeant le son associé à tel ou tel événement.

Personnaliser les sons associés aux événements

1. Ouvrez l'onglet Sons de la boîte de dialogue Propriétés de Sons et périphériques audio.
2. Faites défiler la liste Événements et cliquez sur l'événement à modifier.
3. Cliquez sur la flèche de la zone Sons pour sélectionner le son à utiliser (ou cliquez sur Parcourir).
4. Cliquez sur la flèche Émettre un son (à gauche du bouton Parcourir).
5. Cliquez sur OK.

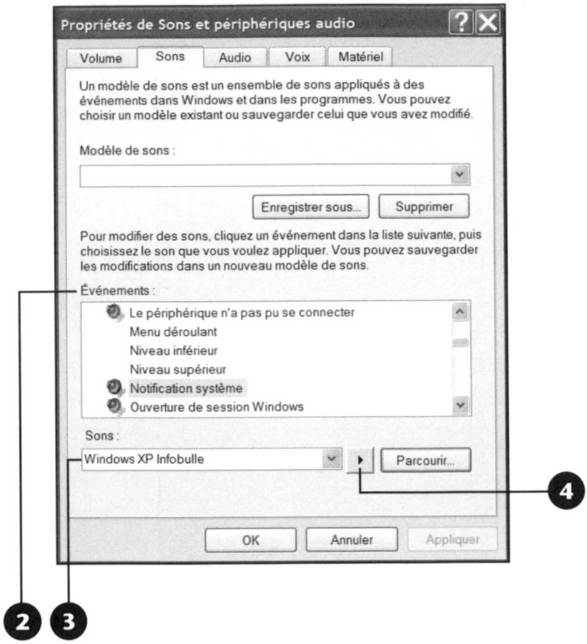

Propriétés de Sons et périphériques audio

Volume | Sons | Audio | Voix | Matériel

Un modèle de sons est un ensemble de sons appliqués à des événements dans Windows et dans les programmes. Vous pouvez choisir un modèle existant ou sauvegarder celui que vous avez modifié.

Modèle de sons :

Enregistrer sous... Supprimer

Pour modifier des sons, cliquez un événement dans la liste suivante, puis choisissez le son que vous voulez appliquer. Vous pouvez sauvegarder les modifications dans un nouveau modèle de sons.

Événements :

Le périphérique n'a pas pu se connecter
Menu déroulant
Niveau inférieur
Niveau supérieur
Notification système
Ouverture de session Windows

Sons :

Windows XP Infobulle

Parcourir...

4

OK Annuler Appliquer

2 3

Gestion des fichiers

10

L'une des principales caractéristiques d'un ordinateur réside dans sa capacité à stocker des données, qu'il s'agisse de documents, de photos ou de fichiers musicaux, et à les retrouver en quelques clics de souris. Aussi est-il crucial de maîtriser l'Explorateur Windows, outil polyvalent de gestion des fichiers. En apprenant à organiser vos fichiers, vous augmentez vos chances de les retrouver aisément, avec l'aide, le cas échéant, de l'Assistant Recherche.

Dossier Mes documents

Windows XP privilégie le stockage de vos fichiers au sein d'un seul emplacement, le dossier Mes documents. Quand vous ouvrez le menu Ouvrir ou Enregistrer d'une application, Windows affiche, par défaut, le contenu de ce dossier. Bien que vous soyez libre d'enregistrer vos fichiers dans un autre dossier, il s'agit là du meilleur emplacement.

Ce dossier contient deux autres dossiers, également destinés à simplifier l'organisation des fichiers :

- Le dossier Mes images stocke les photos, animations, icônes et autres, créées à l'aide de programmes graphiques ou de retouche d'images. Quand vous connectez un appareil photo numérique à l'ordinateur, les photos sont téléchargées dans ce dossier.

- Le dossier Ma musique représente l'emplacement de stockage par défaut des fichiers musicaux ou audio. Quand, par exemple, vous utilisez le Lecteur Windows Media pour copier certaines pistes d'un CD sur votre disque dur, elles sont stockées à cet emplacement.

Autres emplacements de stockage

Outre le dossier Mes documents, Windows XP propose d'autres emplacements de stockage :

- Bureau : il est possible d'enregistrer des fichiers sur le Bureau en vue d'une utilisation temporaire. Vous pouvez également déposer à cet emplacement des raccourcis ou les fichiers utilisés fréquemment afin d'y accéder aisément.
- Poste de travail : utilisez ce dossier comme point de départ pour explorer le contenu d'un lecteur donné.
- Documents partagés : ce dossier, affiché dans le Poste de travail, est conçu pour être aisément accessible par chaque utilisateur de l'ordinateur local. Rendez privé le contenu de votre dossier Mes documents et utilisez cet emplacement pour stocker les fichiers que chacun peut lire ou modifier.
- Favoris réseau : si vous configurez un réseau local LAN (*Local Area Network*), ce dossier apparaît dans la fenêtre Poste de travail. Utilisez-le pour explorer les dossiers partagés par d'autres ordinateurs.

Comment accéder à ces différents dossiers ? Quand vous ouvrez et enregistrez des documents, vous pouvez tirer parti de certains outils de navigation pour accéder rapidement aux emplacements habituels. Par exemple, cliquez sur l'icône Mes documents de la barre Emplacement pour accéder à vos fichiers personnels, quand la boîte de dialogue Ouvrir ou Enregistrer sous est active. Vous pouvez aussi ouvrir le Bureau, accéder à la liste des documents utilisés récemment ou parcourir les dossiers partagés de votre réseau.

Pour ouvrir l'un de ces emplacements de stockage dans l'Explorateur Windows, vous avez le choix entre différentes solutions. À vous de déterminer la mieux adaptée à vos besoins.

- Double-cliquez sur l'icône Poste de travail ou Mes documents du Bureau.
- Ouvrez Mes documents, Poste de travail ou autre dossier courant, en cliquant sur le raccourci correspondant du menu Démarrer (volet droit).
- Depuis l'Explorateur Windows, recherchez les raccourcis des emplacements de stockage habituels dans la zone Autres emplacements du volet des tâches. La liste des raccourcis illustrée ci-après varie selon le dossier en cours d'exploration.
- Depuis l'Explorateur Windows, vous pouvez aussi cliquer sur le bouton Dossiers pour afficher la liste arborescente de tous les lecteurs et dossiers de l'ordinateur. Le dossier Bureau apparaît toujours en premier, suivi du dossier Mes documents. Pour revenir à l'affichage du volet des tâches, cliquez à nouveau sur le bouton Dossiers.

ASTUCE

Mes documents, Poste de travail, Favoris réseau et Corbeille figurent toujours en début de liste, immédiatement après Bureau. Si la liste est trop longue, cliquez sur le signe moins (-) situé à gauche de l'un des dossiers afin de la réduire et de faciliter la navigation.

Explorateur Windows

L'Explorateur Windows comporte de multiples facettes. Quand vous ouvrez la fenêtre Mes documents ou Poste de travail, vous utilisez sans le savoir l'Explorateur Windows. De même, quand vous enregistrez un fichier à partir du Bloc-notes, la boîte de dialogue utilisée n'est rien d'autre qu'une fenêtre en miniature de l'Explorateur Windows.

Ouvrir l'Explorateur Windows

1. Cliquez sur Démarrer, puis sur Tous les programmes.
2. Ouvrez le menu Accessoires.
3. Sélectionnez Explorateur Windows.
4. La fenêtre de l'Explorateur s'ouvre sous forme de deux volets : à gauche, l'arborescence des dossiers et fichiers ; à droite, le contenu du dossier sélectionné.

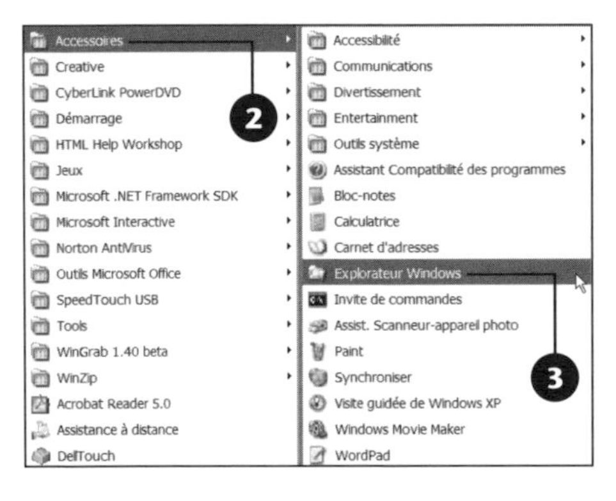

ASTUCE

Pour ouvrir rapidement l'Explorateur Windows, utilisez l'un des deux raccourcis suivants : cliquez avec le bouton droit sur le menu Démarrer et, dans le menu contextuel, sélectionnez Ouvrir ou Explorer ; ou, si vous préférez le clavier, maintenez la touche Windows enfoncée et appuyez sur E (E comme Explorateur, bien sûr !).

Tandis que la barre de menus demeure toujours visible, en revanche, les autres éléments (barre d'outils standard, barre d'adresses et barre d'état, par exemple) peuvent être masqués à l'aide des options du menu Affichage.

ASTUCE

Si les barres d'outils et leur disposition vous conviennent, et que vous ne voulez pas déplacer ou masquer malencontreusement l'une d'entre elles, dans le menu Affichage, sélectionnez Barres d'outils, puis cliquez sur Verrouiller les barres d'outils. Une coche apparaît alors en face de cette option pour indiquer qu'elle est active.

La partie gauche de la fenêtre Explorateur Windows affiche le volet des tâches, composé de liens vers les tâches courantes s'appliquant au dossier sélectionné, ou l'arborescence de tous les lecteurs, dossiers et sous-dossiers de votre système. Vous pouvez passer aisément du volet des tâches à la liste arborescente (et inversement).

Basculer du volet des tâches à la liste Dossiers

1. Dans l'Explorateur Windows, cliquez simplement sur Dossiers.

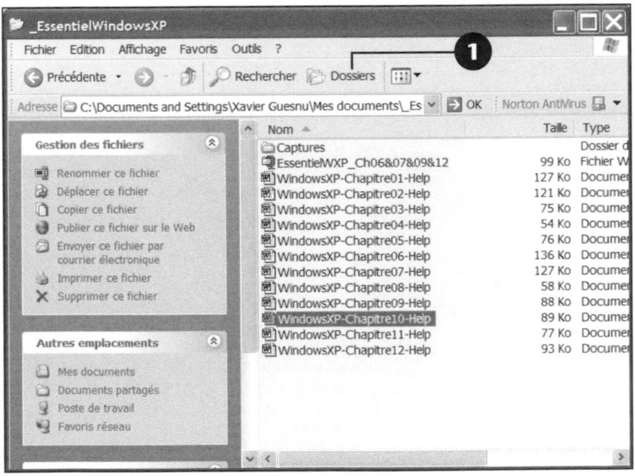

La partie droite affiche le contenu du dossier sélectionné. Pour développer ou réduire l'affichage des sous-dossiers d'un dossier, cliquez respectivement sur le bouton + ou -, situé à gauche du nom de dossier.

Consulter les dossiers

1. Cliquez sur Précédent pour revenir au précédent dossier consulté.

2. Cliquez sur Suivant pour passer au dossier suivant. Ce bouton n'est disponible que si vous avez déjà cliqué sur Précédent.

3. Cliquez sur Dossier parent pour accéder au dossier parent du dossier en cours. S'il n'existe pas de dossier parent, cette action entraîne l'affichage du dossier Bureau.

4. Cliquez sur la flèche (orientée vers le bas) de la barre d'adresses et sélectionnez un dossier ou un lecteur dans la liste déroulante pour afficher le contenu correspondant.

5. Cliquez dans la barre d'adresses, tapez le nom du dossier et appuyez sur ENTRÉE.

6. Cliquez sur l'icône d'un dossier ou d'un lecteur dans la liste des dossiers.

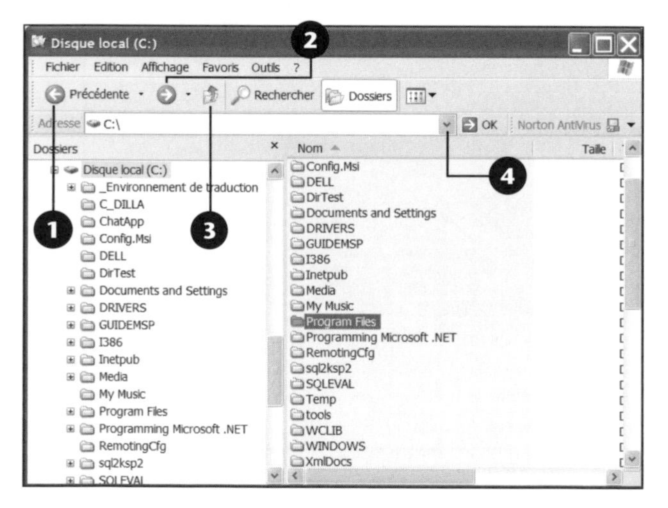

Chaque tâche de gestion nécessite un affichage différent des icônes dans l'Explorateur Windows. Pour trier une longue liste de fichiers, il est souvent utile d'en visualiser certains détails : date de création, espace utilisé et dernière date de modification, par exemple. Dans le cas d'images, en revanche, il est beaucoup plus judicieux de faire apparaître chacune d'elles en miniature. À l'aide des vues de la barre d'outils standard du menu Affichage, vous pouvez définir vos préférences en matière d'affichage. Selon le contenu du dossier, six vues peuvent être proposées.

Vues du menu Affichage

1. Miniatures : ce mode affiche la vue miniature du contenu effectif de certains types de fichiers (images et raccourcis Web, par exemple) ; si l'Explorateur ne peut afficher un aperçu, il le remplace par une grande icône, identique à celles du mode Mosaïques.
2. Mosaïques : ce mode affiche tous les fichiers et dossiers sous forme d'une grande icône et de trois lignes de texte contenant le nom du fichier ou du dossier, ainsi que quelques informations complémentaires. Il s'agit du mode par défaut de la fenêtre Poste de travail.
3. Icônes : ce mode par défaut de la plupart des fenêtres affiche une grande icône de fichier ou de dossier et son nom. Ce mode est très utile quand le nombre de fichiers d'un dossier est relativement faible.
4. Liste : ce mode affiche, dans une liste verticale, les fichiers ou dossiers sous forme de petites icônes ; il permet de visualiser un plus grand nombre de fichiers que le mode Icônes.
5. Détails : ce mode affiche les fichiers et les dossiers sous forme d'une liste (verticale et sous forme de petites icônes) en ajoutant la taille du fichier, son type et la dernière date de modification. Cliquez sur un en-tête de colonne pour trier la liste en conséquence ; cliquez à nouveau pour trier en sens inverse. La sélection de colonnes dans l'affichage Détails varie selon le type de données. Cet affichage peut être personnalisé en cliquant avec le bouton droit sur un en-tête de colonne et en sélectionnant les éléments appropriés dans la liste.

 Pellicule : ce mode n'est disponible, par défaut, que dans le cas de dossiers contenant des photos. Le volet droit propose le contenu du dossier sous forme d'une rangée d'icônes, affichée en bas du volet ; l'image sélectionnée apparaît dans la partie supérieure du volet.

L'Explorateur Windows ne propose l'affichage Pellicule que lorsqu'un dossier comporte des images. Cependant, cette option peut être imposée à tous les dossiers.

Personnaliser l'affichage d'un dossier

1. Cliquez avec le bouton droit sur l'icône du dossier et choisissez Propriétés.

2. Dans la boîte de dialogue Propriétés, cliquez sur l'onglet Personnaliser.

3. Dans la liste Utilisez ce type de dossier comme modèle, sélectionnez Album photo.
4. Activez la case à cocher Appliquer également ce modèle à tous les sous-dossiers.
5. Cliquez sur OK.

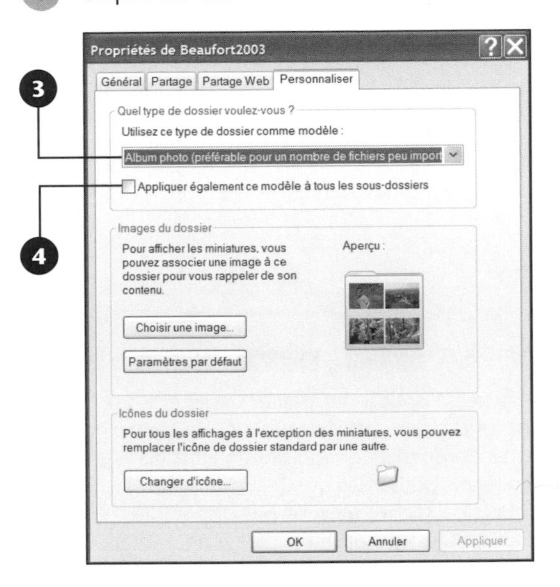

Le fonctionnement de base de l'Explorateur convient à la plupart des tâches. Cependant, la boîte de dialogue Options des dossiers, accessible depuis le menu Outils, propose quelques fonctions supplémentaires, dont certaines permettent de gérer plus aisément les fichiers.

Deux onglets de la boîte de dialogue Options des dossiers contrôlent le comportement des fenêtres de l'Explorateur Windows.

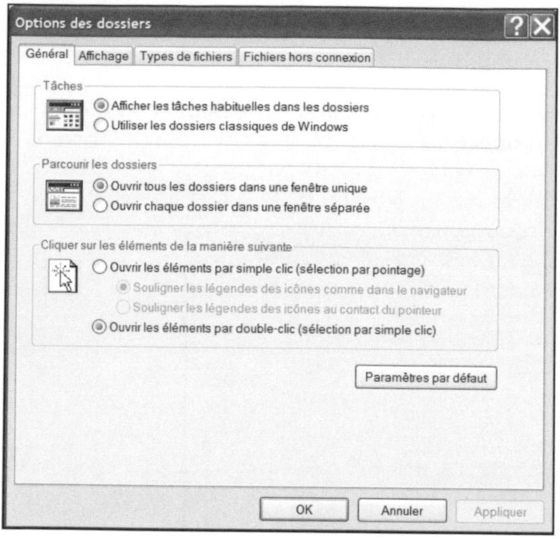

L'onglet Général permet d'effectuer les choix suivants :

- Dans le cadre Tâches, l'option par défaut, Afficher les tâches habituelles dans les dossiers, affiche un volet de tâches dans toutes les fenêtres de dossiers quand la liste Dossiers n'apparaît pas. Si vous choisissez Utiliser les dossiers classiques de Windows, les volets de tâches ne sont pas disponibles et le masquage de la liste Dossiers offre un plus grand espace aux fichiers.

- Dans le cadre Parcourir les dossiers, l'option Ouvrir tous les dossiers dans une fenêtre unique (option par défaut) permet à l'Explorateur Windows de réutiliser la même fenêtre chaque fois que cliquez sur une nouvelle icône de lecteur ou de dossier. L'option Ouvrir chaque dossier dans une fenêtre séparée provoque l'ouverture d'une nouvelle fenêtre quand vous cliquez sur une icône de lecteur ou de dossier. En raison de l'encombrement sur l'écran qu'elle entraîne, cette option est déconseillée.

- Dans le cadre Cliquer sur les éléments de la manière suivante, les options proposées permettent d'indiquer quel doit être le comportement d'un dossier quand vous pointez ou cliquez sur celui-ci (ou sur son icône). L'option par défaut impose que vous double-cliquiez sur l'icône ou le dossier pour l'ouvrir. Si vous choisissez Ouvrir les éléments par simple clic (sélection par pointage), toutes les fenêtres de l'Explorateur se comportent comme des pages Web, chaque élément apparaissant sous forme d'un lien hypertexte qu'il suffit d'activer à l'aide d'un simple clic.

ASTUCE

Lors de l'affichage d'une fenêtre de dossier contenant des icônes de sous-dossiers, vous pouvez ouvrir une nouvelle fenêtre en utilisant des menus contextuels. Cliquez avec le bouton droit sur le dossier et choisissez Explorer. Si la liste Dossiers apparaît, cliquez avec le bouton droit et choisissez Ouvrir.

Dans l'onglet Affichage de la boîte de dialogue Options des dossiers, la liste Paramètres avancés permet de contrôler l'affichage et le comportement des caractéristiques individuelles des fichiers, dossiers et éléments affichés. Si vous modifiez des paramètres avancés et que vous souhaitez rétablir ceux par défaut, cliquez sur Paramètres par défaut. Pour enregistrer vos modifications, cliquez sur OK.

Utilisation des fichiers masqués

Par défaut, Windows XP masque les dossiers et fichiers système. Nombre de programmes, parmi lesquels Microsoft Word et Microsoft Excel, masquent également les fichiers temporaires. Dans certains cas, il se peut que vous vouliez afficher tous les fichiers d'un dossier, y compris les fichiers masqués. Cette option peut se révéler utile si, par exemple, vous envisagez de déplacer tous les fichiers d'un dossier vers un autre.

Afficher les fichiers masqués

1. Cliquez sur l'onglet Affichage de la boîte de dialogue Options des dossiers.
2. Dans la liste Paramètres avancés, sélectionnez Afficher les fichiers et dossiers cachés.

3. Cliquez sur OK.

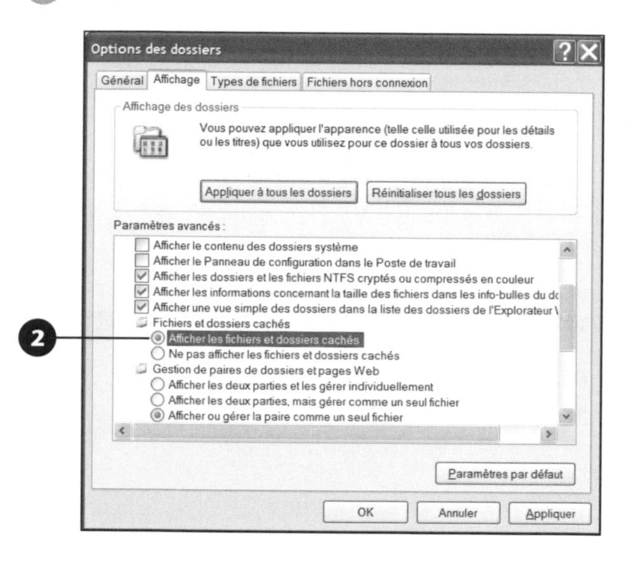

Afficher les fichiers système

1. Cliquez sur l'onglet Affichage de la boîte de dialogue Options des dossiers.
2. Désactivez la case à cocher Masquer les fichiers protégés du système d'exploitation.
3. Cliquez sur Oui pour poursuivre ou sur Non pour annuler.

ASTUCE

Si, pour une raison quelconque, vous devez afficher les fichiers système et cachés, ne les laissez visibles que le temps strictement nécessaire. Une fois votre tâche achevée, masquez à nouveau ces fichiers, sans quoi vous courez le risque d'endommager ou de supprimer par erreur un fichier système.

Organisation des dossiers et des fichiers

Comment organiser de façon cohérente la multitude de fichiers stockés dans le dossier Mes documents ? Il est conseillé d'utiliser des noms de fichiers courts et explicites. Appuyez-vous sur un système de dénomination permettant de deviner aisément le contenu d'un fichier et regroupez les fichiers similaires dans un même dossier.

Pour gérer les fichiers, vous ferez appel à diverses commandes : vous pouvez renommer un fichier, le déplacer vers un autre dossier ou le copier, par exemple. Cependant, avant d'entreprendre la moindre action, il importe de savoir sélectionner plusieurs fichiers. Bien sûr, il est toujours possible de renommer ou de déplacer des fichiers l'un après l'autre, mais vous gagnerez en efficacité si vous travaillez simultanément sur plusieurs fichiers.

Sélectionner des fichiers contigus

1. Cliquez sur le premier fichier.
2. Maintenez la touche MAJ enfoncée.
3. Cliquez sur le dernier fichier de votre choix.

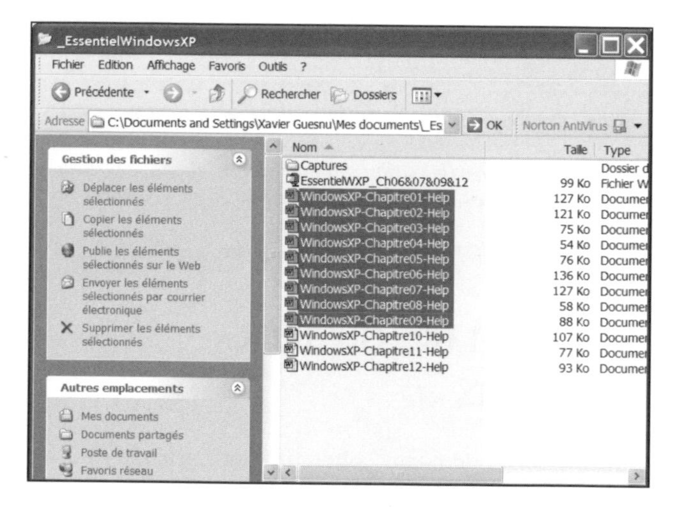

Tous les fichiers sélectionnés apparaissent en surbrillance.

ASTUCE

Si vous préférez utiliser le clavier, sélectionnez le premier fichier en tapant sur la barre d'espace, maintenez la touche MAJ enfoncée et étendez la sélection à d'autres fichiers à l'aide des touches de direction.

Sélectionner des fichiers non contigus

1. Cliquez sur le premier fichier.
2. Maintenez la touche CTRL enfoncée.
3. Cliquez sur chaque fichier à sélectionner.

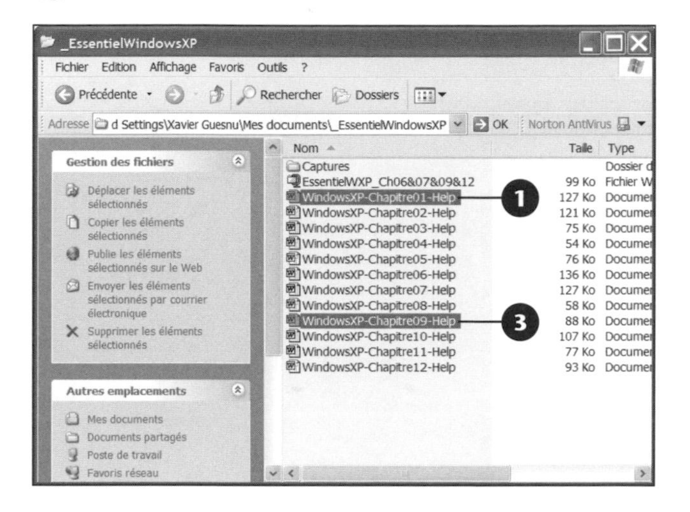

ASTUCE

Si vous préférez utiliser le clavier, maintenez la touche CTRL enfoncée et déplacez-vous de fichier en fichier à l'aide des touches de direction. Tapez sur la barre d'espace pour sélectionner chaque fichier.

Comme nous l'avons déjà évoqué, le dossier Mes documents comporte initialement deux sous-dossiers, l'un réservé aux images, l'autre aux fichiers musicaux. Néanmoins, au fil du temps, vous serez conduit à créer vos propres sous-dossiers.

Ajouter un dossier

1. Dans le volet des tâches, cliquez sur Créer un nouveau dossier.
2. Renommez le fichier.

Un fichier peut être copié, déplacé ou renommé à tout instant. Il existe différentes solutions pour copier des fichiers dans l'Explorateur Windows. La procédure la plus simple consiste à les copier en les faisant glisser d'un dossier vers sur un autre.

Copier des fichiers

1. Ouvrez l'Explorateur Windows et accédez au dossier contenant les fichiers à copier ou à déplacer.

2. Sélectionnez les fichiers.
3. Maintenez le bouton droit de la souris enfoncé et faites glisser les fichiers vers le nouvel emplacement.

4 Quand les fichiers sélectionnés se retrouvent directement sur le dossier de destination, relâchez le bouton de la souris. Un menu contextuel s'affiche, qui permet de déplacer et de copier les fichiers sélectionnés ou de créer des raccourcis.

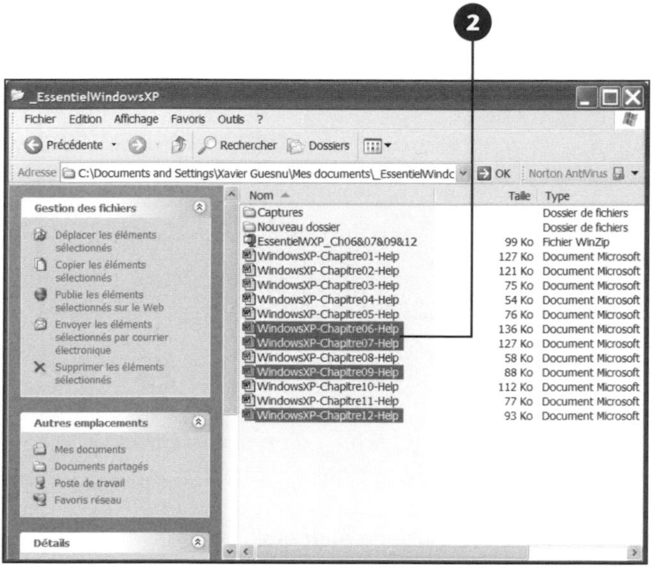

Vous pouvez également copier des fichiers à l'aide du Presse-papiers Windows.

Copier à l'aide du Presse-papiers

1 Sélectionnez d'abord les fichiers ou dossiers dans leur emplacement d'origine.

2 Cliquez ensuite sur le bouton droit de la souris et, dans le menu contextuel, choisissez Copier.

3 Pointez vers le dossier de destination.

4 Cliquez avec le bouton droit et choisissez Coller.

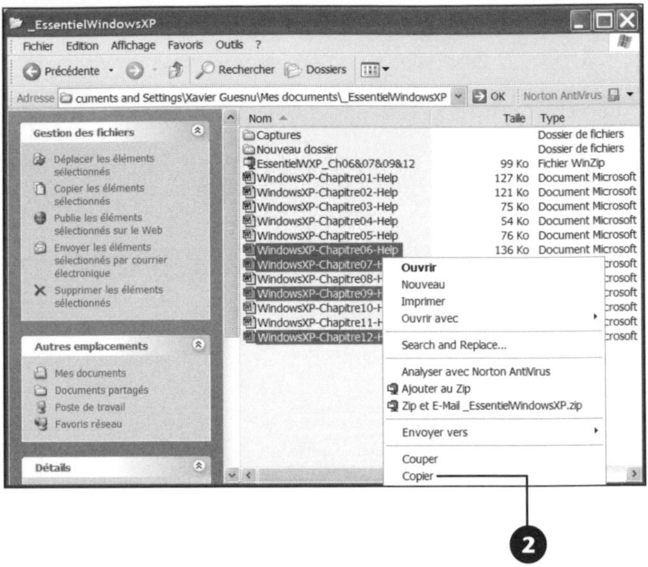

Vous pouvez aussi copier des fichiers d'un emplacement vers un autre à l'aide d'une boîte de dialogue.

Copier à l'aide d'une boîte de dialogue

1. Sélectionnez les fichiers.
2. Dans la liste des tâches, choisissez Copier les éléments sélectionnés.
3. Dans la boîte de dialogue Copier les éléments, accédez au dossier de destination (cliquez, si nécessaire, sur les boutons + pour afficher les sous-dossiers).
4. Sélectionnez le dossier et cliquez sur Copier.

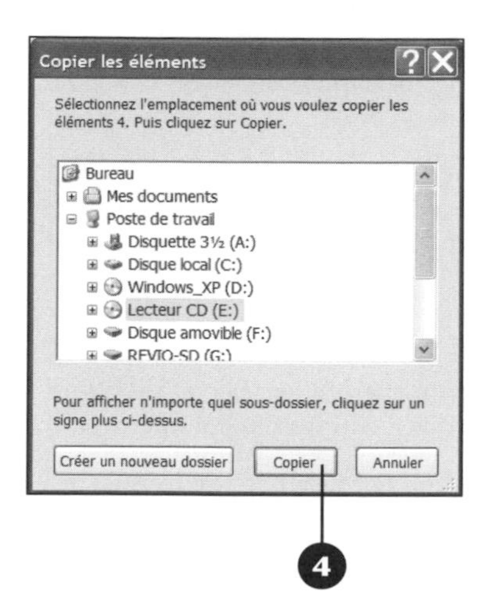

Ces procédures peuvent aussi être utilisées pour déplacer des fichiers. Dans ce cas, utilisez la commande Couper au lieu de la commande Copier ; dans la liste des tâches, choisissez la commande Déplacer les éléments sélectionnés.

Renommer un fichier

1. Cliquez sur le fichier pour le sélectionner.
2. Cliquez dans la zone correspondant à son nom.
3. Le nom du fichier apparaît entre crochets. Tapez le nouveau nom.
4. Appuyez sur ENTRÉE.

Renommer plusieurs fichiers

Dans les précédentes versions de Windows, quand vous désiriez renommer plusieurs fichiers, vous deviez entrer les commandes correspondantes à l'invite MS-DOS. Heureusement, Windows XP propose une nouvelle fonctionnalité qui permet d'effectuer cette action à partir de l'Explorateur Windows. Imaginons, par exemple, que vous venez de déplacer un groupe de photos vers un nouveau dossier. Comme aucune logique particulière ne relie les différents noms de fichiers, vous souhaitez les renommer de façon cohérente. La procédure est la suivante :

Ouvrez l'Explorateur, déplacez-vous jusqu'au dossier et triez les fichiers en fonction de l'ordre dans lequel ils doivent être renommés.

Appuyez sur CTRL+A pour sélectionner tous les fichiers du dossier.

3. Cliquez avec le bouton droit sur le premier fichier de la liste et, dans le menu contextuel, sélectionnez Renommer.

4. Entrez le nom à utiliser comme nom de base de tous les fichiers de la liste. Par exemple, tapez Image.

5. Appuyez sur ENTRÉE. Windows renomme tous les fichiers avec le nom précédemment entré et en ajoutant un numéro d'ordre entre parenthèses aux fichiers suivants.

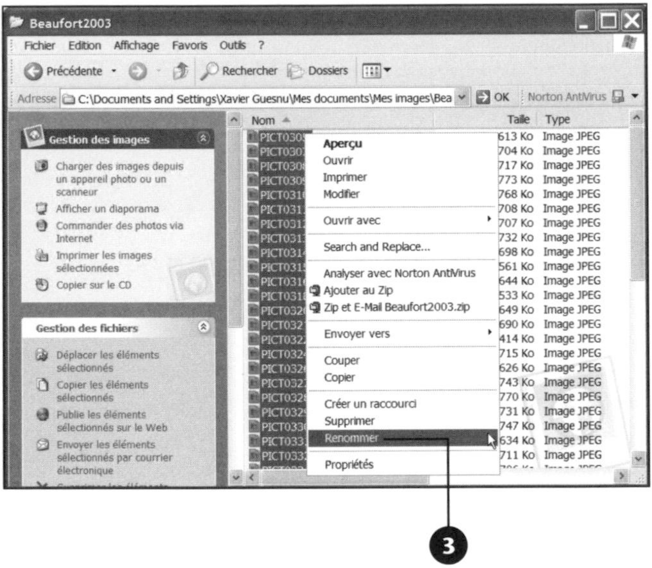

Recherche de fichiers

Au fil du temps, il est probable que vous créerez des centaines, voire des milliers de fichiers. Que vous ayez adopté un système d'appellation rigoureux ou non, que vous ayez organisé vos fichiers avec soin ou non, tôt ou tard, vous perdrez la trace d'un fichier. Face à une telle situation, la meilleure solution consiste à utiliser une nouvelle fonctionnalité de Windows XP, l'Assistant Recherche. Celui-ci propose un personnage animé pour vous aider à définir les critères de recherche et à rechercher le fichier.

Afficher l'Assistant Recherche

1. Ouvrez le menu Démarrer.
2. Cliquez sur Rechercher.

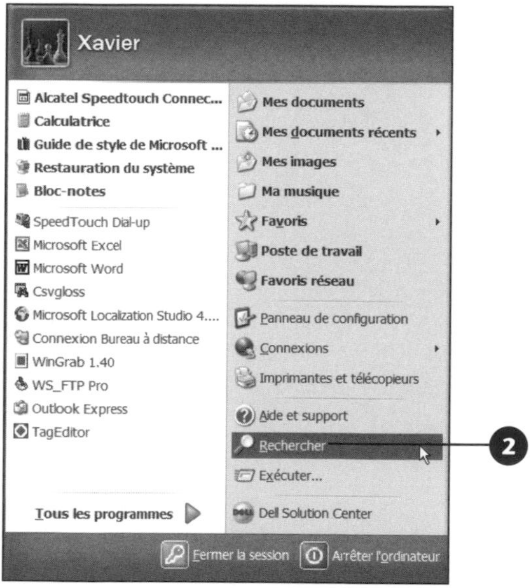

ASTUCE

Vous pouvez aussi, dans l'Explorateur, cliquez sur le bouton Rechercher de la barre d'outils standard. Il est également possible de démarrer une recherche en appuyant sur F3 *ou sur* CTRL+F.

Rechercher un fichier

1. Ouvrez l'Explorateur Windows.
2. Cliquez sur Rechercher.
3. L'Assistant Recherche s'affiche dans le volet gauche.
4. Cliquez sur Tous les fichiers et tous les dossiers.

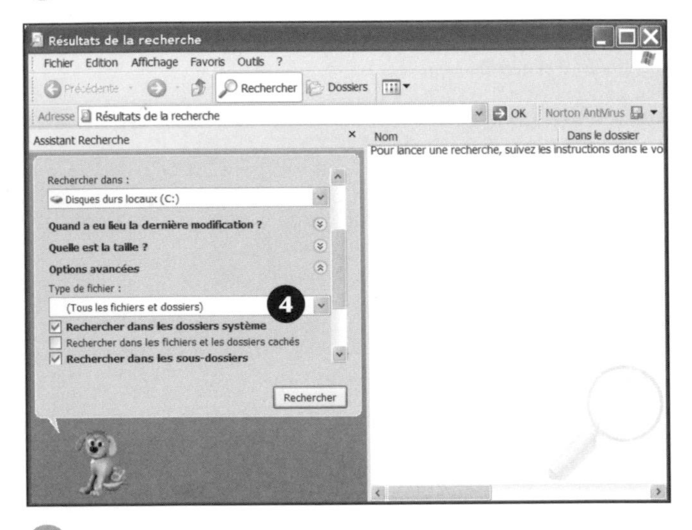

5. Le contenu du volet Assistant Recherche est modifié en conséquence et propose des champs dans lesquels vous pouvez définir un critère de recherche.
6. Entrez une partie ou le nom complet du fichier, si vous le connaissez.

   – ou –

7 Tapez un mot ou une phrase figurant dans le fichier.

– ou –

8 Sélectionnez le dossier dans lequel, selon vous, se trouve le fichier. Si vous connaissez la taille du fichier ou la date à laquelle il a été modifié pour la dernière fois, utilisez ces informations comme critères de recherche.

9 Cliquez sur Rechercher pour lancer la recherche.

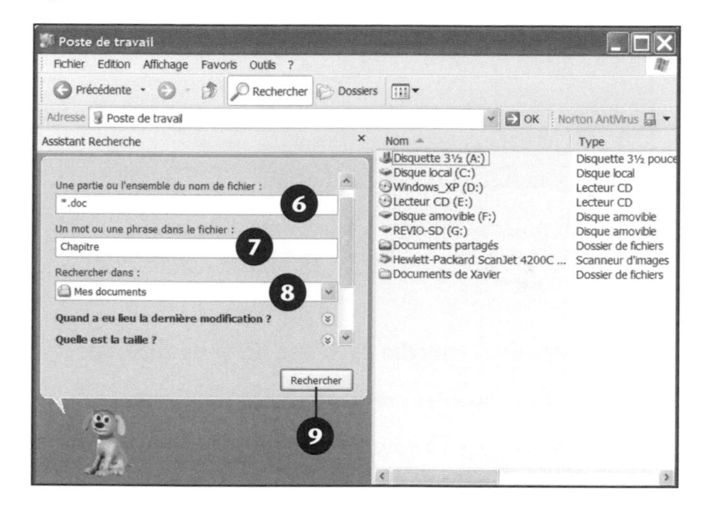

Une fois la recherche terminée, l'Assistant affiche les fichiers trouvés dans le volet droit ou vous informe qu'aucun fichier ne correspond aux critères fournis.

Si le personnage animé de Patachon ne vous plaît pas, il est possible d'en changer.

Modifier le personnage animé

1 Cliquez sur Modifier les préférences.

2 Cliquez sur Avec un autre personnage.

3. Choisissez votre personnage préféré parmi ceux proposés.

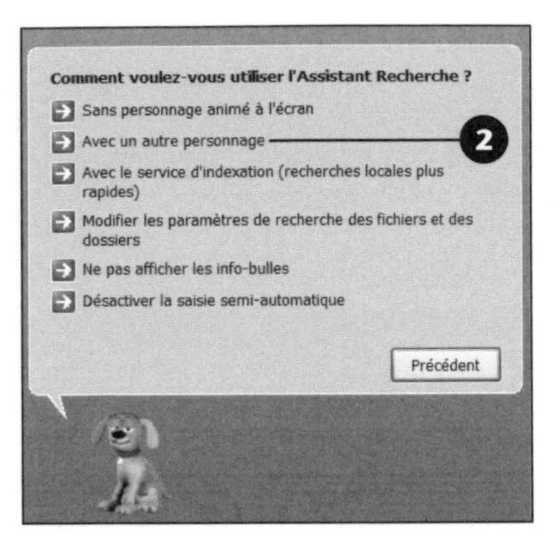

Il est également possible de saisir chaque critère de recherche dans une seule boîte de dialogue au lieu de parcourir les différentes étapes de l'Assistant.

Saisir les critères de recherche dans une boîte de dialogue

1. Cliquez sur Modifier les préférences.
2. Sous Comment voulez-vous utiliser l'Assistant Recherche ?, sélectionnez Sans personnage animé à l'écran. Le personnage animé prend alors la clé des champs.
3. Cliquez à nouveau sur Modifier les préférences.
4. Cliquez sur Modifier les paramètres de recherche des fichiers et des dossiers.
5. Sélectionnez Recherche avancée.
6. Cliquez sur OK.

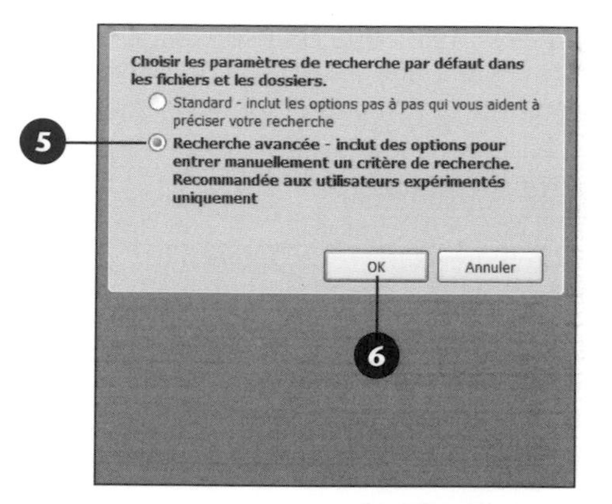
Choisir les paramètres de recherche par défaut dans les fichiers et les dossiers.
Standard - inclut les options pas à pas qui vous aident à préciser votre recherche
Recherche avancée - inclut des options pour entrer manuellement un critère de recherche. Recommandée aux utilisateurs expérimentés uniquement
OK
Annuler
5
6

Suppression de fichiers

Pour supprimer un ou plusieurs fichiers ou dossiers dans l'Explorateur Windows, sélectionnez-les puis appuyez sur la touche SUPPR. Vous pouvez aussi cliquer avec le bouton droit de la souris et, dans le menu contextuel, sélectionner Supprimer (autres solutions : dans le menu Fichier, choisissez Supprimer, ou cliquez sur Supprimer dans la barre d'outils standard). Windows XP affiche alors un message vous demandant si vous souhaitez que les fichiers soient placés dans la Corbeille. Cliquez sur Oui pour déplacer le fichier vers la Corbeille ou sur Non pour annuler l'opération de suppression.

ASTUCE

Pour que le fichier ou le dossier soit immédiatement supprimé, sans passer par la Corbeille, sélectionnez le fichier ou le dossier et maintenez la touche MAJ enfoncée tout en cliquant sur le bouton droit de la souris. Dans le menu contextuel, sélectionnez Supprimer et cliquez sur Oui quand vous êtes invité à supprimer le fichier de façon définitive.

En principe, Windows affiche une boîte de dialogue de confirmation chaque fois que vous supprimez un fichier. Si vous êtes las de cette option, il est possible de la désactiver.

Désactiver le message de confirmation

1. Cliquez avec le bouton droit sur l'icône Corbeille et choisissez Propriétés.
2. Dans la boîte de dialogue Propriétés de Corbeille, désactivez l'option Afficher la demande de confirmation de suppression.
3. Cliquez sur OK.

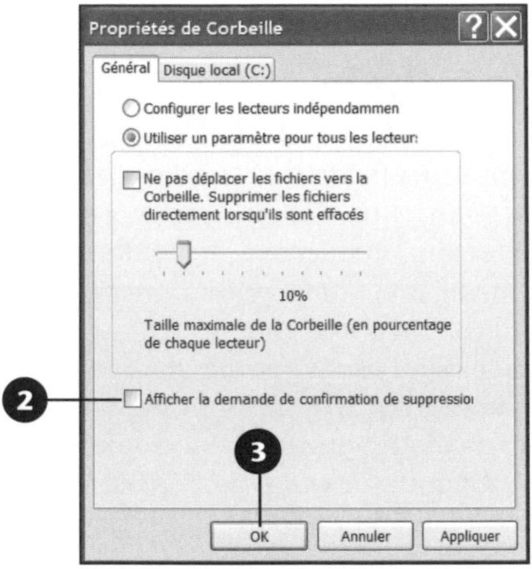

Si vous avez malencontreusement supprimé un fichier, la Corbeille vous sera d'un grand secours.

Restaurer un fichier supprimé

1. Double-cliquez sur la Corbeille.
2. Parcourez la liste des fichiers supprimés.
3. Sélectionnez le fichier à récupérer.

4. Dans le volet des tâches, cliquez sur Restaurer cet élément.
5. L'élément sélectionné retourne à son emplacement d'origine, en conservant son nom et autres propriétés.

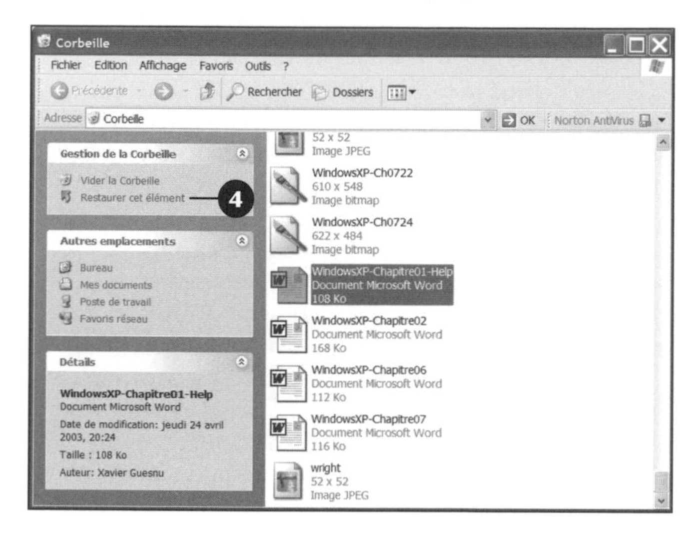

Compression de dossiers et de fichiers

Les fichiers volumineux posent des problèmes de stockage. Si vous possédez une importante collection de photos numériques haute résolution, de fichiers musicaux ou de clips vidéo, vous n'ignorez pas qu'ils occupent un espace de stockage considérable. De fait, si vous n'y prenez garde, ces éléments risquent très vite de ne laisser aucun espace disponible. En outre, il est généralement impossible de les copier sur une simple disquette ou de les attacher en pièces jointes à cause de leur volume. En effet, la plupart des fournisseurs de services Internet fixent des limites à la taille des pièces jointes. Les photos numériques adressées en pièces jointes risquent fort de saturer la boîte de réception du destinataire et d'empêcher celui-ci de recevoir d'autres messages. Si ce dernier utilise, en outre, une connexion d'accès à distance classique, il y a fort à parier qu'il n'appréciera guère que le téléchargement des photos nécessite une heure, si ce n'est deux !

Windows XP contient deux fonctions intégrées qui permettent de *compresser* des fichiers, des groupes de fichiers ou des dossiers entiers afin de réduire l'espace disque occupé. Sur un disque formaté avec le système de fichiers NTFS, utilisez la compression NTFS pour gérer plus efficacement l'utilisation de l'espace du disque dur. Vous pouvez également recourir à la fonction Dossiers compressés pour stocker les fichiers au désormais célèbre format Zip.

Sur un disque NTFS, vous pouvez préciser si vous voulez compresser un seul fichier, un groupe de fichiers ou un dossier complet. Quand vous utilisez cette option, Windows se charge de la compression à l'enregistrement des fichiers et de la décompression à leur ouverture. En termes d'utilisation, il n'existe aucune différence entre un fichier compressé et un fichier enregistré normalement. La compression NTFS fonctionne d'autant mieux que le dossier se compose de fichiers volumineux et facilement compressibles, comme les photos numériques haute résolution.

Activer la compression NTFS

1. Ouvrez l'Explorateur Windows et sélectionnez un fichier, un groupe de fichiers ou un dossier.
2. Cliquez avec le bouton droit et, dans le menu contextuel, sélectionnez Propriétés.
3. Sur l'onglet Général de la boîte de dialogue Propriétés, cliquez sur Avancé.

Activez la case à cocher Compresser le contenu pour minimiser l'espace disque nécessaire et cliquez sur OK.

5 Cliquez sur OK pour fermer la boîte de dialogue Propriétés.

6 Si vous avez choisi de compresser un dossier complet, la boîte de dialogue Confirmation des modifications d'attributs s'affiche. Choisissez l'option par défaut, Appliquer les modifications à ce dossier et à tous les sous-dossiers et fichiers, puis cliquez sur OK.

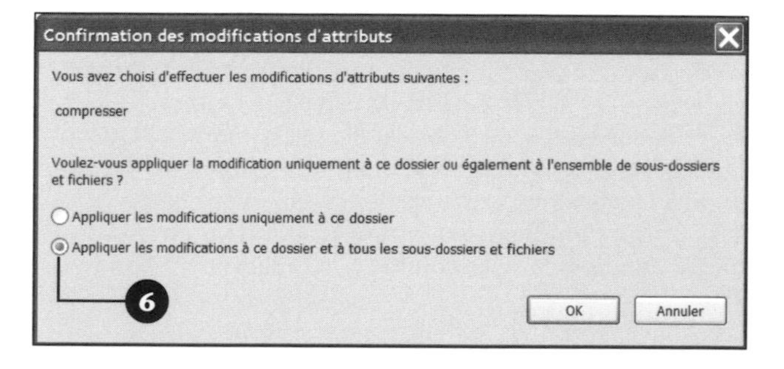

ASTUCE

L'Explorateur Windows permet de repérer immédiatement les fichiers et dossiers compressés, car leur nom apparaît en bleu.

Pour supprimer la compression de fichiers, répétez les étapes précédentes, mais, cette fois, désactivez l'option Compresser le contenu pour minimiser l'espace disque nécessaire.

Pour réduire un ou plusieurs fichiers afin de les copier sur une disquette ou de les envoyer en pièce jointe, utilisez le format Zip standard. Depuis plusieurs années, des logiciels tiers comme PKZip et WinZip permettent de compresser des fichiers en *archives Zip*. Windows XP intègre directement cette fonctionnalité dans l'Explorateur Windows. Tout comme les autres programmes de type Zip, Windows accepte un ou plusieurs fichiers, les compresse et les stocke dans une archive d'extension .zip.

Comprimer au format Zip

1. Ouvrez l'Explorateur Windows et sélectionnez les fichiers à compresser.
2. Cliquez avec le bouton droit et, dans le menu contextuel, choisissez Envoyer vers, puis sélectionnez Dossier compressé.
3. Une boîte de dialogue s'affiche tandis que Windows compresse les fichiers et crée le Dossier compressé. Celui-ci apparaît dans le dossier en cours, avec une icône pourvue d'une fermeture éclair (*zip*). Les fichiers d'origine demeurent inchangés.

Vous pouvez renommer le dossier compressé, l'envoyer à une autre personne en tant que pièce jointe ou le déplacer. Pour y ajouter des fichiers, faites-les glisser à partir de la fenêtre Explorateur Windows et déposez-les sur l'icône du dossier compressé. Quand vous double-cliquez sur l'icône, le contenu du dossier compressé s'affiche dans une fenêtre classique. Cependant, vous devez extraire les fichiers compressés et les enregistrer dans un dossier pour effectuer d'autres tâches, comme la modification d'un document.

Extraire les fichiers compressés

1. Dans le volet des tâches, cliquez sur Extraire tous les fichiers.
2. L'Assistant Extraction de dossiers compressés s'affiche. Il permet de définir l'emplacement où les fichiers décompressés doivent apparaître.
3. Les éléments extraits s'affichent dans le même emplacement que le Dossier compressé lui-même, au sein d'un dossier du même nom.

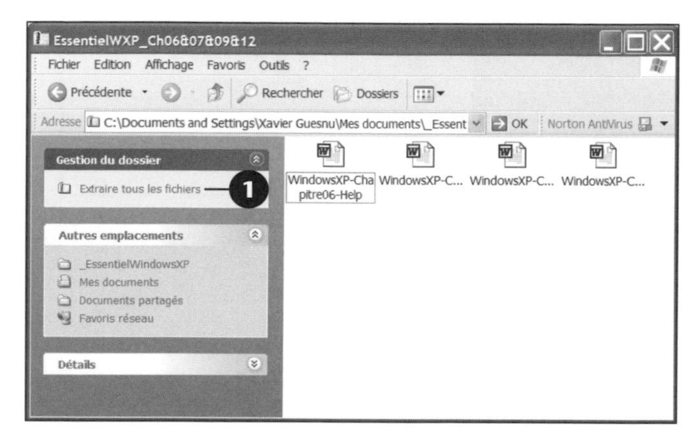

Les dossiers compressés peuvent bénéficier d'une protection supplémentaire grâce à l'ajout d'un mot de passe.

Protéger un dossier compressé

1. Double-cliquez sur le dossier compressé.
2. Sélectionnez l'un des fichiers.
3. Dans le menu Fichier, choisissez Ajouter un mot de passe. Celui-ci s'applique à tous les fichiers du dossier compressé.

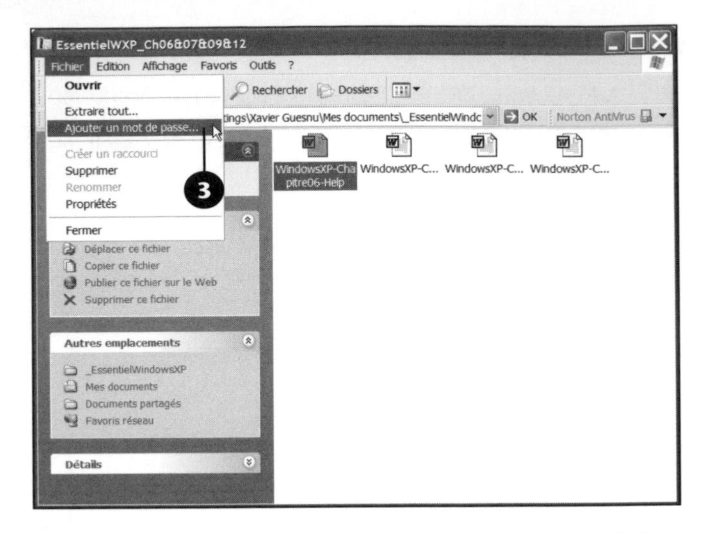

Quand vous souhaiterez ouvrir un fichier, vous devrez saisir le mot de passe avant de pouvoir l'afficher.

Lecteur Windows Media

11

Grâce au Lecteur Windows Media, fourni gratuitement avec Windows XP, votre ordinateur peut se transformer instantanément en véritable juke-box numérique. Les CD audio peuvent être lus directement sur l'ordinateur, pour peu que celui-ci soit équipé d'une carte son et d'enceintes. Vos chansons favorites peuvent être copiées sur le disque dur à partir d'un CD ou téléchargées depuis le Web. Vous pouvez assortir différents morceaux musicaux, créer des listes personnalisées ou graver vos airs préférés sur un CD.

Présentation

Le Lecteur Windows Media est extrêmement simple d'utilisation. Parmi ses nombreuses fonctionnalités, les plus séduisantes concernent sans doute ses possibilités musicales, qui feront de vous un disc-jokey hors pair.

Ouvrir le Lecteur Windows Media

1. Cliquez sur Démarrez.
2. Pointez sur Tous les programmes, sélectionnez Accessoires, puis Divertissement.
3. Cliquez sur Lecteur Windows Media.

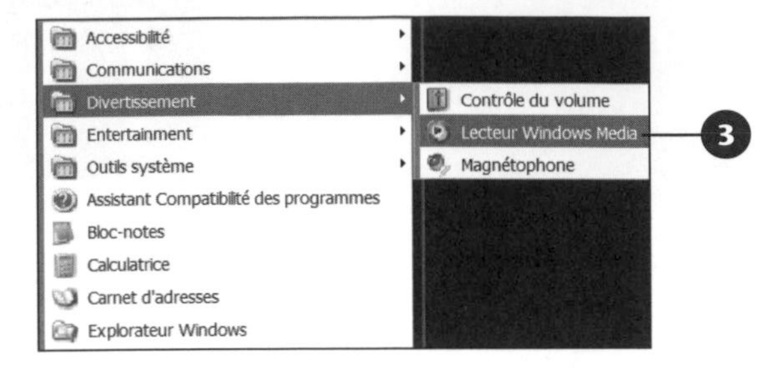

Pour basculer d'une fonction à l'autre du Lecteur Windows Media, utilisez les boutons de la barre des tâches située à gauche de la fenêtre. Chaque bouton possède un rôle spécifique.

1. Lecture en cours : quand vous cliquez sur ce bouton, le volet central affiche le contenu de ce que vous êtes en train de regarder (un DVD, par exemple) ou d'écouter. Dans le cas d'un CD audio, le volet contient des informations sur l'album, comme son titre, le nom de l'artiste, etc.
2. Guide multimédia : ce lien transforme la fenêtre principale du Lecteur en page Web affichant le contenu de WindowsMedia.com (Microsoft). Vous y trouverez notamment des fichiers (vidéos et musiques) à télécharger, des liens vers des présentations de films et bien d'autres informations régulièrement mises à jour.
3. Copier à partir d'un CD : ce bouton permet de transférer les pistes d'un CD sur votre ordinateur, sous forme de fichiers musicaux numériques.
4. Bibliothèque multimédia : tous vos fichiers musicaux, qu'ils aient été téléchargés ou copiés à partir de CD, sont soigneusement rangés dans cette bibliothèque, en compagnie des éventuelles listes personnalisées que vous aurez créées.
5. Tuner radio : aucune antenne n'est nécessaire ! Cliquez simplement sur les liens proposés pour rechercher les stations de radio émettant sur Internet. Les stations proposées ont été sélectionnées par WindowsMedia.com. Dans le cadre Rechercher d'autres stations, utilisez la zone de

texte pour rechercher une radio particulière. Une fois la station sélectionnée, cliquez sur le lien Lecture pour l'écouter. Si elle vous satisfait, cliquez sur le lien Ajouter à Mes stations. La station figurera désormais dans la catégorie Mes stations, au-dessous de Stations par défaut.

6 Copier sur CD : cliquez sur ce bouton pour transférer les pistes d'un CD sur le disque dur ou copier sur un CD ou un baladeur les chansons déjà enregistrées.

7 Sélecteur d'apparence : vous pouvez librement modifier l'aspect du Lecteur Windows Media, s'il ne vous convient pas. Cliquez sur le bouton Sélecteur d'apparence, puis, dans la liste proposée, effectuez votre choix. Il est également possible de télécharger d'autres apparences sur Internet. Une fois l'apparence sélectionnée, son aperçu s'affiche à droite de la liste. Si vous êtes séduit, cliquez sur Appliquer l'apparence. Pour basculer du mode complet au mode apparence, utilisez les options correspondantes du menu Affichage ou les raccourcis clavier (CTRL+1 pour le mode complet et CTRL+2 pour le mode apparence).

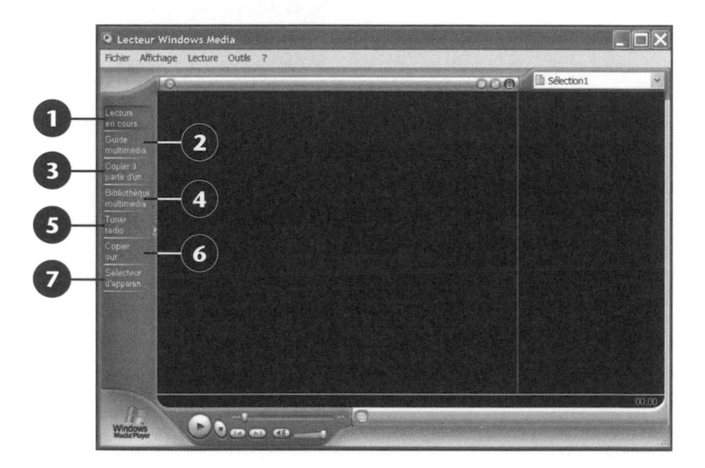

Pendant l'écoute d'un fichier audio, il est possible d'afficher des visualisations, tâches de couleur et formes géométriques modifiées au rythme de la lecture.

Afficher une visualisation

1. Cliquez sur Lecture en cours.
2. Dans le menu Affichage, choisissez Visualisations.
3. Sélectionnez la visualisation de votre choix dans la liste proposée.
4. Pour obtenir de nouvelles visualisations, dans le menu Outils, sélectionnez Télécharger des visualisations.

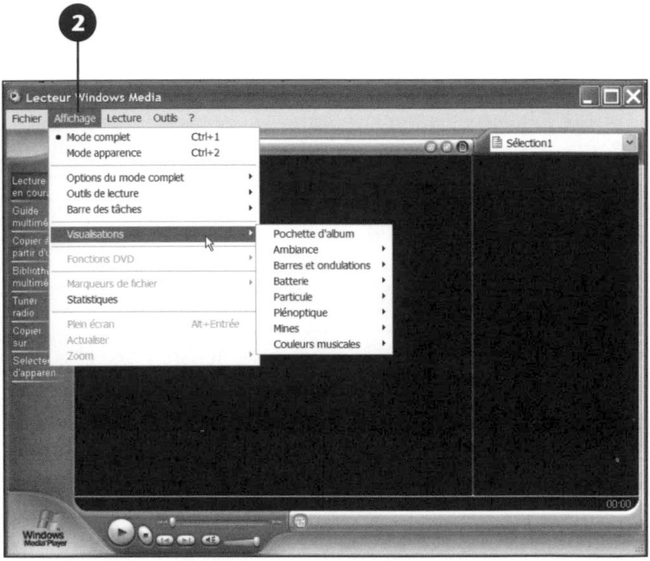

Lecture de CD musicaux

Quand vous insérez un CD musical dans le lecteur de CD de l'ordinateur, le Lecteur Windows Media doit s'ouvrir et lire aussitôt le CD. Si la lecture ne démarre pas, ajustez les paramètres de l'exécution automatique de façon à ce que

Windows reconnaisse automatiquement le CD et démarre le Lecteur Windows Media.

Paramétrer l'exécution automatique

1. S'il s'agit de la première lecture d'un CD de ce type, Windows affiche la boîte de dialogue Audio CD.
2. Sélectionnez Lire un CD audio utilise Lecteur Windows Media.
3. Activez la case à cocher Toujours effectuer l'action suivante.
4. Cliquez sur OK.

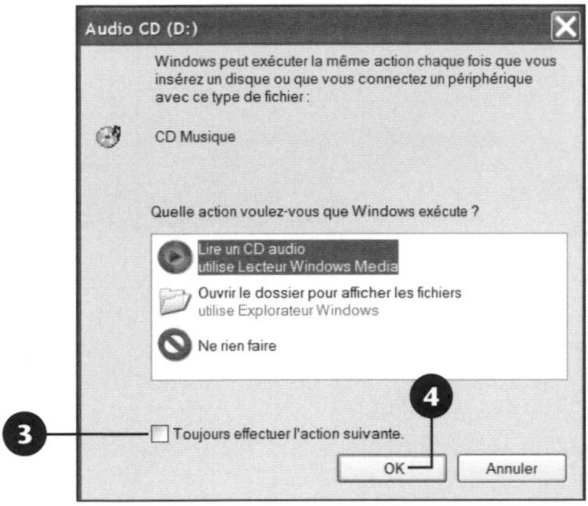

Si la boîte de dialogue ne s'affiche pas automatiquement, utilisez la procédure suivante :

1. Ouvrez le Poste de travail, cliquez avec le bouton droit sur l'icône du lecteur de CD et choisissez Propriétés.
2. Sur l'onglet Exécution automatique, choisissez CD Musique dans la liste déroulante en haut de la boîte de dialogue.
3. Dans le cadre Actions, cliquez sur Sélectionner une action à exécuter et choisissez Lire un CD audio utilise Lecteur Windows Media.

4 Cliquez sur OK pour enregistrer les modifications.

Propriétés de Audio CD (D:)
Général | Exécution automatique | Matériel | Partage
Sélectionnez un type de contenu, puis choisissez l'action à exécuter automatiquement lorsque ce type est utilisé par ce périphérique :
CD Musique 2
Actions
Sélectionner une action à exécuter :
3 Lire un CD audio
utilise Lecteur Windows Media
Ouvrir le dossier pour afficher les fichiers
utilise Explorateur Windows
Me demander à chaque fois de choisir une action
Paramètres par défaut
OK | Annuler | Appliquer

Quand le Lecteur Windows Media commence à lire le CD, une fenêtre s'affiche. Si vous êtes connecté à Internet, le Lecteur Windows Media télécharge automatiquement le titre de l'album, ainsi que les intitulés de toutes les pistes du CD, et les affiche à l'écran. À la prochaine lecture du CD, le Lecteur recherchera les informations enregistrées et les affichera, que vous soyez connecté à Internet ou non.

Les contrôles permettent de démarrer, d'arrêter et d'interrompre la lecture du CD, d'en régler le volume et de passer d'une piste à une autre.

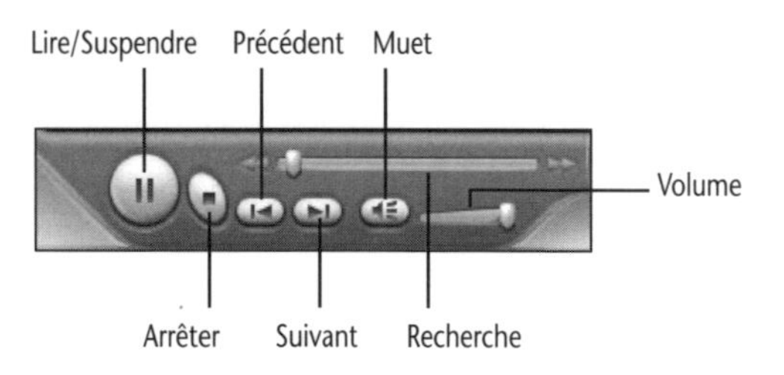

Si vous devez suspendre la lecture, appuyez sur le bouton Lire. Celui-ci se transforme alors en bouton Suspendre. Quand vous êtes prêt à reprendre l'écoute, cliquez sur ce bouton pour que la lecture redémarre à l'endroit même où elle fut interrompue. Pour baisser le volume, faites glisser le curseur correspondant vers la gauche. Vous pouvez aussi cliquer sur le bouton Muet pour couper provisoirement le son, tandis que la lecture se poursuit. Pour rétablir le son, cliquez de nouveau sur Muet.

Si une chanson ne vous plaît pas, vous pouvez la sauter en cliquant sur Suivant. Vous pouvez aussi faire glisser le curseur Recherche pour accéder directement à un endroit précis de la chanson en cours.

Le Lecteur Windows Media lit les pistes du CD dans l'ordre, à moins que vous ne préfériez une lecture aléatoire ou en boucle.

Activer la lecture aléatoire

1. Sélectionnez le menu Lecture.
2. Cliquez sur Lecture aléatoire.

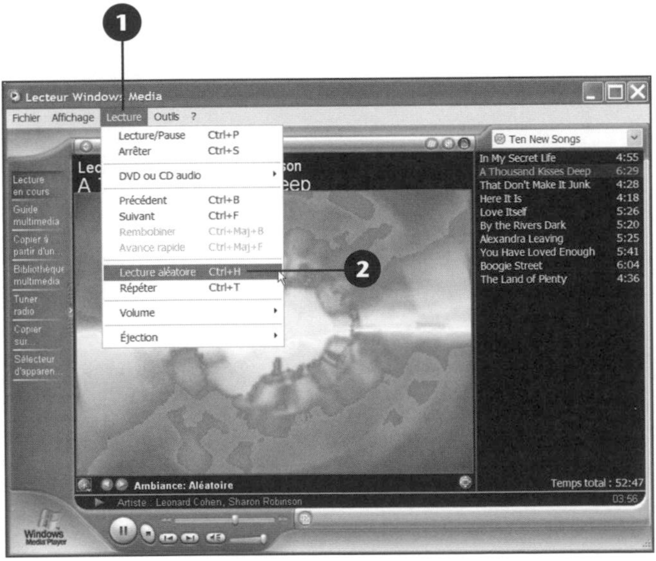

ASTUCE

Pour activer la lecture aléatoire, vous pouvez aussi cliquer sur le bouton Activer la lecture aléatoire ou appuyer sur CTRL+H.

Activer la lecture en boucle

 Sélectionnez le menu Lecture.

2 Cliquez sur Répéter.

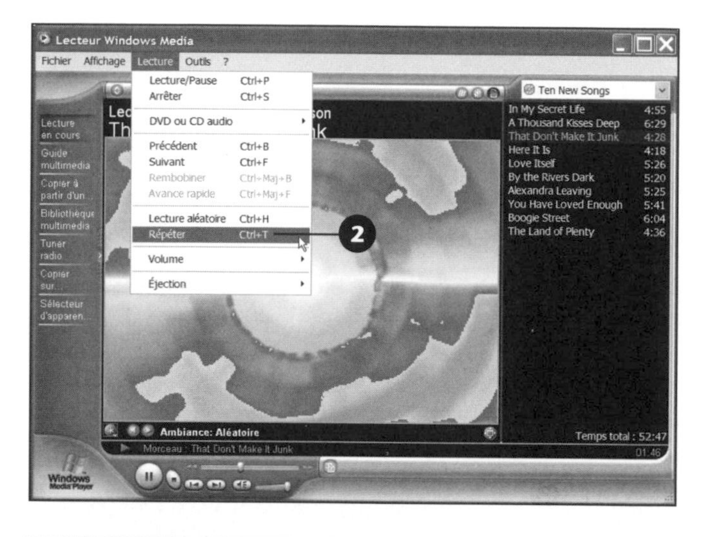

ASTUCE

Pour activer la lecture en boucle, vous pouvez aussi appuyer sur CTRL+T.

Copie de CD

Le Lecteur Windows Media permet de copier des pistes à partir de CD et de les enregistrer dans un format numérique sur votre disque dur. Vous pourrez ainsi écouter vos morceaux favoris à tout moment et dans l'ordre de votre choix.

Une fois les pistes enregistrées, elles peuvent être téléchargées vers un baladeur ou gravées sur CD sous forme de liste personnalisée.

Copier un CD sur le disque dur

1. Insérez le CD dans le lecteur approprié de l'ordinateur.
2. Dans la barre des tâches du Lecteur Windows Media, cliquez sur Copier à partir d'un CD.
3. Par défaut, le Lecteur Windows Media sélectionne toutes les chansons du CD. Il vous est, néanmoins, possible de ne copier que les pistes de votre choix.
4. Désactivez les cases à cocher situées à gauche des morceaux que vous ne voulez pas conserver.
5. Une fois la sélection terminée, cliquez sur Copier la musique pour démarrer l'enregistrement sur le disque dur.

6. La colonne État de la copie indique l'état d'avancement.

À l'aide de votre connexion Internet, le Lecteur Windows Media extrait des informations sur le CD inséré, comme le titre de l'album, l'intitulé de chaque piste, le nom de l'artiste et le genre musical. Le guide musical en ligne possède les références de plus d'un demi million de CD. Si votre CD n'y figure pas ou que le Lecteur Windows Media ne le reconnaît pas, des libellés génériques apparaissent à la place, comme Piste 1. Dans ce cas, saisissez manuellement les informations relatives à chaque chanson avant de procéder à l'enregistrement.

Saisir manuellement les informations relatives aux chansons

1. Appuyez sur CTRL+A pour sélectionner toutes les chansons de la liste.
2. Cliquez avec le bouton droit.
3. Dans le menu contextuel, sélectionnez Modifier.
4. Utilisez la touche TAB pour passer d'un champ à l'autre.

Partager les fichiers musicaux

1. Dans le menu Outils, choisissez Options.
2. Cliquez sur l'onglet Copier la musique.
3. Dans le cadre Copier la musique dans cet emplacement, cliquez sur Modifier.
4. Dans la boîte de dialogue Rechercher un dossier, sélectionnez successivement Poste de travail, Documents partagés et Musique partagée.

5. Cliquez sur OK.

ASTUCE

Lorsque vous copiez pour la première fois des pistes à partir d'un CD, le Lecteur Windows Media affiche une boîte de dialogue. Si vous cliquez sur OK, toutes les pistes enregistrées seront protégées. Autrement dit, il sera extrêmement difficile de les copier sur un baladeur et pratiquement impossible de les partager avec d'autres utilisateurs. En outre, si jamais vous réinstallez Windows, vous remarquerez que les pistes enregistrées ne peuvent plus être lues, quand bien même il s'agit du même ordinateur ! Pour éviter ces inconvénients, activez la case à cocher Ne pas protéger le contenu et cliquez sur OK.

Quand vous copiez les pistes d'un CD à l'aide du Lecteur Windows Media, les fichiers sont enregistrés au format WMA (*Windows Media Audio*) à la vitesse de 64 Kbits/s. Même si le Lecteur Windows Media considère ce paramètre comme celui d'une qualité CD, les mélomanes ne s'en satisferont probablement pas. Ce paramètre, en réalité, convient aux enceintes ou aux casques que l'on trouve sur la plupart des ordinateurs et baladeurs. Cependant, si les composants audio de votre ordinateur sont d'une qualité supérieure à la moyenne ou que vous voulez graver un CD pour l'écouter sur une chaîne Hi-fi élaborée, vous désirerez immanquablement accroître le niveau de qualité. Toutefois, n'oubliez pas de rechercher le juste compromis entre qualité d'écoute et stockage : plus la vitesse de transmission est élevée, plus l'espace disque occupé est important.

Ajuster les paramètres des enregistrements

1. Dans le menu Outils du Lecteur Windows Media, choisissez Options.
2. Dans la boîte de dialogue Options, cliquez sur l'onglet Copier la musique.
3. Dans le cadre Paramètres de copie, déplacez le curseur vers la droite pour bénéficier d'une meilleure qualité ou vers la gauche pour privilégier l'espace occupé.

4. Cliquez sur OK.

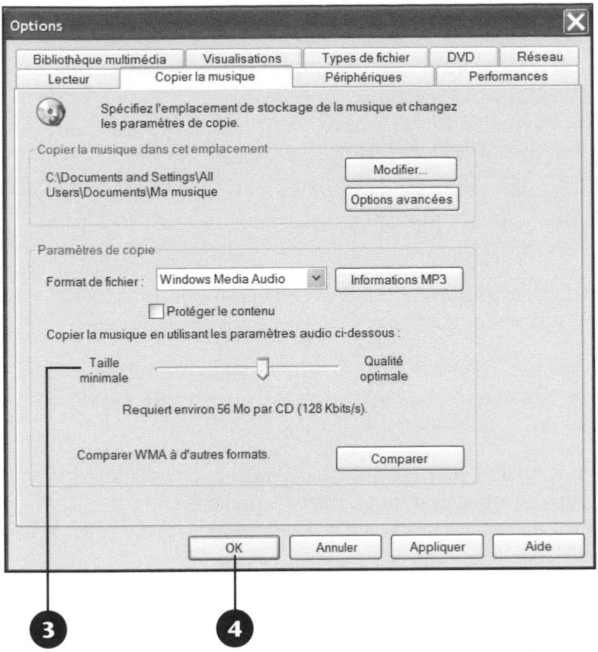

Quand vous enregistrez des pistes de CD à l'aide des paramètres par défaut du Lecteur Windows Media, elles apparaissent dans votre dossier Ma musique. Chaque artiste dispose de son propre sous-dossier, lequel contient à son tour un sous-dossier par album. Chaque piste est enregistrée avec un numéro, suivi d'un espace et du titre de la chanson, informations téléchargées automatiquement depuis Internet. En principe, ces informations conviennent amplement. Toutefois, des données complémentaires sont stockées au sein du fichier lui-même et peuvent être consultées à tout moment en ouvrant l'Explorateur Windows et en examinant le contenu du dossier approprié.

Si vous partagez des fichiers musicaux avec d'autres personnes n'utilisant pas Windows XP ou si vous souhaitez que les listes de fichiers incluent un plus grand nombre d'informations, configurez le Lecteur Windows Media pour qu'il nomme automatiquement les fichiers à l'aide d'une convention différente.

Modifier l'affichage des informations

1. Dans le menu Outils, sélectionnez Options et cliquez sur l'onglet Copier la musique.
2. Cliquez sur Options avancées.
3. Dans la boîte de dialogue Options de nom de fichier, activez les cases à cocher des catégories que vous souhaitez inclure dans les noms de fichiers et désactivez les autres.
4. À l'aide des boutons Monter et Descendre, modifiez l'ordre d'apparition des différentes informations sélectionnées.
5. Pour ne pas insérer d'espaces dans le nom du fichier, utilisez la liste Séparateur et sélectionnez un autre caractère de séparation.
6. La zone Aperçu permet de visualiser un exemple de nom, une fois la nouvelle mise en forme appliquée.
7. Cliquez sur OK.

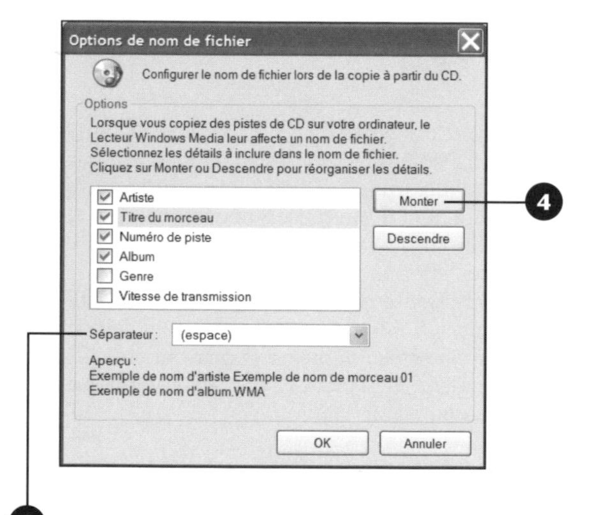

Téléchargement depuis le Web

Le Web constitue une source de contenus extraordinaire, notamment en matière musicale. Une simple recherche vous permettra d'accéder à une multitude de sites à partir desquels vous pourrez télécharger des œuvres musicales qu'il vous ne restera plus qu'à intégrer à la Bibliothèque multimédia. Sur certains sites, vous pourrez télécharger une chanson et l'évaluer pendant une durée déterminée avant de l'acheter ; sur d'autres, vous devrez régler un droit avant de télécharger un morceau et de l'écouter sur votre ordinateur. Le Lecteur Windows Media propose un ensemble de technologies facilitant la gestion de ces *droits numériques*. Enfin, vous pouvez échanger directement des fichiers musicaux avec d'autres personnes, notamment grâce aux services de partage en ligne de fichiers.

Dans certains cas, vous ne disposerez que d'une licence réduite. Il se peut que vous ne soyez autorisé à écouter la chanson que sur l'ordinateur utilisé pour le téléchargement ou que la licence expire au bout d'un certain temps (30 jours, par exemple). Que se passe-t-il si vous avez acquis une licence vous autorisant à écouter une chanson uniquement sur votre ordinateur courant et que vous la transférez sur un autre ordinateur ? Cette opération est généralement possible à condition que vous sauvegardiez la licence et la restauriez sur le nouvel ordinateur. Cependant, vous abandonnez ainsi le droit d'écouter la chanson sur l'ordinateur initial.

Visualiser les informations de licence

1. Ouvrez la Bibliothèque multimédia.
2. Cliquez avec le bouton droit sur le titre de la chanson.
3. Sélectionnez Propriétés.

4 Cliquez sur l'onglet Informations concernant la licence.

5 Les informations recherchées s'affichent.

Propriétés

Général | Informations concernant la licence | Paroles

Afficher les informations concernant la licence de l'élément sélectionné.

Informations concernant la licence

Contenu protégé
Copie non autorisée vers un lecteur portable compatible SDMI

OK | Annuler | Appliquer

4

Si certaines chansons enregistrées sur votre ordinateur font l'objet de licences, vous avez intérêt à sauvegarder celles-ci, même si vous ne prévoyez pas de copier les chansons sur un autre ordinateur. La sauvegarde d'un fichier musical n'entraîne pas celle de sa licence. Même si vous restaurez la chanson, vous ne pourrez pas l'écouter si sa licence n'a pas été restaurée.

Sauvegarder les licences

1. Dans le menu Outils du Lecteur Windows Media, sélectionnez Gestion des licences.
2. Dans la boîte de dialogue Gestion des licences, cliquez sur Parcourir
3. Choisissez un emplacement pour la sauvegarde. Utilisez de préférence une disquette, un lecteur Zip ou autre support de stockage amovible.

4 Cliquez sur Sauvegarder.

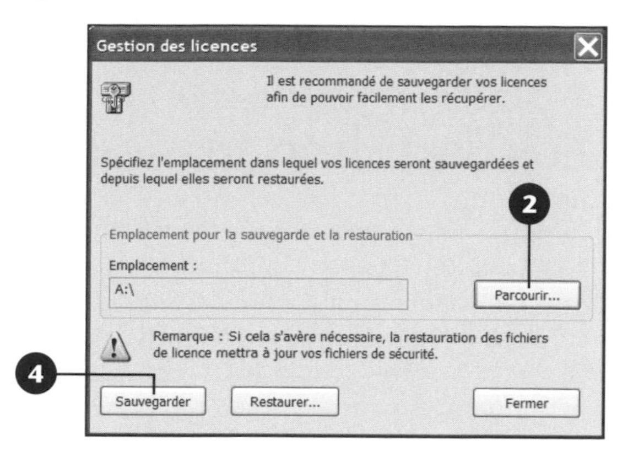

Restaurer les licences sur un autre ordinateur

1 Dans le menu Outils du Lecteur Windows Media, sélectionnez Gestion des licences.

2 Dans la boîte de dialogue Gestion des licences, cliquez sur Restaurer.

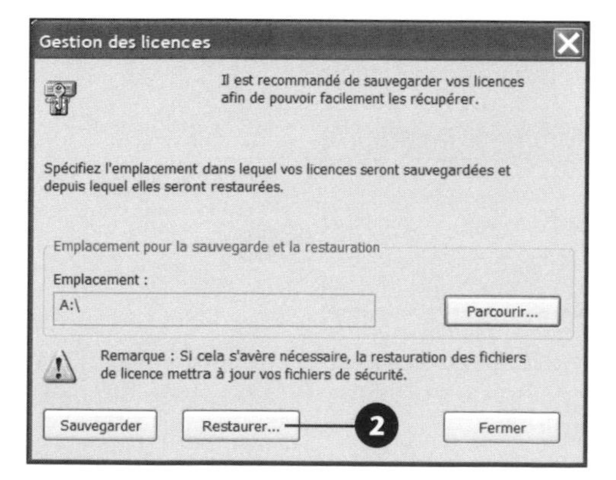

Vos droits ne sont pas illimités. Chaque fois que vous restaurez une licence numérique sur un nouvel ordinateur, le Lecteur Windows

Media envoie un identificateur unique aux serveurs de Microsoft. Vous ne pouvez pas restaurer une licence sur plus de quatre ordinateurs. Si vous reformatez le disque dur, le Lecteur Windows Media considère celui-ci comme un nouvel ordinateur.

Organisation des fichiers musicaux

Quand vous ajoutez un fichier musical à votre collection, le Lecteur Windows Media l'inclut dans la Bibliothèque multimédia. De même, chaque album enregistré apparaît automatiquement dans la Bibliothèque multimédia, classé par titre, par artiste et par genre. Vous pouvez, cependant, créer des listes personnalisées pour regrouper des pistes ou les réorganiser avant de les graver sur un CD.

Créer une liste personnalisée

1. Dans la barre des tâches du Lecteur Windows Media, cliquez sur Bibliothèque multimédia.
2. En haut de la fenêtre Bibliothèque multimédia, cliquez sur Nouvelle sélection.
3. Dans la boîte de dialogue Nouvelle sélection, entrez la description de la liste et cliquez sur OK.

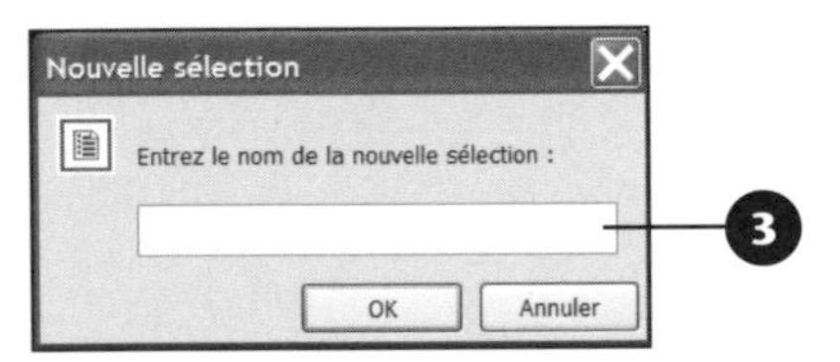

4. Sélectionnez les pistes de votre choix dans le volet de droite et faites-les glisser vers l'entrée de la nouvelle liste dans le volet de gauche.

Lecture de DVD

Outre les fichiers musicaux, le Lecteur Windows Media peut lire les films DVD, sous réserve que vous disposiez d'un lecteur approprié et d'un *décodeur*. Si vous avez acheté l'ordinateur équipé d'un lecteur de DVD et de Windows XP, le décodeur doit être présent. En revanche, si vous avez effectué la mise à niveau de votre ancien ordinateur vers Windows XP, vous devrez télécharger le décodeur à partir d'Internet et l'installer. Assurez-vous que votre ordinateur accepte bel et bien les DVD, ce qui n'est pas évident de prime abord, la taille et l'aspect des CD et des DVD étant strictement identiques. Dans le Poste de travail, vérifiez que l'étiquette Lecteur DVD est bien associée à l'icône du lecteur ; ou, dans la fenêtre Gestionnaire de périphériques, affichez la boîte de dialogue Propriétés du lecteur. Pour savoir si vous disposez d'un décodeur, insérez un DVD dans le lecteur. Si le décodeur n'est pas installé, le Lecteur Windows Media affiche un message d'erreur, ainsi qu'un lien vers l'outil de dépannage approprié. Suivez le lien pour obtenir la liste des décodeurs compatibles.

La lecture d'un film DVD dans le Lecteur Windows Media s'apparente à celle d'un CD musical. Le DVD doit démarrer automatiquement aussitôt que vous l'avez inséré. Si tel n'est pas le cas, démarrez le Lecteur Windows Media et dans le menu Lecture, sélectionnez DVD ou CD audio, puis choisissez le lecteur approprié dans le sous-menu.

Création de CD

Si vous avez créé une liste personnalisée à partir de pistes enregistrées sur votre ordinateur, vous pouvez graver les fichiers correspondants à l'aide du Lecteur Windows Media. Naturellement, vous devez posséder à cette fin d'un lecteur de CD-R ou CD-RW compatible avec le Lecteur Windows Media et d'un CD-ROM vierge.

Créer un CD

1. Insérez le CD-R ou CD-RW dans le lecteur approprié.
2. Sélectionnez la liste de votre choix.
3. Dans la barre des tâches du Lecteur Windows Media, cliquez sur Copier sur un CD.
4. Une fenêtre s'affiche. Le volet gauche contient la liste, avec toutes les pistes sélectionnées, ainsi que le temps de lecture total. Le volet droit affiche le contenu déjà présent (éventuellement) sur le CD.
5. Comparez le temps total, en bas du volet gauche, et le temps disponible, en bas du volet droit. Si le temps total excède le temps disponible, la colonne État affiche un message (Espace insuffisant) pour certaines pistes. Désactivez les cases à cocher, situées à gauche, d'une ou de plusieurs pistes pour adapter la sélection au temps disponible.

6. Cliquez sur Copier la musique.

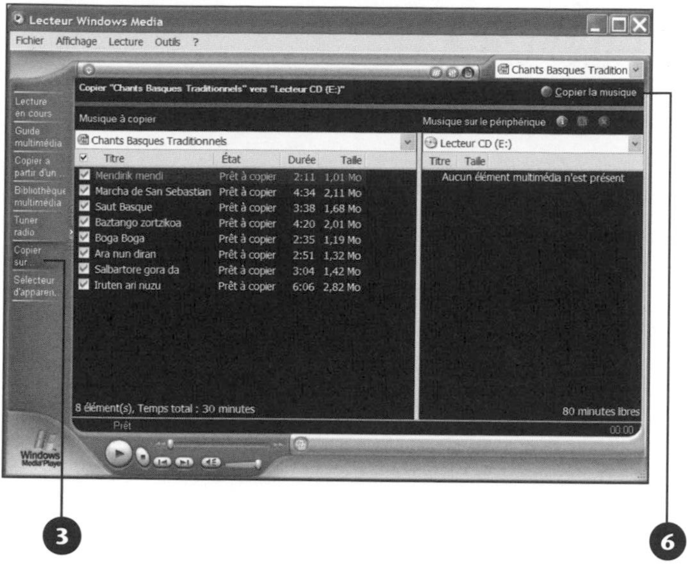

Lecteur Windows Media

Fichier Affichage Lecture Outils ?

Chants Basques Tradition

Copier "Chants Basques Traditionnels" vers "Lecteur CD (E:)"

Copier la musique

Lecture en cours

Guide multimédia

Copier à partir d'un ...

Bibliothèque multimédia

Tuner radio

Copier sur...

Sélecteur d'apparen...

Musique à copier

Chants Basques Traditionnels

Titre	État	Durée	Taille
Mendirik mendi	Prêt à copier	2:11	1,01 Mo
Marcha de San Sebastian	Prêt à copier	4:34	2,11 Mo
Saut Basque	Prêt à copier	3:38	1,68 Mo
Baztango zortzikoa	Prêt à copier	4:20	2,01 Mo
Boga Boga	Prêt à copier	2:35	1,19 Mo
Ara nun diran	Prêt à copier	2:51	1,32 Mo
Salbartore gora da	Prêt à copier	3:04	1,42 Mo
Iruten ari nuzu	Prêt à copier	6:06	2,82 Mo

8 élément(s), Temps total : 30 minutes

Musique sur le périphérique

Lecteur CD (E:)

Titre Taille

Aucun élément multimédia n'est présent

80 minutes libres

Prêt

00:00

Windows Media Player

3

6

Il se peut que la gravure nécessite plus de temps que vous ne l'imaginiez : en effet, le Lecteur Windows Media vérifie la licence de chaque piste, la convertit en fichier temporaire (dans un format Audio CD non compressé) et, enfin, grave le contenu de la liste sur le CD.

Comptes d'utilisateurs

12

Microsoft Windows XP offre la possibilité à chaque utilisateur de personnaliser son environnement de travail. Les différents paramètres et options des programmes peuvent être spécifiques à chaque compte. Chaque utilisateur dispose de son propre dossier Favoris (Internet Explorer) et de son compte de messagerie. De même, un emplacement dédié de stockage lui est réservé pour ses documents et fichiers.

Les comptes d'utilisateurs garantissent également la sécurité des fichiers en interdisant leur accès par des personnes non autorisées.

Contrôle de l'accès à l'ordinateur

La personnalisation mise à part, les comptes d'utilisateurs forment la base de la sécurité sous Windows XP. À chaque élément de l'ordinateur, qu'il s'agisse d'un fichier, d'un dossier ou d'une imprimante, est associée la liste des utilisateurs autorisés à y accéder et des opérations qu'ils sont habilités à effectuer. Ainsi, certains utilisateurs auront uniquement le droit de lire un fichier, sans pouvoir le modifier.

ASTUCE

Seuls les dossiers et fichiers de disques durs formatés avec le système de fichiers NTFS bénéficient de ce type de sécurité. En revanche, sur un disque dur FAT ou FAT32, quiconque peut lire, modifier ou supprimer des dossiers et des fichiers, que ce soit à des fins malveillantes ou par erreur. Aussi, pour cette raison, est-il vivement recommandé d'utiliser le système de fichiers NTFS.

Lorsque vous ouvrez une session en cliquant sur votre nom dans l'écran d'accueil de Windows XP (et, le cas échéant, en entrant un mot de passe), Windows peut ainsi vous identifier et, chaque fois que vous tentez d'accéder à un objet, vérifier que vous possédez les autorisations requises. En conséquence, le principal avantage des comptes d'utilisateurs réside dans le fait que seuls les utilisateurs habilités peuvent accéder aux fichiers protégés.

Chaque utilisateur possède son Bureau et son dossier Mes documents, ainsi que quelques autres dossiers personnels (comme Mes images ou Ma musique). Seul l'utilisateur lui-même dispose d'un accès complet à ses fichiers personnels, les autres utilisateurs ne jouissant que d'un accès limité (voire nul).

Il est recommandé de créer un compte pour chaque utilisateur de l'ordinateur. Sans doute vous accorderez-vous, ainsi qu'à une autre personne de votre choix, le statut d'administrateur, qui permet, entre autres, d'installer la plupart des programmes. Par prudence, n'attribuez à vos enfants qu'un compte limité...

Création d'un compte

Quand vous installez Windows XP sur un nouvel ordinateur à partir du CD-ROM d'origine, le programme d'installation permet de créer un compte pour chaque utilisateur. Si Windows XP est déjà installé, cette possibilité n'est plus de mise. L'écran d'accueil affiche l'ensemble des comptes d'utilisateurs définis. Cependant, l'ajout d'un nouveau compte peut s'effectuer à tout moment.

Créer un compte

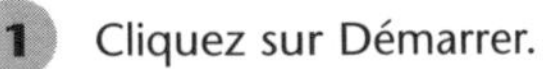

1. Cliquez sur Démarrer.
2. Sélectionnez Panneau de configuration.

 Dans le Panneau de configuration, sélectionnez l'option Comptes d'utilisateurs.

4 Dans la fenêtre Comptes d'utilisateurs, sous Choisissez une tâche, cliquez sur Créer un nouveau compte.

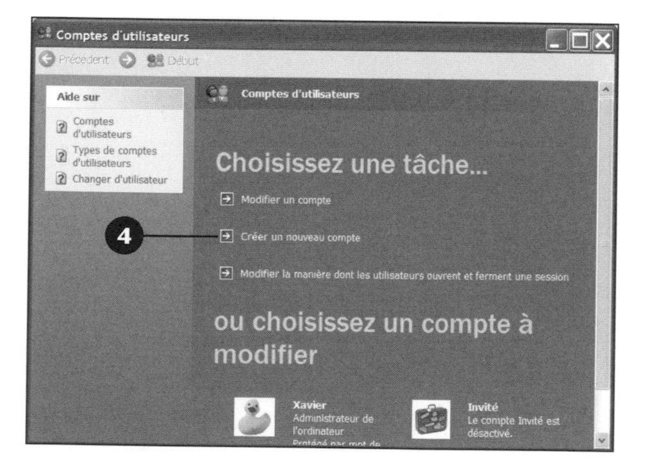

5 Sur l'écran suivant, tapez le nom de l'utilisateur dans la zone de texte et cliquez sur Suivant.

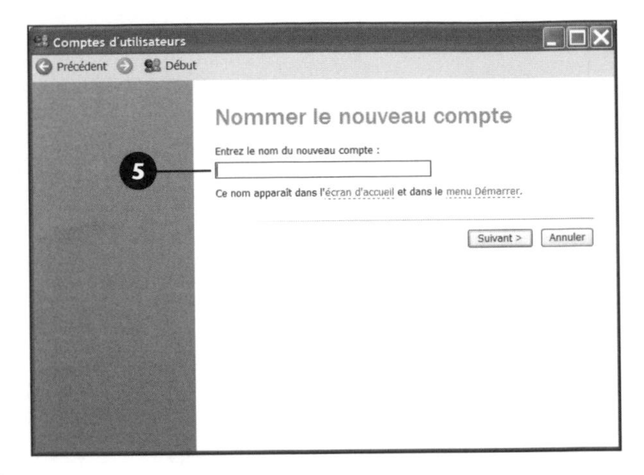

6 Sélectionnez Administrateur de l'ordinateur ou Limité.

7 Cliquez sur Créer un compte.

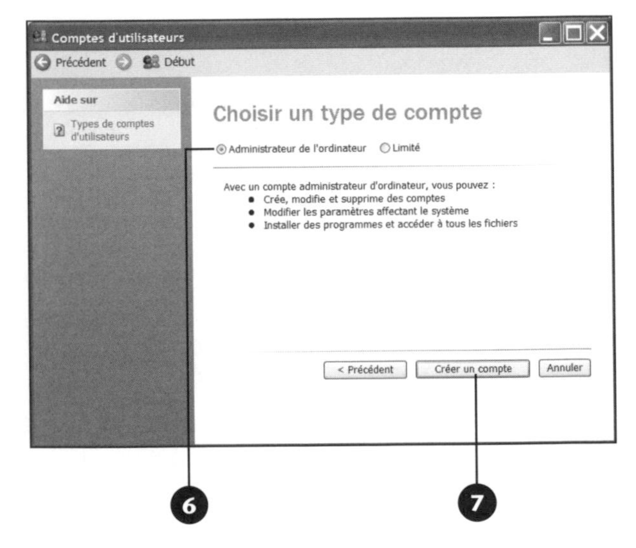

Windows crée alors les dossiers nécessaires pour stocker le *profil* du nouvel utilisateur et son nom apparaît désormais sur l'écran d'accueil.

L'option Comptes d'utilisateurs du Panneau de configuration permet de définir deux types de comptes : compte administrateur et compte limité.

Les comptes administrateur sont les plus puissants et permettent de contrôler totalement toutes les ressources de l'ordinateur. Les principaux privilèges d'un compte administrateur sont les suivants :

- Créer, modifier et supprimer des comptes d'utilisateurs.
- Accéder à l'ensemble des fichiers.
- Installer des programmes et démarrer ou arrêter des services.
- Partager des dossiers afin que d'autres utilisateurs puissent y accéder via un réseau.
- Installer ou retirer des périphériques, ou effectuer d'autres modifications de la configuration du système.
- Se connecter en mode sans échec.

En revanche, les comptes limités présentent un certain nombre de restrictions. Un compte limité peut :

- Modifier (ou supprimer) son mot de passe d'ouverture de session.
- Modifier l'image du compte d'utilisateur, ainsi que le thème (et autres paramètres) du Bureau.
- Utiliser les programmes installés sur l'ordinateur.
- Créer, modifier ou supprimer les fichiers enregistrés dans leurs propres dossiers.
- Afficher les fichiers des dossiers partagés.

Pour garantir une sécurité maximale, définissez des comptes limités pour tous les utilisateurs. De cette façon, quand vous ouvrez une session en tant qu'administrateur, vous disposez d'un pouvoir pratiquement illimité sur l'ordinateur. Bien sûr, cette capacité peut avoir sa contrepartie. Si vous ouvrez une pièce jointe contenant une application cachée destructrice (*cheval de Troie*), celle-ci s'exécutera et permettra à un pirate, via Internet, de prendre le contrôle de votre ordinateur, sans que vous vous en doutiez. Cependant, si vous ouvrez une session à l'aide d'un compte limité, Windows empêche que les dégâts ne s'étendent à l'ensemble de l'ordinateur. Pour cette raison, il peut être judicieux de créer un compte administrateur réservé à la seule gestion de l'ordinateur et d'utiliser un compte limité pour les tâches quotidiennes.

Utilisation du compte Invité

Le compte Invité constitue un compte particulier réservé aux utilisateurs occasionnels et auxquels vous souhaitez offrir un accès limité et sécurisé.

Ce compte peut accéder aux programmes de l'ordinateur, aux fichiers du dossier Documents partagés et à ceux du profil Invité. De cette façon, l'invité peut vérifier son courrier électronique, explorer le Web et travailler sur ses propres documents et ceux stockés dans le dossier Documents partagés. En revanche, il ne peut pas afficher ou modifier les documents des autres utilisateurs, changer les paramètres du système, installer des programmes, créer ou modifier le mot de passe du compte Invité, ou provoquer des dommages sur votre ordinateur.

Activer le compte Invité

1. Connectez-vous en tant qu'administrateur de l'ordinateur.
2. Dans le Panneau de configuration, sélectionnez Comptes d'utilisateurs, puis cliquez sur Invité.

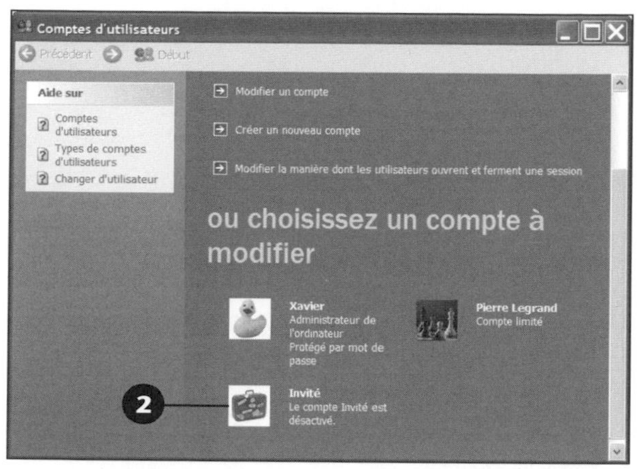

3 Cliquez sur Activer le compte Invité.

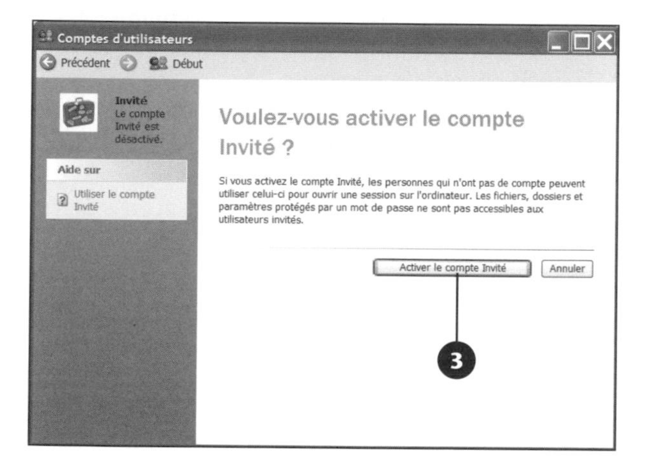

Quiconque peut désormais utiliser ce compte en cliquant sur l'icône Invité. Aucun mot de passe n'est nécessaire.

La fenêtre Compte d'utilisateurs ne permet pas la suppression du compte Invité. Toutefois, vous pouvez le désactiver si vous souhaitez qu'il n'apparaisse plus sur l'écran d'accueil.

Désactiver le compte Invité

1. Ouvrez la fenêtre Comptes d'utilisateurs.
2. Cliquez sur Invité.
3. Cliquez sur Désactiver le compte invité.

Modification d'un compte

La fenêtre Comptes d'utilisateurs permet de modifier plusieurs paramètres d'un compte d'utilisateur. Si vous avez ouvert une session à l'aide d'un compte limité, vous ne pouvez apporter des modifications qu'à votre propre compte. Si vous avez ouvert la session en tant qu'administrateur, vous pouvez modifier n'importe quel compte.

Modifier un compte d'utilisateur

1. Connectez-vous en tant qu'administrateur.

2. Dans le Panneau de configuration, ouvrez la fenêtre Comptes d'utilisateurs.

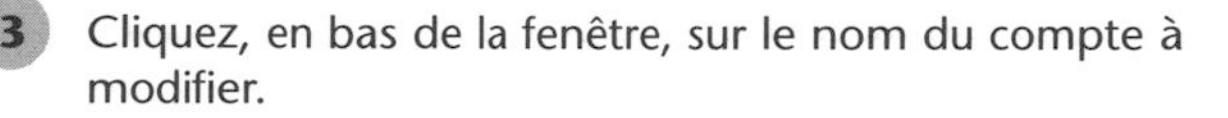

3. Cliquez, en bas de la fenêtre, sur le nom du compte à modifier.

4. Pour modifier le nom, cliquez sur Changer le nom, tapez le nouveau nom et cliquez sur Changer le nom. Cette modification n'influe que sur le nom affiché dans l'écran d'accueil et le menu Démarrer.

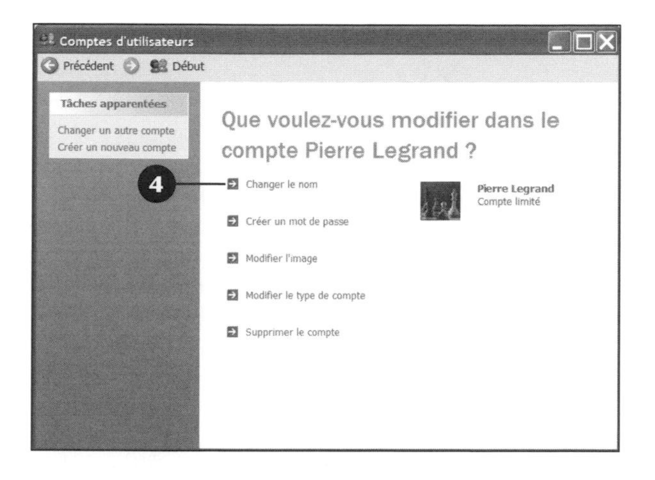

ASTUCE

Le nom complet associé à un compte apparaît sur l'écran d'accueil et sur le menu Démarrer. Sans doute souhaiterez-vous qu'il soit clairement lisible, avec lettre majuscule au début du nom et du prénom, espace entre ceux-ci, etc. Vous pouvez même utiliser des points, des traits d'union ou autres symboles (à l'exception de la virgule) apparaissant parfois dans un nom. Le nom complet ne doit pas excéder 20 caractères.

Si votre ordinateur se trouve à un emplacement auquel d'autres utilisateurs peuvent accéder, il est plus que recommandé d'attribuer un mot de passe à chaque compte. À tout le moins, protégez les comptes administrateur avec un mot de passe.

De cette façon, il sera extrêmement difficile à un tiers d'accéder à vos fichiers ou courriers électroniques et l'ordinateur se trouve à l'abri de toute utilisation malencontreuse. Rappelez-vous qu'un compte administrateur est extrêmement puissant et qu'il permet de créer, modifier ou supprimer un fichier ou un dossier, et d'exécuter les programmes. Même si vous ne possédez aucun document confidentiel au sens strict, vous avez certainement des fichiers auxquels vous êtes très attaché et qui pourraient se révéler difficiles à remplacer : aussi le choix d'un mot de passe pour accéder à votre compte constitue-t-il une aide extrêmement précieuse.

Attribuer un mot de passe à un compte

1. Dans la fenêtre Comptes d'utilisateurs, sélectionnez le nom du compte, puis cliquez sur Créer un mot de passe.
2. Tapez une première fois le mot de passe, puis une seconde afin de le confirmer. Entrez ensuite un mot ou une phrase qui servira d'indication au cas où vous auriez oublié le mot de passe. Si, une fois sur l'écran d'accueil, vous ne vous rappelez pas votre mot de passe, vous pouvez afficher l'indication en cliquant sur le point d'interrogation de couleur bleue.
3. Cliquez sur Créer un mot de passe.

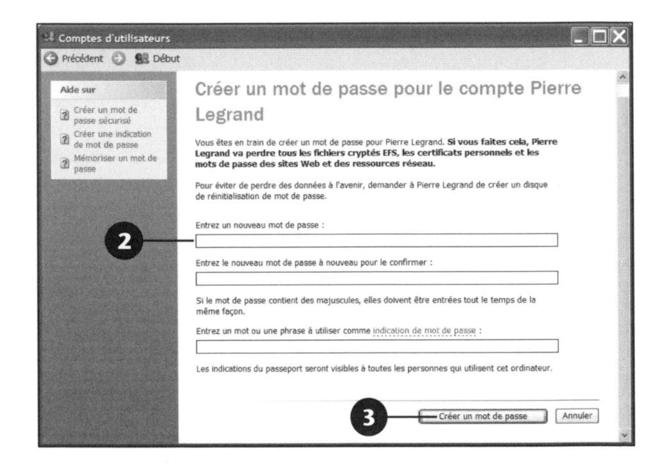

4. Si vous créez un mot de passe pour votre compte (le compte Administrateur), sur l'écran suivant, cliquez sur Oui, Rendre privé, pour empêcher les utilisateurs avec des comptes limités d'accéder à vos fichiers. Sinon, cliquez sur Non.

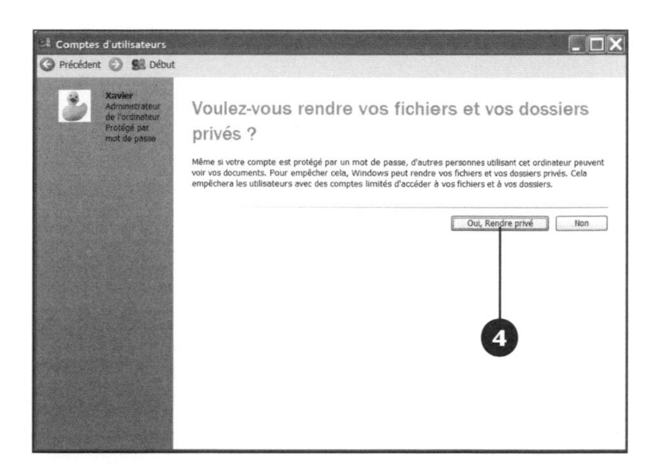

La création d'un mot de passe constitue une excellente mesure de sécurité. Cependant, si vous oubliez le mot de passe, vous ne pourrez plus vous connecter à votre compte. Heureusement, Windows XP fournit une solution : la disquette de réinitialisation du mot de passe.

Créer une disquette de réinitialisation du mot de passe

1. Dans le volet gauche Tâches apparentées de la page Que voulez-vous modifier dans votre compte ?, cliquez sur Empêcher un mot de passe oublié. Ce lien n'est valide que pour votre propre compte ; chaque utilisateur doit créer sa propre disquette de réinitialisation de mot de passe.

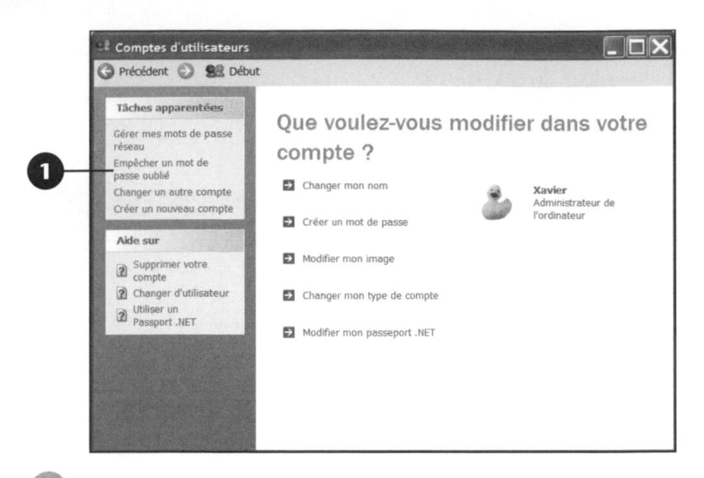

2 L'Assistant Mot de passe perdu apparaît.

3 Suivez les instructions affichées à l'écran.

Si vous avez déjà attribué un mot de passe au compte, sa modification est assez semblable à la création.

Modifier un mot de passe

1 Dans la fenêtre proposant les éléments à modifier, cliquez sur Changer le mot de passe, si vous êtes connecté en tant qu'administrateur.

– ou –

2 Cliquez sur Changer mon mot de passe, si vous modifiez le mot de passe de votre propre compte.

– ou –

3 Cliquez sur Supprimer le mot de passe.

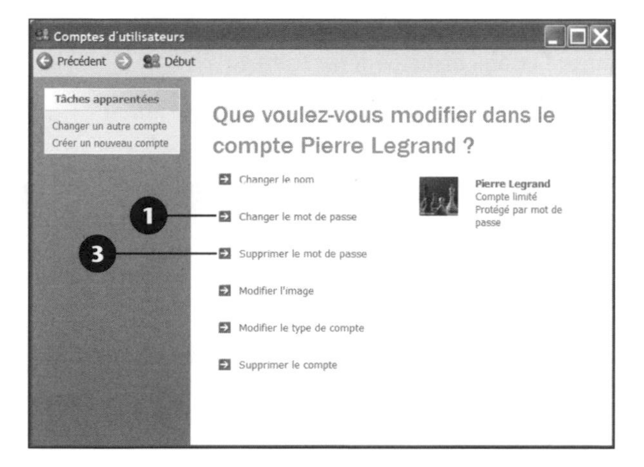

Si vous effectuez cette tâche pour un autre compte que le vôtre (vous devez, bien sûr, être connecté comme administrateur), vous supprimez l'accès aux *certificats* personnels de cet utilisateur et à toute combinaison nom d'utilisateur/mot de passe employée par cette personne pour accéder aux sites Web ou aux ressources du réseau. Il s'agit là d'une mesure de sécurité qui empêche un administrateur indélicat de modifier un mot de passe et d'accéder ainsi aux informations les plus confidentielles de l'utilisateur.

Si vous utilisez Windows XP Édition familiale, il existe de fortes chances pour que vous-même ou les autres utilisateurs de l'ordinateur ne possédiez pas de certificats critiques ou un nombre élevé de mots de passe ; aussi le risque est-il assez faible que vous vous retrouviez dans l'incapacité d'accéder physiquement à vos propres informations. Néanmoins, si vous modifiez un mot de passe utilisateur ou le supprimez parce qu'un utilisateur ne s'en souvient plus, il est préférable de recourir à une disquette de réinitialisation du mot de passe.

À côté de votre nom, sur l'écran d'accueil ou le menu Démarrer, vous pouvez remarquer une petite image. Windows la choisit au sein d'un ensemble réduit. Vous pouvez très bien la remplacer par celle de votre choix.

Modifier l'image associée à un compte

1. Ouvrez le menu Démarrer et cliquez sur l'image à gauche de votre nom, en haut du menu.
2. Sélectionnez l'image de votre choix. Pour choisir une autre image que celles affichées, cliquez sur Rechercher d'autres images.
3. Cliquez sur Changer de portrait.

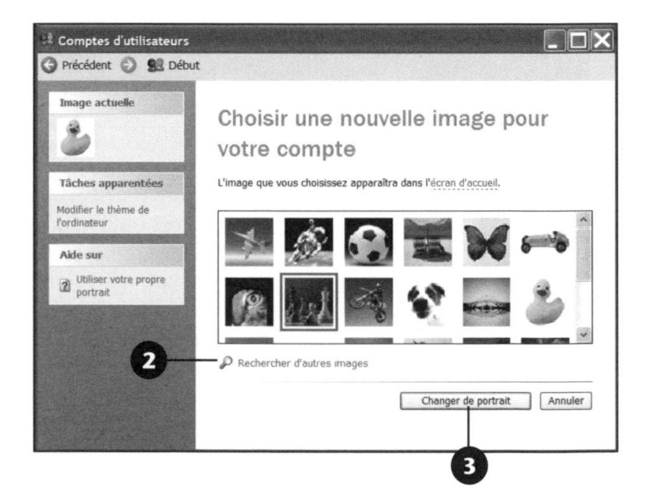

Suppression d'un compte

Chaque compte utilisateur consomme une certaine quantité d'espace disque (dépendant, entre autres facteurs, de la taille occupée par le dossier Mes documents) et un peu de place sur l'écran d'accueil. Il constitue, en outre, un point d'entrée possible pour toute personne souhaitant accéder frauduleusement à votre ordinateur. En conséquence, il est prudent de supprimer tout compte d'utilisateur devenu inutile. Vous pouvez supprimer n'importe quel compte, à l'exception de celui sous lequel vous êtes connecté. Toutefois, vous ne pouvez supprimer un compte que si vous avez ouvert la session en tant qu'administrateur.

Supprimer un compte

1. Dans le Panneau de configuration, ouvrez la fenêtre Comptes d'utilisateurs.
2. Sélectionnez le compte à supprimer.
3. Cliquez sur Supprimer le compte.
4. Indiquez si vous souhaitez conserver les fichiers du compte supprimé.

   - Si vous choisissez Conserver les fichiers, Windows copie tous les fichiers et dossiers du Bureau de l'utilisateur, ainsi que de son dossier Mes documents, dans un dossier sur votre propre Bureau. Les fichiers et dossiers deviennent alors partie intégrante de votre profil et passent sous votre seul contrôle. Tous les autres éléments du profil de l'utilisateur, comme les messages électroniques, les Favoris Internet et les paramètres stockés dans le Registre, sont supprimés une fois que vous aurez confirmé votre décision dans la fenêtre suivante.

- Si vous cliquez sur Supprimer les fichiers, Windows supprime tous les fichiers du profil de l'utilisateur, y compris ceux du Bureau et du dossier Mes documents.

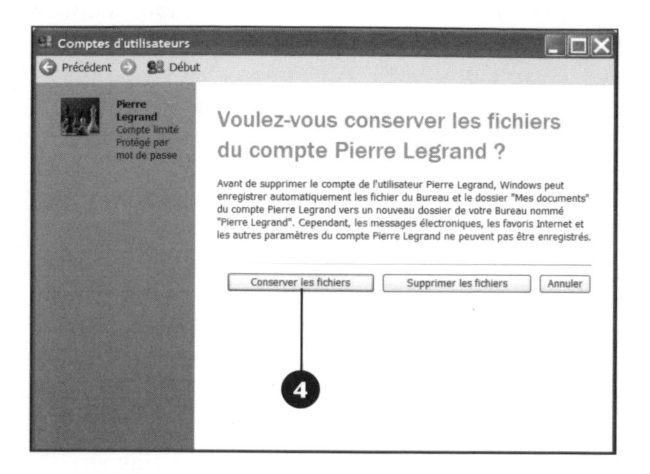

Si vous utilisez Windows XP Professionnel, vous pouvez désactiver un compte inutilisé, rendant ainsi son accès impossible jusqu'à ce que vous l'activiez de nouveau.

Désactiver un compte

1. Cliquez avec le bouton droit sur le Poste de travail.
2. Dans le menu contextuel, sélectionnez Gérer.
3. Dans la console Gestion de l'ordinateur, sélectionnez au sein de l'arborescence affichée dans le volet gauche Utilisateurs et groupes locaux.

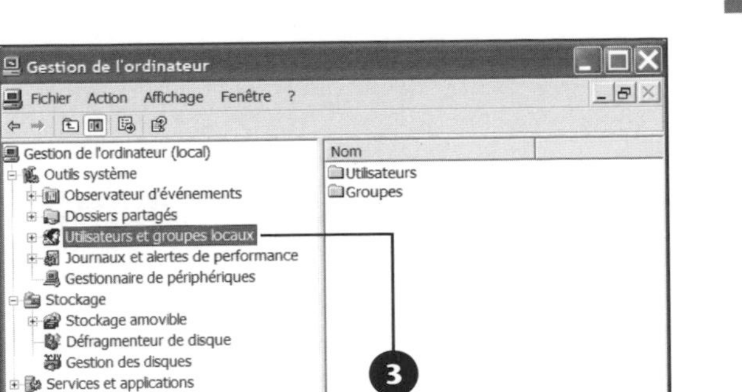

4 Double-cliquez sur l'icône Utilisateurs affichée dans le volet de droite, puis sur l'icône du compte à désactiver.

5 Activez l'option Le compte est désactivé et cliquez sur OK.

Propriétés de Pierre Legrand

Général | Membre de | Profil

Pierre Legrand

Nom complet : Pierre Legrand

Description :

L'utilisateur doit changer son mot de passe à la prochaine ouverture de session

L'utilisateur ne peut pas changer de mot de passe

Le mot de passe n'expire jamais

Le compte est désactivé

Le compte est verrouillé

OK | Annuler | Appliquer

5

 Pour activer de nouveau le compte, répétez la même procédure mais, cette fois, désactivez la précédente option.

Création de fichiers confidentiels

L'installation par défaut de Windows XP inclut des paramètres de sécurité qui permettent à tout utilisateur se connectant à votre ordinateur en tant qu'administrateur de consulter tous les fichiers de votre profil. La fenêtre Poste de travail visualisable par un administrateur affiche une icône pour le dossier Mes documents de chaque utilisateur (dossier identifié ici par le nom de l'utilisateur). Lorsque les précédents paramètres n'ont pas été modifiés, l'administrateur connecté peut ouvrir n'importe lequel de ces dossiers et afficher, modifier ou supprimer les documents personnels d'un utilisateur.

En revanche, les comptes limités n'accèdent qu'aux fichiers de leurs propres profils. Les dossiers de documents des autres utilisateurs n'apparaissent pas dans la fenêtre Poste de travail d'un compte limité. Si l'utilisateur d'un compte limité utilise l'Explorateur pour afficher le dossier de profil d'un autre utilisateur, un message d'erreur, semblable à celui illustré ci-après, s'affiche et interrompt la tentative.

Cette configuration de sécurité basse fournit une solution pratique aux personnes partageant un ordinateur pour travailler ensemble sur un projet. Néanmoins, il se peut que vous souhaitiez interdire l'accès à certains fichiers, comme vos documents financiers ou autres.

Qu'il s'agisse d'un compte administrateur ou limité, vous pouvez définir certains dossiers de votre profil comme confidentiels. Tout utilisateur (y compris un administrateur) qui tente d'ouvrir un tel fichier se voit alors refuser l'accès sous forme d'un message.

Rendre un dossier confidentiel

1. Cliquez avec le bouton droit sur le dossier.
2. Cliquez sur Partage et sécurité.
3. Activez la case à cocher Rendre ce dossier confidentiel.
4. Cliquez sur OK.

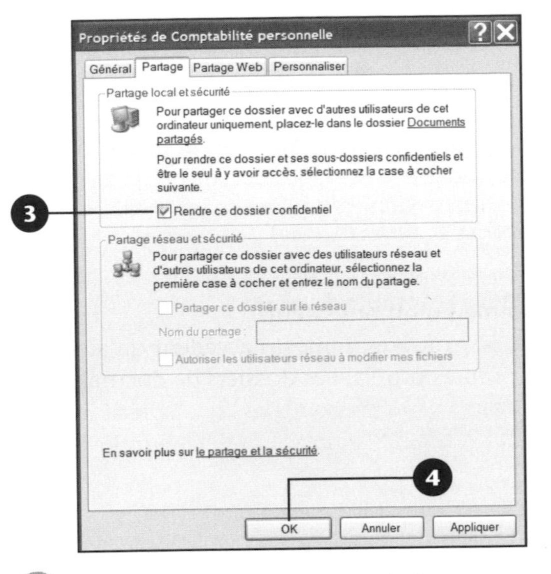

5. Si votre compte n'est pas protégé par un mot de passe, Windows vous avertit du risque que représente un dossier « confidentiel » auquel quiconque peut accéder. Si vous cliquez sur Oui, vous aboutissez directement à la page permettant de créer un mot de passe.

Partage

Vous n'avez pas actuellement de passeport sur votre compte d'utilisateur. Même si vous rendez
ce dossier privé, n'importe qui peut se connecter sous votre nom et accéder à ce dossier.

Voulez-vous créer un passeport pour votre compte ?

5 Oui Non

Les dossiers confidentiels sont aussi efficaces que simples à implémenter. Cependant, vous devez être conscient des restrictions suivantes :

- L'option Rendre ce dossier confidentiel n'est disponible que pour les dossiers de votre propre profil. Vous ne pouvez pas rendre confidentiel un dossier de données stocké en dehors de votre profil.
- La confidentialité s'applique à tous les fichiers et sous-dossiers (y compris leurs propres fichiers et sous-dossiers) du dossier confidentiel. Il n'est pas possible de protéger individuellement un fichier.
- Vous pouvez également rendre confidentielle la totalité de votre profil – qui inclut le dossier Mes documents, le menu Démarrer, les fichiers et dossiers du Bureau, les Favoris Internet Explorer, les cookies et autres données personnelles.

Rendre confidentielle la totalité du profil

1. Ouvrez le menu Démarrer et sélectionnez Exécuter.

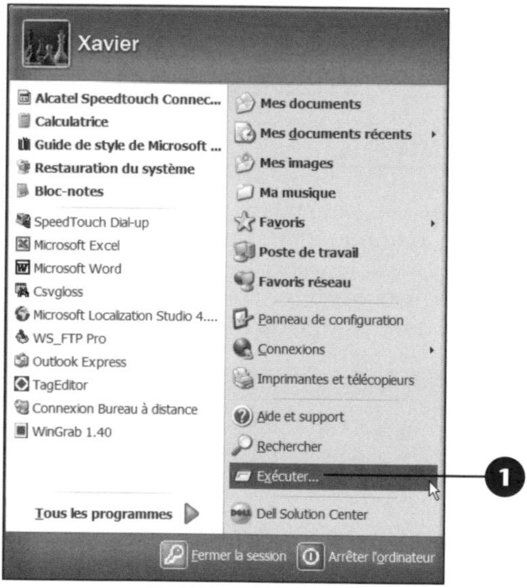

2. Dans la boîte de dialogue Exécuter, tapez %userprofile% et cliquez sur OK.
3. Dans la fenêtre de l'Explorateur Windows, appuyez sur la touche RETOUR ARRIÈRE.
4. Cliquez avec le bouton droit sur le dossier intitulé d'après votre nom d'utilisateur et, dans le menu contextuel, choisissez Partage et sécurité.
5. La boîte de dialogue Propriétés du dossier s'affiche.
6. Activez la case à cocher Rendre ce dossier confidentiel.
7. Cliquez sur OK.

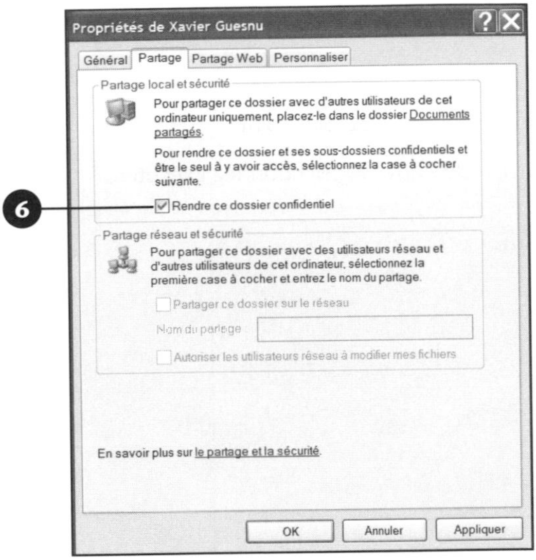

Propriétés de Xavier Guesnu
Général
Partage
Partage Web
Personnaliser
Partage local et sécurité
Pour partager ce dossier avec d'autres utilisateurs de cet ordinateur uniquement, placez-le dans le dossier Documents partagés.
Pour rendre ce dossier et ses sous-dossiers confidentiels et être le seul à y avoir accès, sélectionnez la case à cocher suivante.
6
Rendre ce dossier confidentiel
Partage réseau et sécurité
Pour partager ce dossier avec des utilisateurs réseau et d'autres utilisateurs de cet ordinateur, sélectionnez la première case à cocher et entrez le nom du partage.
Partager ce dossier sur le réseau
Nom du partage :
Autoriser les utilisateurs réseau à modifier mes fichiers
En savoir plus sur le partage et la sécurité.
OK
Annuler
Appliquer